IDRIS CHARLES

Heb y Mwgwd

IDRIS CHARLES

HEB Y MWGWD

I Mam

Wnes i ddim sylweddoli yn blentyn
i chi wneud y cyfan er mwyn eich plant

Argraffiad cyntaf: Hydref 2008

Dymuna'r cyhoeddwyr gydnabod cymorth ariannol
Cyngor Llyfrau Cymru

Cynllun y clawr: Y Lolfa

Rhif Llyfr Rhyngwladol: 978 1 84771 086 4

Cyhoeddwyd, rhwymwyd ac argraffwyd yng Nghymru
gan Y Lolfa Cyf., Talybont, Ceredigion SY24 5HE
gwefan www.ylolfa.com
e-bost ylolfa@ylolfa.com
ffôn 01970 832 304
ffacs 832 782

Rhagair

IANWS. DYN SWIL, DYN byr o gorff gyda syniadau mawr. Anwylyn. Gŵr sydd â'i grefydd yn ei gynnal. Er iddo gefnu arno am gyfnod mae'n fwy nag angor iddo bellach, mae'n ffordd o fyw. Gŵr sy heb gael y cyfle mewn gwirionedd i ddangos ei lawn botensial. Mae'n un o'r cymeriadau doniolaf y gwn i amdano. Roedd hwn yn 'stand-up' cyn i'r term gael ei fathu. Pan o'n i'n gyd-weithwyr yn HTV, Idris oedd fy 'warm up' i. Warm up? Roedd y gynulleidfa ar dân erbyn ei bod hi'n amser i mi orfod dechrau'r sioe. Gorfod dilyn Idris; roedd yn rhaid newid y cyweirnod.

Dengys y llyfr hwn ddyfnder emosiwn a meddwl treiddgar. Fe gewch eich ysbrydoli gan ei stori. Wedi dilyn Idris drwy ei fywyd mae'r mygydau theatrig, y llon a'r lleddf, sy mor nodweddiadol o fywydau comedïwyr. Roedd ei ddyfodiad i'n byd yn symbol o hyn. Oriau ar ôl ei eni, fe gollwyd brawd iddo yn dilyn damwain yn y cartre. Shwd mae goresgyn hynna? Gŵr gonest, hawddgar a hael. Yn fodlon bod yn chwaraewr tîm. Dyn y llwyfan mawr sy hefyd yn hoff o fyw ar yr esgyll. Gŵr o 'Wlad y Medra' (Môn) sy wedi byw ac sy'n dal i fyw yn agos at y ffin – yn gynta yng Nghlwyd a nawr yng Ngwent. Ai ei ddewis e oedd hynny, neu a gafodd ei arwain yno?

Mwynhewch y stori sy'n dangos fod Idris yn fynydd iâ o gymeriad. Mae'r copa gweledol yn adnabyddus i nifer fawr ohonom ni ond yn y gyfrol ddadlennol hon, mae wedi codi cwr y llen ar y gwaelod dwfn sydd i'w fodolaeth. Hunangofiant gonest, dewr a difyr sy'n sicr o aros yn y cof am gyfnod hir.

Elinor Jones

Pennod 1

Cwmni Penffordd a salwch

On'd ydy o'n beth od fod diddanwyr sydd wedi ennill eu bywoliaeth drwy wneud i eraill chwerthin yn bobol drist iawn. Meddyliwch gymaint o frwydr fu byw i Tony Hancock, Kenneth Williams, Spike Milligan, Frankie Howerd, Hugh Laurie, Jim Carrey a llawer mwy, mae'n debyg. Yn sicr, dydy dawn y diddanwyr hyn ddim gin i, ond eto i gyd mae gin i rywbeth yn gyffredin...

Yn wir, mae'n wyrth bod yr hunangofiant yma wedi cyrraedd silffoedd y siopau. Ar adegau, dwi'n dioddef o iselder, sy'n cyrraedd yn llechwraidd greulon heb gael ei wahodd. Tasa fo'n curo'n drwm ar ddrws fy isymwybod, fyddwn i ddim yn agor iddo fo. Does neb yn deall y salwch, heblaw am y rhai sydd wedi mynd drwy'r boen. Mae'n debyg iddo fod yn llechu yno ers rhai blynyddoedd.

Y flwyddyn 2001 oedd hi ac Iwan ac Owain, fy meibion, yn chwilio am waith, Iwan wedi graddio ym Mhrifysgol Newcastle 'rôl astudio'r cyfryngau, gan ganolbwyntio ar ffilm a theledu, ac Owain wedi aros adra ac astudio'r cyfryngau yng Ngholeg Iâl, Wrecsam. Gan fod y ddau'n awyddus iawn i weithio yng Nghymru, penderfynodd y tri ohonon ni sefydlu cwmni cynhyrchu rhaglenni ein hunain – roedd y ddau wedi llwyddo'n rhagorol yn y coleg, a phrofiad helaeth gin i yn y byd darlledu.

Chwilio am adeilad yn yr Wyddgrug oedd y cam cyntaf,

a chael un hollol ddelfrydol, o fewn tafliad carreg i ddrws ffrynt tŷ ni. Bu'r adeilad yn gartref i'r BBC am flynyddoedd cyn iddyn nhw symud i stiwdio newydd foethus yn Wrecsam. Er bod y lle mewn cyflwr blêr a budur pan aethon ni i'w weld, roedd y potensial yn amlwg. Ble arall y caem ddwy swyddfa a dwy stiwdio radio? Dim ond cytuno faint o rent efo'r Cyngor oedd rhaid. Ond, yn fuan iawn, collais bob ffydd yng Nghyngor Sir y Fflint gan nad oedd yn ymddangos fod ganddo ddim diddordeb yn y dyn bach oedd yn awyddus i ddechrau busnes yn y dref; dim brys o gwbwl i roi allweddi'r adeilad i ni na pharch tuag at y ffaith fy mod am ddechrau cwmni a gâi ei redeg yn Gymraeg. Doedd dim posib cael gohebiaeth na thrafodaethau yn Gymraeg.

Doedd dim yn tycio nes i mi anfon gair i gwyno, a chyflwyno fy nghynlluniau i David Hanson, yr Aelod Seneddol. Fe ddaeth David i'n gweld a sylweddoli fod gynnon ni gynlluniau gwerth eu cefnogi. Ddeuddydd wedyn mi oedd yr allwedd yn fy llaw, llythyr Cymraeg yn gosod canllawiau ynglŷn â'n hawliau ni a'u hawliau hwythau fel Cyngor – ond y cytundeb yn uniaith Saesneg. Ma'n diolch yn fawr i Mr Hanson am agor drws cyfiawnder ar ein rhan, ac fe gadwodd at ei air; mi fu'n gefn mawr i ni, yn enwedig pan oedden ni am hyrwyddo rhywbeth arbennig.

Fe ddaeth y stiwdio bach yn lle prysur iawn, tu hwnt i'n disgwyliadau a bod yn onest. Rhoesom yr enw Penffordd ar y busnes, sef enw cartref Nhad. Buom yn ffodus iawn fod Martin Legge, ffrind yr hogia, yn gerddor ardderchog ac fe gynhyrchwyd pedair cryno ddisg ar gyfer y farchnad Gymraeg.

Roedd gan Robin Jones brofiad helaeth yn y byd perfformio. Y tro cyntaf i mi glywed amdano oedd pan wnes i brynu hufen iâ gan ei dad mewn fan yn y Bala. Yn ffenest y fan, roedd llun o Robin wedi'i wisgo'n debyg iawn i Elvis Presley. 'Pwy 'di hwn?' medda fi wrth y gwerthwr. 'Fy mab,' medda fo'n falch. 'Canu fatha Elvis mae o.' Wedi sawl blwyddyn roedd Robin Elvis o Bala am fod yn Robin Jones, ac am gael gwared ar Elvis a'r siwt wen. Fe recordiodd gryno ddisg gyda chwe chân yn 2001: pedair cân o'i eiddo ei hun, un gan ei dad, ac un draddodiadol.

Pleser a hwyl oedd recordio cryno ddisg gyda Tonig, dwy chwaer o ardal Cerrigydrudion oedd yn mwynhau perfformio, a dwy chwaer wedi'u magu ym myd yr eisteddfodau, dwy a fyddai'n brysur yn canu bob penwythnos. Bellach maen nhw wedi recordio cryno ddisg o'r enw *dyma sut mae tonig* i gwmni Sain.

Dwi'n ei theimlo hi'n fraint fy mod wedi cael recordio cryno ddisg Lydia Griffiths, merch ifanc hynod o dalentog o ardal Wrecsam. Fe ddaeth Lydia i sylw'r cyfryngau Prydeinig wedi iddi ennill cystadleuaeth *Big Big Talent Show* gyda Jonathan Ross yn 1997. Cafodd wahoddiad wedyn i ganu yn y *Royal Variety Show* o flaen y Frenhines a'r Tywysog Philip, a bu'n canu'n rheolaidd ar *Friday Night is Music Night* ar Radio 2. Ymddangosodd mewn sioeau fel *Evita* a *Les Miserables* yn y West End a bydd hi bob amser yn cyfeirio at y rhaglenni Cymraeg ma hi wedi ymddangos ynddyn nhw. Y tro dwetha i mi ei gweld yn perfformio oedd yn sioe lwyfan *The Wizard of Oz* yn y Mayflower Theatre, Southampton yn chwarae'r brif ran, a hynny ochor yn ochor â Russ Abbot, Gary Wilmot a Matthew Kelly, a hi, ar fy llw, gafodd y gymeradwyaeth fwyaf o'r holl sêr y noson roeddwn i yno.

Merch ifanc arall y cawsom y fraint o'i chael yn ein stiwdio oedd Laura Sutton, merch hynod dalentog a gafodd ei dewis ddwy waith i ganu ar y rhaglen *Cân i Gymru*, ac a ddaeth yn ail drwy Brydain yn y gyfres boblogaidd *Stars in their Eyes* yn 2006. Symudodd Laura i fyw i Gapel Coch, Llangefni, o berfeddion Lloegr pan oedd yn chwech oed, ac ma hi bellach yn rhugl yn y Gymraeg. Byddai gweithio a bod yng nghwmni Laura bob amser yn hwyl – merch a'i thraed ar y ddaear, a chanddi ddigon o dalent i gyrraedd yr uchelfannau.

Roeddem ar y pryd yn cynhyrchu mwy o raglenni i Radio Cymru nag unrhyw gwmni annibynnol arall, sef *Idris ar y Sul* bob dydd Sul am dair blynedd. Dwi'n dal i gael pobol heddiw'n gofyn am y gyfres. Roedden ni'n cael o leia dri chant o alwadau ffôn i bob rhaglen, ac Owain Roberts a'i chwaer, Elin, fyddai'n ateb y galwadau. Yna, roedd cyfresi *Cadair Idris*, a ni oedd yn cynhyrchu *Plant Mewn Angen* hefyd.

Un o'r profiadau gorau i mi yn Penffordd oedd cael plant ysgolion yr ardal i mewn i weld y lle. Byddem yn gosod tasg i'r plant a'u rhannu'n grwpiau – rhai i ysgrifennu drama fechan, eraill i gyfansoddi cân, grŵp arall i gynllunio clawr y CD, a chriw i gynhyrchu – gwych o awyrgylch, a phawb yn mynd adra'n hapus wedi i ni gyflwyno cryno ddisg o'u gwaith iddyn nhw.

Gan fy mod yn ffrindia da efo Cannon and Ball, fe ofynnwyd i ni gynhyrchu DVD o'u sioe lwyfan yn y Grand yn Blackpool, gan gynnwys eitemau rhai o sêr eraill y byd adloniant oedd wedi ymddangos yn y sioe – ma'r fideo hon ar werth ar eu gwefan nhw.

Ni hefyd gynhyrchodd beilot o gyfres gomedi i gael ei hystyried ar gyfer cyfres deledu i Cannon and Ball. Artistiaid oedd y rhain oedd yn gyfarwydd â chael eu cynhyrchu, ac yn fodlon i Idris o Bodffordd eu cynhyrchu, gan wybod fod hynny'n hollbwysig os oedden nhw am lwyddo. Y syniad yn y peilot oedd fod Tommy a Bobby wedi ymddeol, a'u bod wedi prynu tafarn yng nghefn gwlad Cymru. Yn y dafarn fechan ddi-nod hon roedd llwyfan bychan mewn cornel dywyll, ac yn y fan honno byddai holl sêr y greadigaeth yn perfformio. Gan fod Tommy a Bobby mor adnabyddus, fyddai hi ddim yn anodd perswadio pobol fel Cliff Richard, Cilla Black, Elton John a'u tebyg i ymddangos. Wrth ffilmio'r peilot, fe gytunodd Johnny Carson a'r anfarwol Eli Woods i fod yn rhan o'r syniad. Yna, Laura Sutton a Harper i ganu, tra bod Taffy Spencer yn gwneud ei sbot gomedi. Cafwyd ymateb ffafriol, ond roedden ni tua chwe mis yn rhy hwyr efo'r syniad, gan fod Peter Kay wedi cynnig syniad tebyg. Wel, does dim dadl y byddai wedi bod yn anodd iawn bod hanner cystal â *Phoenix Nights*.

Ond er yr holl waith a'r llwyddiant a gawsom yng nghwmni Penffordd, yn raddol fe aeth pethau ar chwâl. Diffyg cynllunio'n ddigonol ar gyfer y dyfodol oedd bennaf cyfrifol, yn ogystal â dibynnu gormod ar gomisiynau gan Radio Cymru. Y camgymeriad mwyaf oedd meddwl fod busnes llwyddiannus a syniadau da'n mynd i barhau am byth.

Pam y daeth y gyfres *Idris ar y Sul* i ben? 'Sdim syniad gin i, ond bydd rhaglenni fel arfer yn cael eu tynnu oddi ar yr awyr am eu bod yn methu cyrraedd y nod, neu am nad oes dim mwy ganddyn nhw i'w gynnig, neu eu bod yn costio gormod. Pa un o'r tri yn yr achos yma? Ches i ddim gwybod. Fe gollon ni dair cyfres arall hefyd – *Cadair Idris*, *Idris ar y Sadwrn*, a *Cabaret Idris*.

Fe gawsom gomisiwn da iawn gan gwmni HarperCollins, y cyhoeddwyr llyfrau, i gynhyrchu cryno ddisgiau addysgol. Fe fyddem ni'n cyflogi actorion o bob cwr o Brydain, a'r rheiny'n dychwelyd dro ar ôl tro. Yn anffodus, fe gafodd perchennog y cwmni yn Rhydychen drawiad ar y galon, a daeth y cytundeb i ben.

Gorfododd un a ddaeth yn bartner yn y cwmni ni i dalu £15,000 yn ôl iddo mewn dau daliad. I ychwanegu at fy mhroblemau, fe es i ar daith gydag artistiaid newydd, a cholli arian, er i ni gael nawdd i fynd ar y daith honno.

Digon hawdd ydy dweud, 'O, paid â phoeni, mae lot o bobol wedi mynd yn fethdalwyr cyn i ti wneud.' Anwybyddu cyfrifoldeb ydy siarad ffôl fel yna. Fe roddodd ffrindiau da eu hamser i'r cwmni, yn y gobaith o gael eu talu'n llawn am eu gwaith.

Fe ddywedodd seiciatrydd wrthyf pan oeddwn mewn cyflwr gwael iawn fy mod wedi bod yn gwisgo mwgwd yn rhy hir, a phan gafodd y mwgwd ei dynnu, doeddwn i ddim yn gwybod pwy oeddwn i. Credaf yn gryf i mi fod yn rhy brysur cyn hynny i wybod fy mod yn dioddef o'r salwch, yn rhy brysur i fod yn ymwybodol ei fod yno.

Ar un adeg doedd Ceri, Iwan nac Owain yn golygu dim i mi. Cefais fy nghloi yng nghell yr heddlu deirgwaith am fy mod yn rhy beryglus i mi fy hun a phobol eraill. O'n i isio marw; meddwl am y bedd oedd fy unig gysur. Doedd fy nghrefydd ddim yn fy nghalon ddim mwy; doedd yr Iesu y bu i mi ei ganmol o bulpudau'r wlad yn golygu fawr ddim. Roeddwn yn rhy wan i edrych ar fy Ngwaredwr, ac fe geisiais gyflawni hunanladdiad ar ddau achlysur.

Dwi am i chi wybod am fy nghyflwr presennol, felly, cyn i chi ffurfio barn amdanaf yn rhy gynnar. Hogyn cyffredin o Fodffordd ydw i, a dyn cyffredin iawn ydw i, un sydd wedi bod yn ddigon ffodus o gael gweithio mewn diwydiant hynod o anghyffredin, ond a ddisgynnodd i bydew dudew du, a neb yno i helpu. Waeth pa mor uchel yr oedd y gweiddi am help, doedd neb yn clywed. Roedd y pydew yn fy sugno'n is ac yn is, ac roeddwn i'n rhy wan i frwydro rhagor.

Bellach, mae bron i flwyddyn ers i mi ddechrau sgwennu'r gyfrol yma – dwi'n dal i fynd o nerth i nerth gan wynebu pethau o ddydd i ddydd. Dwi ddim am gelu'r gwirionedd ond mae yna adegau o hyd sy'n anodd iawn: ddim isio agor fy llygaid yn y bore; ddim isio eu cau gyda'r nos; cael trafferth i ddygymod â'r gorffennol, a phryderu am y dyfodol. Dwi wedi cael cefnogaeth ddigyfaddawd gan Ceri fy ngwraig, er i mi ei thrin ar adegau'n ddifrifol o annheg pan oedd fy salwch ar ei waethaf. Yn ogystal â diolch i'r wraig, sy'n halen y ddaear, rhaid diolch i eraill o'm teulu a'm ffrindiau da.

Dydy pethau ddim cynddrwg erbyn hyn, ond does wybod beth sydd rownd y gornel. Fe gewch wybod y cyfan, os caf fi lonydd gan y gelyn...

PENNOD 2

Heddiw a ddoe

YN YR ARDD GEFN, mae gin i bedair sied yn llawn dop o gelfi – yn llyfrau, casetiau, LPs, byrddau, desg, dwy gadair, dau wely sengl, a llwyth o fideos yn casglu llwch, heb sôn am dri llyfr emynau sy'n cael lle parchus ar yr unig silff. Ers i mi symud i fyw o'r Wyddgrug i Gasnewydd, does yna ddim lle yn y tŷ newydd i weindio fy wats; dwi'n gorfod mynd allan i dorri gwynt. Nid am ei fod yn dŷ bychan, ond wedi symud i fyw at fy nhad-yng-nghyfraith ydan ni, ac mi oedd y tŷ'n llawn celfi cyn i ni gyrraedd. Dwi'n sicr mai hwn fydd y tro olaf i mi symud. Dwi wedi symud deirgwaith cyn hyn.

Fodd bynnag, mi oedd y strach ddiweddara yma o symud yn dra gwahanol i'r symud cyntaf un. O Ffordd Alecsandra, Yr Wyddgrug, i Llanover Close, Casnewydd – 139 milltir. O Benlôn, Bodffordd, i Fronheulog, Bodffordd – 139 cam. A dyna fi, wedi camu 'nôl i'r gorffennol mewn brawddeg, heb help Dr Who na'r Tardis. Ac wrth gamu 'nôl i Bodffordd, gwell i mi gyflwyno'r teulu i chi. Nhad oedd y diweddar Charles Williams, a ddaeth yn enwog drwy Gymru fel diddanwr ac actor, a mam oedd Jennie Williams, gwraig Charles, dynes anwylaf y ddaear. Yna mae Wili, fy mrawd hynaf, a fu'n weinidog ffyddlon drwy gydol ei fywyd; Glyn, y brawd nesa, dreifar lori, a synnwyr digrifwch tebyg iawn i Nhad; Glenys, welodd y byd ddwy flynedd ar fy ôl i – wn i ddim am neb sydd wedi diodda iechyd mor wael â Glen, ond ma hi mor ffeind â Mam; a Beryl, y chwaer nesa, sydd wedi cael problemau enbyd gyda dau fab aeth yn gaeth i gyffuriau am gyfnod ond sydd rŵan yn hollol lân. Valmai yw bach y nyth, wrth ei bodd yn sgrechian chwerthin. A Dylan, mab Glenys, gafodd ei fagu fel brawd i ni gan Charles a Jennie ar yr aelwyd, ac a aeth i'w fedd yn 39 mlwydd oed, ond deil ein cariad ni fel brodyr a chwiorydd tuag ato yr un mor gadarn. Mae'n debyg y gellir ein galw'n deulu agos, a phan fydd angen cymorth, byddwn yn deulu agos iawn. O ran daearyddiaeth hefyd ma pawb, heblaw amdanaf fi, yn byw'n agos at ei gilydd.

Dwi ddim yn siŵr hyd y dydd heddiw beth oedd yn tynnu'r trelar a gariai'r dodrefn o'r hen dŷ i'r tŷ newydd ym Modffordd – ai caseg, tractor, neu lori? Er mai ond prin dair oed oeddwn i, dwi'n cofio mynd i'r ystafell wely yn y cefn am y tro cynta a gweld Wiggy a'i adeiladwyr yn gorffen adeiladu'r tai eraill ar y stad.

Ni oedd yr ail deulu i symud i mewn i un o'r deuddeg tŷ cyngor oedd yn cael eu hadeiladu. Rhif 4 oedden ni; teulu Rowlands yn Rhif 3 oedd y cynta i gael goriad. Roedden nhw wedi teithio o Mona bell, bron i filltir a chwarter o daith; mae'n siŵr eu bod nhw wedi stopio i gael picnic ddwy waith neu dair ar y ffordd! Câi plant yr ysgol a oedd yn byw yn y tai cyngor eu hadnabod yn ôl rhif eu tai, felly 'Idris Nymbar Ffôr' o'n i, yn mynd i'r capel efo Siwsi a Sera Nymbar Sefn, yn mynd i'r ysgol efo John Glyn Nymbar Thri, a chwarae ffwtbol efo Len a Sos Nymbar Ffaif.

Mae'n bwysig nodi mai Bodffordd oedd y pentra olaf yn Sir Fôn i gael trydan, er bod y weiars yn eu lle a'r switshys yn addurno'r muriau, yn barod am y dydd pan ddeuai goleuni. Fel y dywedodd llawer i bregethwr yn Capel Gad, bod 'capeli heb yr Ysbryd Glân fel tai cyngor Bodffordd – yn edrych fel petai popeth yn iawn ac yn ei le, ond heb y nerth i gynhyrchu dim o werth'. Golau lamp oedd gennym, lamp Aladdin yn y parlwr ffrynt, lamp wig a pharaffîn yn y gegin gefn, lamp baraffîn lai ei maint yn y gegin fwyd, a chanhwyllau yn y llofftydd a'r bathrwm.

Wrth gael fy magu ym Modffordd, doeddwn i ddim yn ymwybodol o frwydr yr iaith y byddwn yn ei hwynebu, na'm hawliau fel Cymro Cymraeg. Cymraeg oedd pob dim yn ein pentra ni. Bydden ni'n defnyddio geiriau Saesneg, ond mi oedd tai cownsil, a post offis, weiarles, a nymbar ffôr, yn eiriau Cymraeg i ni, heb feddwl mwy am y peth, ac os nad oeddan nhw'n eiriau Cymraeg, doeddan ni ddim yn gwybod beth oeddan nhw! Cymraeg oedd iaith pob aelwyd yn ddieithriad, Cymraeg oedd iaith yr ysgol, y dosbarth a'r buarth. Cymraeg oedd iaith y capel, ac fel mae Dafydd Iwan wedi dweud, 'Cymraeg y siaradai yr Iesu am a wyddwn i'. Fe drawodd y ddiweddar Mrs Jones Tŷ Capel yr hoelen ar ei phen pan soniwyd am gyfieithu'r Beibl i Gymraeg mwy modern, 'Os oedd yr hen Feibl Cymraeg yn ddigon da i'r Apostol Paul, mae o'n ddigon da i ninna.' Cymraeg oedd iaith y Sharps yn Rhif 5, er mai Sais rhonc oedd Roy, gŵr Annie a thad Len, George, Alan, a Colin. Cymraeg oedd aelwyd y Paaps, er mai Iseldirwr oedd Jack, gŵr Annie a thad Sandra, Truus ac Evan. Yn Gymraeg roedden ni'n siarad efo Mrs Fletcher, Rhif 2 a Mrs Thomas, Tŷ Canol, mam Jackie, sef yr unig ddwy Saesnes arall yn y pentra. Doedd dim yn fwy naturiol i'w wneud – a dyna braf yntê? Dwi'n cofio'r Bartons o Loegr yn dŵad i redeg y Swyddfa Bost, ac er mai Saeson oeddan nhw, fe ddaeth Craig y mab iau i siarad Cymraeg mewn dim o beth. Roedd o yn y tîm pêl-droed yn syth, lle roedd pawb o'i gwmpas o'n siarad Cymraeg. Erbyn heddiw, mae o mewn swydd uchel iawn yn Ysbyty Gwynedd, a'r iaith Gymraeg ar ei enau mor bur ag oedd Cymraeg Cynan ei hun, er iddo gael ei eni dros y ffin.

Tair ystafell gysgu, ystafell ymolchi efo bath, parlwr, cegin gefn, cegin fwyd, pantri, a sied yn sownd yn y tŷ oedd yn Nymbar Ffôr. Ar wahân i'r cof cyntaf o gerdded i mewn i'r tŷ newydd, prin iawn ydy'r cof am fyw yno. Does gin i ddim cof am Glenys, Beryl na Valmai, fy chwiorydd, yn cael eu geni; roedd Wili a Glyn, fy mrodyr, wedi gweld golau dydd rai blynyddoedd o'm blaen i, a hynny yn Penlôn dros y ffordd.

Er, mi glywais bobol Bodffordd yn dweud wedyn i Glenys gael ei geni yn Penlôn hefyd, a bod Nhad wedi rhedeg i'r lôn fawr a gweiddi ar dop ei lais, 'Hogan o'r diwedd!'

Does dim posib i mi gofio am y drychineb fwyaf a ddigwyddodd erioed i'r teulu. Cysgu'n dawel oeddwn i pan ddaeth profedigaeth i'r aelwyd. Mam newydd roi genedigaeth i mi, ar 3 Ionawr 1947, ac o fewn ychydig oriau, Tomos Charles, fy mrawd deunaw mis oed, yn marw yn yr ysbyty ym Mangor. Dwi ddim yn hollol siŵr beth yn union ddigwyddodd, chlywais i erioed Mam yn sôn am y peth, ond mi gredaf iddi, fel mam yr Iesu, gadw'r cyfan yn ei mynwes. Tegell oedd yn berwi ar yr hen stof ddu yn y gegin fyw yn Penlôn drodd ar Tomos bach. Doedd neb yn ymwybodol o iechyd a diogelwch bryd hynny, ac fe aeth fy mrawd, na chefais erioed y fraint o'i nabod, yn rhy agos at y dŵr berw; hwnnw'n tywallt yn greulon dros ei gorff gwyn eiddil. Ni fedrai ei arbed ei hun.

Er nad oeddwn i yno, bydda i'n cael hunllefau'n aml am y digwyddiad. Falle, rhyw ddiwrnod, y bydd Tomos yn adrodd y stori wrtha i, ac os yw Llyfr y Datguddiad yn y Beibl yn dweud y gwir, fe fydd ei gorff yn holliach, heb na chraith na chlais, na'r un deigryn ar ei ruddiau, na Mam chwaith. Dwi'n methu'n lân ag amgyffred sut roedd Mam yn teimlo pan gafodd y neges am y brofedigaeth, ond fe allaf ddychmygu i'w chalon gael ei rhwygo, a Nhad druan yn gorfod torri'r newyddion iddi.

Nid Charles Williams yr actor oedd yn crio wrth ochor y gwely'r noson honno; nid Charles Williams yr actor oedd yn gafael yn dyner yn llaw ei wraig y noson honno; na, Charles Williams y gŵr ffyddlon a'r tad cariadus oedd yno. Yn ôl Wili 'mrawd, sydd wyth mlynedd yn hŷn na fi, roedd Mam a Dad yn syllu i lygaid ei gilydd am yn hir iawn, heb ddweud gair, dim ond sychu dagrau ei gilydd. Yn sicr, roedd Mam am brofi llawenydd fy ngenedigaeth i, ond roedd hi hefyd am alaru dros Tomos bach difrycheulyd, yr epil oedd wedi sugno'i bronnau. Fe gofiai am ymolchi'r eiddil o flaen y tân, a chanu iddo wrth ei siglo ar ei glin ddiogel. Fe gofiai hefyd am y weddi dawel a roddai i bob un ohonom, yn eiriol ar i'r Tad nefol wylio'n dyner droston ni, cyn ein rhoi i gysgu. Ble'r aeth y weddi? Mi gredaf hyd heddiw, ac fe ddaliaf i gredu, i mi fod yn gysur i Mam, o'r foment ddiawledig, uffernol yna yn ei bywyd, a dyna pam y deuthum yn ffefryn iddi, er iddi fagu pump o blant eraill yn ogystal â Dylan, mab annwyl Glenys fy chwaer, ddaeth i'r byd i roi cysur iddi, ond a fu farw'n greulon o sydyn yn 39 oed ym mis Ebrill 2007.

Od meddwl am blentyn yn ffefryn ei fam mewn teulu mawr. Câi'r ffafriaeth ei hadlewyrchu'n aml. Un enghraifft oedd y byddai Mam yn storio bwyd a diodydd ysgafn ar gyfer y Nadolig o dan y silff yn y pantri bach o tua diwedd mis Medi tan yr Ŵyl. Doedd fiw i neb eu cyffwrdd! Mi fyddai'n prynu'n ddoeth fesul tipyn bob wythnos tan y Dolig. Pan fyddai fy chwiorydd isio rhywbeth o'r storfa hon, mi fydden nhw'n dŵad ataf fi, fel at Joseff yn yr Aifft, a gofyn i mi ofyn i Mam. Ches i erioed fy ngwrthod wrth ofyn am botel Corona goch, neu lond llaw o gnau mwnci. Dwi'n mawr obeithio na wnes i gymryd mantais yn ormodol ar ei chariad diamod.

Mi ddowch i sylweddoli wrth ddarllen yr hunangofiant fod Mam, sef Anti Jini i bawb yn y pentra, yn ddynes hynod arbennig. Fe ddaeth fy nhad yn enwog drwy Gymru fel diddanwr ac fel actor, ond fydda fo'n neb heb gymorth ei gymar ffyddlon, a oedd bob amser mor gefnogol iddo. Petai Mam wedi penderfynu nad oedd yn fodlon iddo fod oddi cartref am gyfnodau maith, fel y byddai o, neu pe bai wedi'i gwneud hi'n anodd iddo, mae'n debyg mai dal yn was ffarm yn Frogwy Fawr fyddai Charles Williams hyd ei fedd... neu byddai wedi cael ysgariad!

Fe fagodd Mam ni i gyd mewn ffordd onest a chynnes, yn aml iawn ar ei phen ei hun, er nad oedd yn dda ei hiechyd. Dioddefai'n ddrwg o asthma, ac fe fu farw pan oedd yn 56 blwydd oed. Do, fe'i clywais yn cwyno weithiau, ac yn melltithio'r crwydro diddiwedd y byddai Nhad yn ei wneud. Roedd hi'n blino, a bron yn methu symud ar adegau.

'Dach chi'n iawn, Mam?' byddwn i'n ei holi.

'Yndw, 'ngwas i, yr hen frest 'ma'n dynn, 'sdi. Fydda i'n iawn mewn munud.'

Ond doedd hi ddim.

Chafodd hi fawr ddim clod, fel y cafodd ail wraig fy nhad. Mam, mae'n debyg, yn derbyn ei chyfrifoldeb heb ffws na ffwdan. Rhag ofn rhoi camargraff, mi oedd Mam a Dad yn hapus iawn, iawn, ac roedd fy nhad yn dad ardderchog, a'r aelwyd yn un wedi'i llenwi â chwerthin, yn llawn hwyl a thynnu coes tragwyddol. Doedd neb yn waeth na Glyn fy mrawd am bryfocio, gwneud stumiau, malu awyr, a bod yn wirioneddol boncyrs o ddoniol. Roedd Glyn hyd yn oed yn ddigri wrth ffraeo efo fi, a hyd yn oed wrth fy nharo yn ddidrugaredd, a byddai hynny'n digwydd yn aml iawn. Petasa Glyn wedi dilyn ôl troed Nhad yn hytrach na fi, mi fydda gan Gymru'r digrifwr naturiol gora welwyd erioed. Diolch byth na wnaeth o, neu dreifio loris gwartheg i Pritchard Llannerch-y-medd faswn i. Wel, roedd yn rhaid i rywun wneud hynny, yn doedd?

Dwi ddim yn gwybod y manylion, ond cael ei mabwysiadu wnaeth Mam, ac efallai fod hynny wedi'i gwneud yn berson cryfach. Mi fyddai'n aml iawn yn siarad am Wil a Huw a John Henry, ei brodyr. Dynes eithriadol o garedig oedd hi. Amser prydau bwyd, *rhannu* fydda hi yn gyntaf, a chymryd beth fyddai ar ôl wedyn. Dim ond adeg y Nadolig y byddai'n eistedd wrth y bwrdd bwyd. Bryd hynny, mi fydden ni'n bwyta yn y gegin gefn, yn hytrach na'r gegin goginio. Roedd holl rinweddau Mam dda'n rhedeg yn naturiol drwy ei gwythiennau.

Sefyll yn gweini arnon ni oedd ei phleser mewn bywyd. Bod adra i ni oedd ei phrif orchwyl. Sicrhau ein bod ni'n lân, ac mewn dillad glân oedd ei nod. Gwenu arnon ni wrth i ni ddod adra o'r ysgol ac wrth ddweud 'Nos da' oedd ei phleser.

Gweddïo yn ddistaw a neb ond yr Iesu yn ei chlywed oedd ei ffydd. Y tŷ oedd ei lle hi, a'r tŷ oedd ein cartref ni, a hwnnw'n wir gartref am fod Mam yno. Allwn i ddim dychmygu ein tŷ ni heb Mam. Roedd hi am i ni fod yn blant da bob amser. Byddai'n torri'i chalon yn lân pan fydden ni wedi bod yn blant drwg.

Dwi'n cofio un noson, pawb yn edrych ymlaen at fynd i festri Capel Gad i weld drama. Pawb yn barod i fynd, a finnau heb gyrraedd adra – wedi mynd efo John Glyn i gaeau Tŷ Du ac wedi colli pob syniad am amser, ac yn waeth na dim wedi mynd yn sownd yn un o'r ffosydd a honno'n llawn mwd a dŵr. Dod i'r tŷ, Nhad yn lloerig bost, ac yn siarad fatha tafleisydd, yn deud lot a'i wefusau heb symud dim. Hon oedd ei noson o – y ddrama yn y pentra, a doedd fawr ddim byd arall yn bwysig iddo. Roedd yn rhaid bod yno, a finnau fel y mab afradlon wedi mynd i wlad bell! Roeddwn i'n socian, a fy welingtons hyd yn oed yn llawn o ddŵr. 'Chei di ddim dŵad fel 'na, a ma hi'n rhy hwyr i ti molchi a newid. Rhaid i chi, Jini, aros adra efo fo.'

Mi aeth a'n gadael, a dwi'n cofio'r tŷ yn crynu efo'r glep ar y drws, a phawb arall heblaw Mam wedi mynd efo fo. Pam, meddach chi, ydw i'n cofio hyn? Wel, oherwydd mai dyna'r tro cyntaf i mi gofio brifo Mam. Dyma'r tro cyntaf i mi wneud iddi grio. Ac nid crio oherwydd ei bod *hi*'n methu mynd i weld y ddrama roedd hi, ond am 'mod *i*'n methu mynd, am i mi fod yn hogyn drwg. Dwi'n cofio'n dda iawn i ni ein dau grio gyda'n gilydd, ac yn wir fynd i gysgu'n crio. Tybed oedd Mam yn cofio'r adeg iddi fy nal yn ei mynwes pan oedd Tomos Charles yn gorff yn yr ysbyty? Tybed oedd hi'n teimlo bod ei hogyn bach sbesial hi'n cael cam? Dyma'r math o atgof sy'n fy llethu ar adegau, pan ddaw iselder i ymweld â fi. Anodd yw dygymod â'r ffaith i mi ei brifo sawl gwaith wedyn.

Wrth i ni hogia dyfu a chael gwaith, Mam oedd Mam i ni yr adeg honno hefyd. Wnaeth hi erioed ofyn am yr un geiniog gynnon ni am ein cadw. Dwi'n ei gweld hi rŵan yn y sied yn golchi ein dillad, a hynny yn hwyr y nos. Roedd Wili a Glyn yn gweithio ar ffarm, ond roedd Mam yn gwneud yn siŵr fod gynnon nhw ddillad glân i fynd i'r gwaith bob dydd. Fe wnaeth y cyfan oll i ni hyd y dydd bu i ni adael y nyth am byth. Dyna pam ma'r gyfrol hon er cof annwyl amdani hi a neb arall; o leia fydd ddim rhaid iddi rannu hon efo neb!

PENNOD 3

Y basics efo'r lleill

PAN MAE POBOL YN gofyn i mi heddiw o ble rydw i'n dŵad, yr ateb bob tro ydy 'Bodffordd', er fy mod i wedi gadael y pentra ar gyrion Llangefni ddeugain a dwy o flynyddoedd yn ôl yn ddeunaw oed. Rydach chi'n gwybod rŵan fy mod i bum mlynedd yn iau na Hywel Gwynfryn ac Alwyn Humphreys, er bod y ddau'n trio creu'r argraff eu bod yr un mor ifanc â fi drwy ddweud iddyn nhw fod yn yr ysgol efo fi.

Ysgol? Ysgol! Rhaid i mi oedi yn yr ysgol am ychydig... a dim ond am ychydig hefyd, oherwydd mi oeddwn i'n casáu'r enw, heb sôn am yr ysgol ei hun. I Ysgol Bodffordd yr es i gyntaf. Doedd fan'no ddim yn rhy ddrwg; roedd popeth yn dda yno, a deud y gwir... ond am y gwersi! Wedyn, mynd i Ysgol Gyfun Llangefni. Doedd gin i ddim affliw o ddiddordeb mewn addysg, ac rwy'n siŵr fod rhywfaint o fai ar fy rhieni na fydden nhw wedi gwneud i mi sylweddoli pa mor bwysig fydda addysg wedi bod i mi.

Ma gin i gof da am ddwy athrawes, un o bob ysgol, a chof hefyd am y ddau brifathro. Dim cof o bwys am neb arall, ar wahân i Parry Tom, roddodd *one hundred lines* i mi am guddio'r chwyn yn hytrach na'u codi yng ngardd yr ysgol mewn gwers arddio – 'A job worth doing is worth doing well'. Athrawes yr Infants yn yr ysgol gynradd oedd Miss Jones, a wna i byth ei hanghofio hi. Dwi'n cofio'n hollol glir fel y bydda Mam yn gollwng fy llaw yn y dosbarth bob dydd, a rhoi fy llaw yn llaw Miss Jones. O law fy mam i law fy angel. Y bwced coch efo'r rhaw las yn y bocs tywod, a reidio'r ceffyl pren – dyna oedd y ddwy wers ysgol orau ges i yn fy mywyd. Os oedd Mam ymhell, bell i ffwrdd, roedd llygaid yr athrawes annwyl yn rhoi'r cysur gorau posib i hogyn bach mewn lle mawr... wel, mi oedd yn fwy o lawer na'n tŷ ni.

Athrawes yn yr ysgol uwchradd oedd Mrs Smith; dynes fechan o ran corff, ond bod ganddi bersonoliaeth fawr – pam arall y byddwn yn ei chofio? Doeddwn i ddim ymysg y rhai oedd wedi'u breintio efo celloedd yn yr ymennydd a oedd yn effro i addysg; yn wir, mi fuon nhw mewn trwmgwsg am amser hir iawn. Felly nid efo'r ysgolheigion roeddwn i yn y gwersi, ond efo'r *lleill*, ac ar y pryd mi o'n i'n hapus iawn o fod efo'r *lleill*, achos efo'r *lleill* roedd Mrs Smith. Dwi'n cofio fel ddoe ei sibrwd tawel o anogaeth, ac roedd ganddi'r weledigaeth y byddwn i ryw ddiwrnod yn actor fel Nhad. Dyna oedd fy nod ac i hynny roeddwn yn byw, felly ar y pryd doedd dim angen affliw o ddim arall arna i.

Y ddau brifathro oedd Mr Frank Grundy a Mr Edward Davies, y naill yn yr ysgol gynradd a'r llall yn yr uwchradd. Dwi ddim yn cofio cael unrhyw wersi Saesneg gan Mr Grundy, dim ond cofio canu un emyn yn yr iaith fain – 'Rock of ages cleft for me, let me hide myself in Thee'. Dysgu'r *basics* oedd Mr Grundy, neu efallai mai dim ond y *basics* o'n i'n eu dallt! Mi fuodd y *basics* yn sylfaen eithaf cadarn i mi ymdrin â phethau – *basics* gogyfer â'r *lleill* yn yr ysgol uwchradd, a'r *basics* mewn bywyd ar ôl gadael yr ysgol!

'Boss' fydda pawb yn galw Mr Davies yn yr ysgol uwchradd. Dyn hollol ddigyfaddawd, oedd yn rhedeg yr ysgol yn union fel roedd o isio. Byddai ei bresenoldeb yn y gwasanaeth boreol yn mynnu ein sylw, ac roedd ei gerdded o amgylch y buarth ac ar hyd y coridorau'n creu rhyw fath o barchedig ofn ynon ni tuag ato. O'n i'n leicio Mr Davies, a dwi'n gwybod bod Mr Davies yn fy leicio i. Am a wn i, fi oedd yr unig blentyn yn yr ysgol fyddai'n curo ar ei ddrws, ei agor, a gweiddi, 'Oes 'na bobol?' Peth arall da am Mr Davies oedd y bydda fo'n treulio amser efo ni, y *lleill*.

Doedd dim gobaith i chi gael chwarae teg gan yr athrawon eraill os mai efo'r *lleill* roeddach chi. Mi fydda tîm pêl-droed yr ysgol, er enghraifft, wedi bod yn llawer gwell petai Robaitsh Gym a'i griw wedi rhoi cyfle i'r doniau oedd gan rai o'r *lleill*. Mi aeth rhai o'r hogia hynny i chwarae pêl-droed ar lefel weddol uchel 'rôl gadael yr ysgol. Doedden ni ddim chwaith yn cael cyfle i sefyll arholiadau Safon 'O', heb sôn am Safon 'A'. Diolch fod y drefn o asesu dawn plant bellach wedi newid.

Ond yr hyn y bydda i'n ei gofio ora am yr ysgol yw'r jôcs, llawer wedi'u casglu ar hyd y blynyddoedd a minna wedi hen adael.

'Mam, ydy Miss Jones yn *gweld* yn iawn?'

'Wel ydy, Idris, pam ti'n gofyn?'

'Bob bore bydd Miss Jones yn agor llyfr mawr hir, ac yn gofyn pwy sy yno. Bob bore bydd hi'n gofyn, "Ydy Idris yma?" A dwi'n ista *reit* o'i blaen hi!'

'Idris, dwi'n gobeithio na welais i chi'n copïo jyst rŵan.'

'Dwi'n gobeithio hynny hefyd, syr.'

'Idris, rwyt ti mor anobeithiol, fyddi di ddim yn dŵad yn gyntaf mewn dim byd.'

'Ond Miss, fi ydy'r cyntaf bob dydd yn y ciw cinio.'

'Idris, wnaeth dy fam dy helpu di efo dy waith cartref?'

'Naddo syr, hi nath neud y cyfan!'

'Pam doeddech chi ddim yn yr ysgol ddoe, Idris?'

'Sâl, Miss.'

'Sâl? Sâl o be?'

'Sâl o'r ysgol, Miss.'

'Idris, pam mae gynnoch chi wlân cotwm yn eich clust heddiw?'

'Wel, syr, chi ddwedodd ddoe fod popeth roeddech chi'n 'i ddweud yn mynd i mewn drwy un glust ac allan drwy'r llall, felly dwi'n trio stopio hynny rhag digwydd!'

'Pa ochor i'r ysgol mae'r goeden, Idris?'

'Yr ochor allan, syr.'

'Pa fis sydd â dau ddeg wyth o ddyddiau, Idris?'

'Pob un, syr!'

'Dwi ddim 'di dod yma i gael fy ngwawdio, Idris!'

'I ble dach chi'n arfer mynd, felly?'

PENNOD 4

Bodffordd – lle da i fyw

DIM OND DEUDDEG TŶ cyngor oedd ym Modffordd i ddechrau, a dwi'n cofio pwy oedd yn byw ym mhob un ohonyn nhw. Un teulu mawr oedden ni, o Anti Iola ac Yncl Now yn Nymbar Won, i deulu Now a Cesha yn Nymbar Twelf. Erbyn meddwl, dim ond plant Nymbar Twelf oedd ddim efo rhif y tŷ yn llysenw arnyn nhw – eu nabod nhw drwy enw eu mam oedden ni: Marian Cesh, wedyn Gwilym Cesh, Meirion Cesh, fy mêt Glyn Cesh, John Richard Cesh, a Tony Cesh.

Ar lafar gwlad, Botfoth oedd enw'n pentra ni. Hogyn o Botfoth oeddwn i. Pentref ar yr hen lôn bost rhwng Bodedern a Llangefni ydy Bodffordd. Ar yr olwg gynta doedd yna fawr o ddim ym Modffordd pan oeddwn i'n blentyn. Sut bydda rhywun yn disgrifio Bodffordd? Mae 'na stori, neu jôc yn hytrach, fydda i'n ei dweud wrth rai sy'n gwybod dim am y lle. Peilot o'r Almaen adeg rhyfel wedi cael ei anfon i fomio dinas Lerpwl, ond ei fod o wedi cael ei galciwleisions yn anghywir, ac wedi bomio Bodffordd am bedair awr a hanner... a gwneud gwerth saith bunt o lanast!

I ni blant, fodd bynnag, roedd 'na bopeth ym Modffordd: cae pêl-droed ar gamp Mona, chwarae cowbois efo ceffyla go iawn yn Brynhyfryd, coedwig fawr i chwarae cuddio yng ngwaelod y pentra, Llyn Frogwy i bysgota, hwnnw'n troi'n barc sglefrio yn y gaeaf, afon Cefni i nofio, a dwy berllan yn llawn o afala cochion yn barod i'w dwyn yn Llan a Cerrig Duon, a melys iawn oeddan nhw hefyd... wel hynny ydy, medda'r hogia. Wnes i erioed eu profi!

Roedden ni'n cymryd llawer o betha'n ganiataol ym Modffordd; roedd yna betha'n digwydd yn ein pentra ni nad oedd yn digwydd mewn unrhyw bentref arall yng Nghymru. Dim ond ym Modffordd roedd awyrennau go iawn yn glanio, a hynny yn y camp, dau dafliad carreg o'm stafell wely i. Bron na fuaswn yn medru sychu trwyn y peilot wrth iddo basio. Roeddwn yn mynd i gysgu'n *dawel* bob nos efo sŵn taranllyd hogia camp RAF Fali'n ymarfer glanio yn eu Spitfires cyflym yn fy nghlustia. Roedd yr awyrenna hynny'n rhan o'n bywyd. Dwi'n cofio rhywun diarth yn dweud wrth Ifan Evans Nymbar 7 un diwrnod fod yr awyrenna uwchben yn gythreulig o swnllyd, ac Evans yn ateb, 'Dew, ydyn nhw'n hedfan heddiw, ydyn nhw?'

Pan nad oeddan nhw'n hedfan, ac yn glanio ar gamp Mona yn ystod y dydd, mi fydda'r caea bob ochor i'r *runway* yn troi'n gaea pêl-droed gyda'r gora yn y sir. Yn hollol wastad, a'r glaswellt wedi'i dorri'n ofalus, mi fasach chi'n meddwl fod Vidal Sassoon ei hun wedi bod yn ei drin. Roedd yna arwyddion wrth ymyl Talfryn, sef yr unig ffordd i mewn i dir y Swyddfa Amddiffyn, yn ein rhybuddio 'Trespassers will be Prosecuted'. Ond mi oedd yr arwydd wedi bod yno mor hir, doedd neb yn cymryd sylw ohono, ac i lawer ohonon ni nad oedd yn deall beth oedd o'n 'i ddweud, wnaeth neb drafferthu egluro'r rhybudd i ni.

Roedd safle diogelwch y camp yn agos iawn at ffordd fawr yr A5, rhyw filltir a chwarter yr ochor arall i Talfryn, sef yr ochor roeddan ni'n chwarae pêl-droed. Wedyn pan fydda camp y Fali yn penderfynu bod angen ymarfer glanio, mi fydda swyddogion y Llu Awyr yn dŵad i'r safle i wneud yn siŵr fod popeth yn ddiogel. Mi fydden nhw'n gosod arwyddion ar yr A5 i ddeud fod hedfan a glanio'n digwydd, yna'n dŵad â fan fawr efo sgwariau coch a gwyn arni allan o un o'r *hangers* – o'r fan honno y bydden nhw'n siarad efo'r peilotiaid, ac efo HQ yn y Fali. Yna bydden nhw'n parcio'r Frigâd Dân mewn safle cyfleus yn barod i ymateb i unrhyw argyfwng. Ond yn bwysicach na dim efallai, rhaid fydda gwneud yn siŵr nad oedd yr un creadur byw, yn ddyn nac anifail ar eu tir cysegredig. 'Trespassers will be Prosecuted.'

Unwaith y bydden nhw'n cyrraedd y gwersyll, mi wydden ni y byddai *jeep* bach brown yn dŵad ffwl sbid i geisio ein dal a'n cosbi. Pan fydda hyn yn digwydd, mi fydden ni wedyn yn gwneud penderfyniad mai'r cynta i sgorio fyddai'n ennill y gêm. Doedd y sgôr cyn hynny ddim yn cyfri, dyna oedd y rheolau. Ambell dro mi oedd pethau'n dynn iawn arnon ni, a ninna bron â chael ein dal, er na wnaeth hynny erioed ddigwydd, am wn i. Medrem weld y *jeep* bach brown o bell yn cychwyn ar ei daith tuag aton ni, y *jeep* bach brown yn dŵad yn nes... a neb 'di sgorio. Cachwrs yn unig fydda'n gadael cyn y gôl dyngedfennol!

Roedd yna banics weithia, a rhywun yn gweiddi ar i'r goli fethu'r bêl yn fwriadol, wrth i ni arogli disel y *jeep* bach brown, er mwyn i ni gael dianc. Chwarae teg, yn gall, ac er lles pawb, gadael y bêl i mewn i'r gôl fyddai'r goli'n ei wneud fel arfer, heblaw i pan fyddai Alvin Bessi yn y gôl. Doedd yna ddim un person byw, nac unrhyw achlysur o dan y nef, fyddai'n gwneud iddo fo ildio gôl. Dyna i chi goli oedd Alvin! Mi fydda'r coblyn bach, pan fydda fo wedi gwneud arbediad go dda mewn gêm go iawn, dweder yn erbyn Llangefni neu Bryngwran, yn taflu'r bêl yn ôl i'r chwaraewr, a'i herio i drio wedyn! 'Tyd, tria'r ochor yna yli!' fydda fo'n weiddi.

Am a wyddwn i bryd hynny, mi oedd pawb yn byw fatha pobol Bodffordd. Wedi gadael y pentra, mi ddois i wybod yn wahanol. Wrth i mi edrych yn ôl sylweddolaf fod gonestrwydd y bobol yn rhywbeth i ryfeddu ato, a chan fod bywyd mor naturiol o braf, doedd dim rhaid i bobol gelu unrhyw gelwydd neu gyfrinach. Roedd pawb yn un, a'r un yn bawb. Nid oherwydd dylanwad crefydd na chapel oedd hynny, ond consýrn a chariad y naill at y llall. Doedd dim labeli na rheolau wedi'u gosod, ond fel byd natur bydden ni'n gofalu am ein gilydd. Os oedd yno glicied ar ddrysau'r tai, doedd yno byth glo. Yn aml byddai rhai o'r cymdogion yn dod i'n tŷ ni a gofyn am lond cwpan o siwgr, neu hanner potelaid o lefrith. Ac yn aml byddai Mam yn mynd drws nesa i ofyn am dipyn o flawd i orffen gwneud crempog. Ambell noson byddai angen paraffîn neu gannwyll; doedd 'na neb yn cael bod yn y tywyllwch! A phwy fyddai'n meddwl gwrthod un wy ar gyfer brechdanau 'y gŵr acw' i fynd i'w waith y diwrnod wedyn?

Roedd yna gymeriada annwyl tu hwnt yn byw o'n cwmpas ni fel teulu, heb i ni sylweddoli eu bod nhw'n annwyl a charedig. Fel yna roedd hi. Ond mae gin i hawl i edrych 'nôl a diolch. Diolch i Evan Evans am dorri 'ngwallt i, a hynny yng nghegin gefn Nymbar 7 – trim a dim mwy, wel trim a dim mwy oedd hi amser hynny. Dim ond ar ôl dechrau gweithio'n bymtheg oed y cefais dorri 'ngwallt go iawn, gan farbwr go iawn. Trim i ddechra, wedyn wrth feddwl 'mod i'n rhywun, arddull y Teddy Boy, yna y Beatles, ac unwaith Mohican, fel y wreslar Billy Two Rivers. Dim ond noson barodd hwnnw; mi oedd hogia Llangefni isio cwffio efo fi, a dim ond fy ngwallt i oedd yn ymdebygu i Mr Two Rivers.

Dyn yr ardd oedd Evans, yn byw ei holl fywyd yn hau a medi a rhannu. Pan fydda'r riwbob yn barod mi fydda 'na stiw riwbob, yn gymysg â phwdin reis Mam, ar fwydlen y cinio dydd Sul am yn hir iawn. Roedd y tatw newydd a'r ffa'n rhywbeth i edrych ymlaen at eu cael nhw ar y plât hefyd, efo llond llwy o fenyn ffarm. A sôn am wledda (o'n i'n leicio bwyta!), dau le ardderchog i gael bwyd ym Modffordd oedd Minffordd, sef tŷ Nain, a 2 Parc, tŷ Yncl Alun ac Anti Enid (mi oedd 'Yncl' ac 'Anti' yn eiriau Cymraeg ym Motffoth amser hynny!). Mi fyddwn i'n aml yn cael swper nos Fercher 'rôl Seiat a chinio dydd Sul efo Nain, ac mi oeddwn yn cael swper nos Sul 'rôl capel yn 2 Parc. Bron y medra i flasu'r sôs coch a gâi ei daenu'n ofalus ar swper ailgylchu a goginiwyd ar gwcar Calor Gas Yncl Alun. 'Bubble and Squeak', dwi'n meddwl, ydy'r enw modern am gampwaith fy ewyrth. Doedd yna ddim gwell *treat* yn unman.

Mi fydda pawb yn y pentra yn galw Nain, sef mam fy nhad, yn Anti Em – Elin Emily Williams oedd ei henw llawn. Roedd hi'n ddynes unigryw – hi oedd yn delifro llefrith o gwmpas y pentra; ei busnes hi oedd o. Mi fydda Yncl Jac, ei mab, yn dreifio'r fan lefrith ar gyfer tai Llangwyllog a Llangristiolus tra byddai Nain yn mynd o gwmpas Bodffordd yn cario'r poteli mewn dau grêt. Mi fyddwn i'n mynd ar y rownd efo Yncl Jac bob bore Sadwrn, ac yn cael hanner coron am wneud. Efo'r pres yna mi fyddwn yn gallu cael tocyn bws 'nôl a blaen i Langefni, mynd i pictiwrs, a chael fish a tsips.

Noson Seiat fyddai nos Fercher yn Capel Gad, ac mi fyddai rhyw ddeuddeg o blant yn bresennol: Victor ac Emyr Graig Bach, Helen a Carol Disgwylfa, Dyfnwen ac Alun, Mona Cefn, a Helen ac Eirianwen Tŷ 'Rallt, i enwi rhai ohonynt, a'n teulu ni. Roedd Wili a Glyn wedi stopio mynd erbyn i mi ddechrau yno. Byddai gofyn i bob plentyn yn ei dro adrodd adnod, neu roi adroddiad am bregeth pregethwr y Sul cynt. Byddai Nain yn sgwennu'r cwbwl ar gyfer tua chwech ohonon ni mewn llyfr bach coch. Dwi'n cofio darllen yn y Seiat, 'Testun pregeth y Parch. John Evans, Bryn Du, oedd Ioan un deg pedwar, adnod chwech. A'r Iesu a ddywedodd, "'Myfi yw'r ffordd…"' ac yn y blaen. Wedyn ras adra o'r seiat i gael swper Nain.

Hen stof ddu'n cael ei gweithio efo tân glo oedd gan Nain. Bob nos Fercher mi fydda'r badell ffrio yn dŵad allan, ei rhoi ar y tân, darn go dda o saim i doddi, ac wedyn, sôn am goginio. Y bacwn, yr wy, y nionod a'r sosejys – fy ngorchest i oedd rhoi tylla yn y sosejys cyn i Nain eu ffrio. Llond plât mawr o fara menyn ar ganol y bwrdd (bydda Nain wedi'u torri'n ofalus bob un), sôs brown, a gwydriad o Gorona. Pwy sydd isio gwybod am fwyta'n iach 'rôl pryd fel 'na a'r saim yn gwenu arnon ni? Yn aml iawn, wrth i ni fwyta mi fyddai Glenys Lee Nymbar 8 – y ddiweddar erbyn hyn, gwaetha'r modd – yn rhoi ei thrwyn i mewn (doedd hi ddim 'di bod yn y Seiat!) a gofyn am frechdan nionod, a Nain yn rhoi un iddi – o'i phlât ei hun, wrth gwrs. Yn doedd pobol yn ffeind bryd hynny, dudwch! Wnaeth Nain erioed wthio crefydd arnon ni, ond dwi'n gwybod i sicrwydd fod Nain yn llawn o'r Ysbryd Glân a bod ei geiriau tawel am Groes yr Iesu wedi cael dylanwad mawr arna i dros y blynyddoedd! Mi fu farw Nain yn 73 oed, a hynny ar y diwrnod pan oedd y gweddill ohonon ni ar drip ysgol Sul yn y Rhyl; mi fu'n dioddef o ganser am yn hir iawn. Diolch i chi, Nain, am bopeth.

Roedd yn y pentra ddau gapel ac un eglwys. Roedd yr eglwys ryw hanner milltir go dda y tu allan iddo, a choed o'i chwmpas yn ei chuddio. Fydda neb yn gwbod ei bod hi yno, oni bai eich bod chi'n gwbod ei bod hi yno. Mi gofia i tra bydda i byw am y troeon pan fyddwn i'n mynd i chwarae i Graig Bach yn Mona, a Victor yn rhoi sgìl i mi ar ei feic i'w gartra, ac yn padlo fel dyn o'i gof i lawr ac i fyny'r pant wrth y Llan 'rôl pasio'r eglwys, a dweud wrtha i o dan ei anadl, 'Fama ma'r ysbrydion drwg yn byw, rho dy ben i lawr rhag ofn iddyn nhw dy weld di.' Dyna pam roedd yn well gin i fynd i Graig Bach efo Emyr, ei frawd bach, oedd yn gallach o'r hanner.

Roedd Sardis, capel yr Annibynwyr, ar sgwâr y pentra rhwng y siop a'r Swyddfa Bost. I Gapel Gad, y Methodistiaid Calfinaidd, bydda'n teulu ni'n mynd, er wn i ddim faint oedden ni'n wybod am ddysgeidiaeth Calvin chwaith, na'r Methodistiaid o ran hynny. Roedd Gad wedi'i leoli'n berffaith rhwng Sardis a'r eglwys, bron union yr un faint o ffordd rhwng y ddau le. O'n i'n meddwl bob amser bod Capel Gad yn well na Sardis a'r eglwys, nid oherwydd bod gwell pobol yn mynd i'r capel ond achos bod gynnon ni festri, ac yn y festri honno y bydda popeth o bwys yn y pentra'n digwydd.

Yn y festri honno fydda'r *rummage sales* i godi arian at bob achlysur – yr eisteddfoda, y dramâu, y Penny Readings, Band of Hope, y practis côr, y bwyd 'rôl angladda, a llawer mwy. Ar lwyfan y festri honno y cefais i'r cyfle cynta i berfformio, a hynny'n arwain y Penny Reading – pobol Capel Gad yn cymryd rhan, yn actio, canu, adrodd, a gwneud sgetshys. Doedd bod yn arweinydd ddim yn orchwyl rhy anodd, gan fod Nhad wedi sgwennu popeth ro'n i fod i' ddeud ar bapur, air am air. Yn y festri honno bydden ni, blant ysgol Sul Gad, yn ymarfer ar gyfer y Gylchwyl a'r Gymanfa, ac ma rhaid deud yn fan hyn, beth bynnag ma rhywun yn ddeud am gapal heddiw, mi fu'n feithrinfa dda iawn i lawer ohonon ni aeth ymlaen i'r cyfryngau wedyn.

Doeddwn i fawr o ganwr, felly ychydig iawn o amser dreulies i yng nghwmni'r athrawon cerdd, Anti Lisi, T P Roberts a Mrs Roberts Tŷ 'Rallt. Roedd Dyfnwen, Mona Cefn (y ferch gyntaf erioed i mi ei ffansïo, gyda llaw, er na wnes i erioed ddangos hynny iddi – mi oedd hi'n byw'n rhy bell, beth bynnag, yn Mona), a Helen ac Eirianwen Tŷ 'Rallt, a'r maestro Alwyn Pen Bryn yn medru canu. Roedd Carol a Helen Disgwylfa yn weddol dda hefyd, a Carys fy nghyfnither, ac am wn i mi roedd Victor yn gwbod y gwahaniaeth rhwng do a re a mi a ffa yn ogystal. Ond fydda gan Emyr, Bobby Hen Siop na fi ddim gobaith o gael canu yng nghôr y brain! Eto mi oeddwn yn eitha giamstar am adrodd, ac wrth fy modd yn perfformio – falla, erbyn meddwl, yn ormod o berfformiwr i ennill gwobra. Ro'n i'n adrodd yn dda iawn yn tŷ, yn gynnil ac i bwrpas, ond lwc-owt pan fyddwn yn sefyll o flaen cynulleidfa, mi oedd yn rhaid perfformio, er mwyn ennill tipyn o sylw, mae'n debyg. Ond mi enillais y wobr gynta sawl gwaith yn y Gylchwyl. Roedd Glenys, fy chwaer, yn arbennig o dda, ac fe enillodd sawl gwobr gyntaf mewn eisteddfodau, ond y gwir feistr ar adrodd oedd Iorwerth, fy nghefnder, ac mi fydda fo'n ennill gwobra ym mhob man – a dweud y gwir, dwi ddim yn cofio iddo golli erioed. Erbyn heddiw ma ganddo ferched ifanc sydd wedi mynd drwy

Ysgol Glanaethwy, ac wedi ymddangos mewn ffilmiau.

Nhad fyddai'n ein dysgu i adrodd, ac fel pob tad doeth a Christion gwerth ei halen, mi fydda fo bob amser yn cyhoeddi cyn y diwrnod mawr mai cystadlu oedd yn bwysig, nid ennill. Ewch a mwynhewch fydda ei eiria pwysig. Ac wedyn os bydden ni'n colli, ei ymateb bron bob tro fyddai, 'Wn i ddim pam maen nhw'n gofyn i hwnna feirniadu, 'di o'n gwybod dim am adrodd... bwtsiar ydy o.' Yr hyn nad oeddwn i'n ei ddeall bryd hynny, wedi i'r un beirniad roi'r wobr gynta i mi mewn eisteddfod arall, sut y gallai newid cymaint, fel petai gwynt o'r nef wedi dod a'i wneud yn greadur newydd – yn wyrthiol, wedi i mi ennill mi fydda fo'n deall ei job yn ardderchog, 'Wel, yn well na neb,' yn ôl Nhad. Od 'te!

PENNOD 5

Os mêts, Dad a fi

ER BOD NHAD YN aml iawn ar y weiarles yn y pumdegau pan oeddwn i'n blentyn, cyflog bychan iawn a gâi. Roedd o'n aelod o'r 'rep', fel y'u gelwid – actorion staff y BBC. Felly, wnâi o ddim gwahaniaeth o gwbwl i gyflog Nhad petai ar y weiarles bob nos o'r wythnos, neu unwaith yr wythnos – yr un fyddai ei gyflog, sef un bunt ar ddeg, dim mwy a dim llai, beth bynnag fyddai ei ddyletswyddau. Dyna pam y daliodd ati i helpu ar ffermydd ym Modffordd tra oedd o ar yr un pryd yn gweithio i'r Gorfforaeth, er mwyn ennill tipyn bach mwy o arian – yr *income support,* fel y byddai'n ei alw yn ddiweddarach. Gwnaeth fy nhad hynny tan y dydd y cafodd ei ryddhau o gaethiwed y 'rep', a chael ei dalu'n ôl yr hyn roedd o'n ei wneud a'i haeddu. Mi wnaeth o bres wedyn, o do! Y BBC, fel bydda fo'n dweud, oedd Bocs Bwyd Charles!

Pan oedd Nhad yn fyw, byddai pobol yn gofyn i mi yn dragwyddol a oedd o'r un mor ddoniol gartre ar yr aelwyd ag oedd o ar lwyfan. Wel, doedd hi ddim yn bosib iddo fod. Ond oedd, mi oedd o'n ddoniol, yn eithriadol o ddoniol ar adegau, ond mi oedd yna gyfnodau pan fyddai o'n gas iawn hefyd. Er, fydda fo ddim yn colli'i dymer am bethau cyffredin bob dydd, pethau fel ni'n dŵad adre i'r tŷ'n hwyr, ac yn aml yn fudur a drewllyd, neu'n wlyb at ein crwyn ar ôl i ni fod yn yr afon mewn dillad taclus. Fyddai o ddim yn codi ei lais, chwaith, pan fydden ni'n gwrthod bwyta ein bwyd, neu'n cicio pêl yn erbyn y drws ffrynt, neu'n osgoi gwneud ein gwaith cartref. Mam fyddai'n rheoli hynny. Hi oedd â'r hawl i gosbi fel y mynnai, felly mi oeddan ni'n gwrando ar

Mam. Ond pan fyddai hi'n dod yn fater o berfformio neu gystadlu, boed hynny mewn drama, côr adrodd, neu adrodd unigol, mi fydda fo'n troi'n biws pan fydden ni'n gwamalu a gwastraffu amser, a lwc-owt pe na bai rhywun wedi dysgu ei ddarn. Roedd dysgu adroddiad neu adnod, medda fo, yn un o'r petha pwysicaf i'w wneud ar ffordd bywyd. Mi fyddai'n mynd mor bell â dweud ei bod yn ddyletswydd arnom i fwydo ein meddyliau â geiriau cyfoethog yr iaith Gymraeg.

Roedd y llyfr emynau a'r Beibl yn bwysig ar yr aelwyd, ond dwi'n gwybod erbyn heddiw nad oeddan nhw'n bwysig am y rhesymau y bwriadwyd iddyn nhw fod. Dwi'n credu'n gydwybodol mai pwrpas y Beibl yw dod â ni i wybod am gymeriad Duw, a chariad Iesu Grist, ac nid i achub yr iaith Gymraeg, er ei fod wedi gwneud hynny, yn anuniongyrchol. Nid llyfr barddoniaeth yn unig mo'r llyfr emynau chwaith, er ei fod yn hynny, ond ceir ynddo brofiadau'r saint a gerddodd ffordd yr Iesu, rhai oedd wedi'u cyffwrdd â gras eu Duw Hollalluog. Yn rhyfedd, mi oedd Nhad yn deall hynny i raddau – dyna pam na wnaeth o erioed ddysgu plant yr ysgol Sul i adrodd adnodau ar gyfer y Gymanfa – Hugh Roberts Talfryn fyddai'n gwneud hynny bob amser. Blaenor hynaf Capel Gad oedd Mr Roberts, yntau wedi'i gyffwrdd â gwynt nerthol yr Ysbryd Glân yn niwygiad 1904/05. Mi fydda Nhad yn gwybod y geiriau, a'u gwybod yn dda, ac mi oedd Hugh Roberts yn nabod yr awdur, a'i nabod yn dda.

Roedd Nhad yn wirion o berffeithydd yn y 'pethe'. Er na chafodd fawr o addysg, mi fedra fo roi unrhyw ddarlithydd barddoniaeth Gymraeg yn ei boced gefn, wrth ddehongli geiriau. Doedd o erioed wedi sgwennu englyn, na chwaith yn gwybod rheolau sgwennu englyn, ond roedd ganddo glust a honno'n deall englyn, ac mi fedrai ddarllen englyn fatha Gerallt Lloyd Owen, y meistr ei hun. Yn y petha hyn y bydda fo'n colli ei dymer wrth geisio ein dysgu ni i adrodd. Byddai deall y darn yn dŵad yn hawdd iddo fo, felly pan nad oeddan ni'n dallt, neu pan oedd rhai'n dallt a'r lleill heb lwyddo, mi fydda fo'n mynd yn hollol rwystredig. Dwi'n 'i glywad o'n gweiddi rŵan, a'r bwji'n cuddio yn ei blu, a'r gath yn ei baglu hi am yr ardd. 'Sawl gwaith sydd isio deud? Gwrandwch ar y geiriau, gwrandwch ar y sŵn, clywch lle mae'r pwyslais, gwelwch be sy'n bwysig, a gwrandwch ar eich gilydd. Mi fedrwch wedyn gydsymud. Reit, o'r dechrau unwaith eto.'

'Mae hanner nos yn ymyl bron
Mewn trwmgwsg huna Babilon,
Ac acw ar gastellog fryn,
Mae ffaglau di-rif o dân ynghynn.'

Ac wedyn 'rôl pennill bach, a phawb yn canolbwyntio, fe dawelai'r storm, ac fe glywid llais megis llais o'r nef yn sanctaidd lefaru, 'Dyna welliant, da iawn hogia. Os adroddwch chi fel 'na, mi enillwch.'

Roedd yn amlwg i bawb ei fod yn gwneud ymchwil trwyadl i'r darn cyn ei gyflwyno i ni i'w ddeall a'i ddysgu. Mi fydda fo'n mynd i drafferth i egluro pob cymal yn ofalus, yn creu lluniau o flaen ein llygaid, fel bod pob un ohonon ni'n deall beth roedden ni'n ei ddweud.

Er mai babi Mam oeddwn i, hogyn Dad oeddwn, ac efo Dad ro'n i'n leicio bod. Pan fydda Dad yn codi o'i gadair yn y tŷ, mi fyddwn i'n gweiddi, 'Lle dach chi'n mynd, Dad?' Ac mi fydda fynta'n ateb weithia, 'I droi clos. Ti isio dŵad efo fi?' Pan na fyddwn i'n chwarae pêl-droed neu gowbois efo'r hogia, efo Dad y byddwn i. Dyna pam mai fi oedd yr unig un o'r teulu ddilynodd ôl ei droed i'r byd adloniant. Does ryfedd fod pobol wedi dweud flynyddoedd ar ôl hynny 'mod i'n swnio fatha Nhad, yn anadlu yr un fath â fo, yn poeri yr un fath â fo, a hyd yn oed efo 'nwylo yn fy mhocedi yr un fath â fo.

Roedd cwmni Nhad fel cyffur i mi, a byddai'n rhaid i mi gael rhywfaint ohono bob dydd. Ro'n i'n leicio edrych arno, yn leicio gwrando ar ei lais, hyd yn oed yn leicio ogleuon ei ddillad, er bod y rheiny'n drewi o sigaréts Woodbines. Pleser mwya fy mywyd ifanc oedd mynd efo fo ar y beic – Nhad yn reidio'i feic i fferm Cerrig Duon ar draws camp Mona, finna wedi 'ngwasgu ar y ffrâm, a Nhad yn siarad efo fi bob cam o'r ffordd. Cawn noson lawen i mi fy hun ar y daith. Fo oedd y cwmni gorau posib, ac er mai plentyn oeddwn, mi fydda ganddo fo'r ddawn anhygoel a'r amynedd i ddweud stori.

Dwi'n cofio fel petai hi'n ddoe iddo adrodd stori ddiddim am fochyn bach wrtha i ar y beic unwaith, a'i actio a'i ddarlunio yn berffaith. Finna'n chwerthin nes bod fy nghorff i'n brifo, a'r cyfan ddwedodd o oedd, 'Dyma stori fach am fochyn bach. Roedd 'na fochyn bach, bach, bach, efo clustia bach, bach, wel mochyn bach 'te, 'sa dim iws i fochyn bach gael clustia mawr fatha eliffant, na fasa? Mochyn bach oedd o 'te, ac mi oedd gan y mochyn bach, oedd yn fach, fach lygaid bach bach, nid llygaid mawr fel soseri, na, na, mochyn bach oedd y mochyn bach, a choesa bach bach, nid coesa hir fatha jiraff, mochyn bach oedd o 'te? A wedyn mi oedd ganddo fo benaglinia bach, bach. Wel mochyn bach 'te, ac wedyn mi oedd ganddo gefn bach, bach, cefn bach i fochyn bach 'te...' Hyn yn mynd ymlaen ac ymlaen, ac wedyn yn gorffen wrth ddod oddi ar y beic yn Cerrig Duon. 'Wel, tasa'r mochyn yn fwy, mi fasa'r stori yn fwy, basa.' Yno hefyd ar ffrâm y beic y clywais i am rai o gymeriadau Bodffordd a dod i'w hadnabod: John Jones Cariwr, Ifan Jos Deiliwr a Robaits Frogwy Bach.

Roedd mynd i Neuadd y Penrhyn, Bangor, efo Nhad i wneud rhaglenni radio'n brofiad cyffrous i mi. Cael cyfarfod â sêr mawr byd darlledu'r 1950au – dim ond clywed eu lleisia fydda pawb arall. Mewn darllediadau rhaglenni plant mi gefais baned o de efo Wil Cwac Cwac, eistedd ar lin Ifan Twrci Tenau, rhannu KitKat efo Martha Plu Chwithig, a chinio efo Sioni Ceiliog Glas. Y profiada mwya pleserus oedd bod yn yr ymarferion ar gyfer y dramâu, ond yn fwya arbennig y *Noson Lawen*. 'Sgin i ddim cof o gwbwl i'r arloeswr adloniant Cymraeg, Sam Jones, dorri gair efo fi erioed; mi oedd o'n siŵr o fod yn canolbwyntio ar gynhyrchu'r rhaglen. Yn y dyddiau hynny, mi oedd cynhyrchydd yn cynhyrchu. Mi gaen nhw wybod os oedd actiwr neu berfformiwr yn gwneud ei waith yn iawn. Os na fyddai, mi fydden nhw'n cael gwybod, a hynny drwy *speaker* bach ar y mur, a phawb yn clywed.

Plentyn oeddwn i ymysg mawrion y genedl: Richard Hughes, y Co Bach, un o'r cymeriadau Cymraeg doniolaf agorodd ei geg ar lwyfan erioed, yn yr un uwch-gynghrair ag Ifans y Tryc yn ddiweddarach. Ar yr un llwyfan â'r Co Bach, yr oedd Triawd y Coleg, Merêd dalentog, Robin annwyl a Cledwyn yn ddistaw a ffraeth. Nhw oedd y *boy band* gwreiddiol, yn canu caneuon ysgafn doniol y byddai pawb yn eu mwynhau, a Mamie Noel Jones yn cyfeilio'n grefftus ar y piano gan ychwanegu at dalent y cantorion. Byddai yno hefyd lu o bobol eraill yn canu ac yn actio: Ieuan Rhys Williams, Sassie Rees, T C Simpson, Megan Rees, Nesta Harris, Tecwyn Jones, Huw Jones, Emrys Cleaver a Chôr y Penrhyn. Yn anffodus, wnes i erioed gyfarfod â Bob Robaits, Tai'r Felin. Ond oherwydd y profiadau gwerthfawr hyn, doedd gin i ddim diddordeb mewn addysg. Yno ro'n i isio bod. Yno y câi fy mreuddwydion eu gwireddu: oglau stiwdio BBC Bangor oedd y cyffur gorau i mi.

Dyma i chi ddadl dwi ddim yn ei deall. Pan fydd mab neu ferch yn dilyn ôl troed ei rieni neu ei rhieni yn y byd darlledu, bydd 'na ryw deimladau afiach gan rai tuag atyn nhw. Dwi'n cofio, pan oeddwn i'n dechrau darlledu yn bymtheg oed mewn dramâu radio, fod pobol yn dweud, 'Ti ond ar y weiarles oherwydd fod dy dad yno.' I raddau, mi oedd hynny'n wir, a pham lai? Ond doedd Wili, Glyn, Glenys, Beryl na Valmai ddim yno. Does 'na neb yn mynd at fab y cigydd a deud, 'Ti 'mond yn torri *chops* oherwydd bod dy dad yn gwneud,' neu ffarmwrs yn ffermio, neu blymars yn plymio, neu beintars yn peintio. Unrhyw faes ar wahân i ddarlledu neu adloniant, does yna ddim o'i le mewn dilyn ôl troed rhiant. I mi, y peth mwyaf naturiol dan haul Duw oedd gwneud yr hyn a wnâi fy nhad; a deud y gwir, doeddwn i ddim isio gwneud dim arall. Ro'n i wedi byw'r peth ers gadael fy nghlytiau, bron. Pwy yn ei lawn bwyll allai warafun hynny i mi?

Roeddwn i'n cyflwyno rhaglenni pobol ifanc ar y weiarles pan oeddwn i'n bymtheg oed; roedd o yn y gwaed. Oes yna rywun yn meddwl y byddai Ruth Price, y cynhyrchydd, wedi fy nghadw i gyflwyno dwy gyfres o *Clywch, Clywch* oherwydd pwy oedd fy nhad? Roedd gin i ddawn, ac fe brofais i hynny am gyfnod go dda, wrth i mi lenwi sinema'r Majestic unwaith y mis am ddwy flynedd, wrth gynhesu cynulleidfaoedd yn Gymraeg a Saesneg ar raglenni poblogaidd HTV. Yn anffodus, fe ddaeth cyfnod yn ddiweddarach pan gafodd y ddawn honno ei gwasgu i farwolaeth, ond yna ei hatgyfodi, yn Lloegr o bob man, a hynny yn Saesneg. Doedd neb yn nabod Nhad yn y fan honno!

Dwi'n cofio Nhad yn prynu car Austin A40 gwyrdd, ac mae'n amlwg fod pethau'n go dda arnon ni fel teulu ar y pryd. Dwi'n sôn am y car oherwydd pan oedd Nhad yn penderfynu mynd â ni'r plant am dro yn y car, dyna pryd y bydden ni'n ei weld ar ei orau. Mam fel arfer yn ista yn y ffrynt, wedyn fi, Glenys, Beryl, a Valmai'n fabi yn y cefn. Mi fyddai Nhad yn hel atgofion am ei gyfnod fel gwas ffarm bob cam o'r siwrna. Yr un fyddai'r stori bob tro. Wrth fynd i gyfeiriad Benllech, mi fyddai'n adrodd y stori am y cyfnod pan oedd yn hwsmon ar un o ffermydd Llannerch-y-medd, a'r meistr wedi dweud wrtho am fynd i'w wely'n gynnar un noson am ei fod yn mynd â gwartheg i California yn fore iawn y diwrnod wedyn. Roedd Nhad yn meddwl fod y gwartheg yn rhai go arbennig gan fod rhaid mynd â nhw mor bell. Ond fore trannoeth, fe gafodd wybod mai i California, ger Benllech, Sir Fôn, roedd y gwartheg yn mynd.

Wedyn, mi fyddai'n dweud pethau fel, 'Roeddwn i'n

cerdded gwartheg ar hyd y lôn yma un diwrnod, a dyma un ohonyn nhw'n neidio i mewn i'r cae yn y fan'na. Weli di, ma'r bwlch yn dal yno o hyd, ac mi aeth y gwartheg eraill ar ei hôl hi.' Yna 'rôl teithio rhyw filltir, mi fydda fo'n deud, 'A drwy'r bwlch yna fan'na daethon nhw 'nôl i'r lôn.' Gan ein bod wedi clywed y stori mor aml, mi oeddan ni yn y cefn yn dweud y geiriau cyn iddo fo gael y cyfle, 'Ac yn fan'na y daethon nhw 'nôl i'r lôn.' Pethau bach fel yna oedd yn gwneud Nhad yr hyn oedd o i ni.

Mi fydda Mam yn leicio cael *treat* bach rŵan ac yn y man, a'r hyn roedd hi'n ei leicio'n fwy na dim oedd mynd i nôl tsips. Y ffefryn oedd siop tsips Anti Mary Gwalchmai – dwi ddim yn cofio a oedd hi'n fodryb go iawn i ni chwaith. Tsips mwyaf seimllyd y byd i gyd oedd tsips Anti Mary. Mi fydda ôl dwylo seimllyd ar seti'r car am yn hir iawn wedyn, a'r ogla fatha... wel, fatha siop tsips Anti Mary, yn y car am ddyddiau wedyn. Y siop tsips orau yn Sir Fôn oedd un Winnie Welch yn Llangefni. Yr unig broblem oedd bod yn rhaid disgwyl yn hir iawn cyn derbyn yr archeb; bron na fasach chi'n meddwl ei bod yn ffrio pob tsipsen yn unigol. Ond wedi'u cael, chaech chi ddim gwell tsips yn unman. Dwi'n meddwl fod halen a finigar Winnie Welch yn well na halen a finigar pob siop tsips arall.

PENNOD 6

Golau ar yr aelwyd

ROEDD WILLIAM ROBERTS, BRYN Hyfryd yn berchen ar lawer o geffylau. Dwi ddim yn gwybod pam, ac ar y pryd doedd dim angen gofyn. Meddyliwch mewn difri calon, mynd i weld fy arwr Roy Rogers yn pictiwrs yr Arcadia Llangefni ar bnawn Sadwrn, a wedyn dynwared y cowboi enwog fin nos. Nid *bare back* ar gefn coes brwsh, fel pawb arall, ond cyfrwy, *stirrups* a *reins* ar gefn ceffyl go iawn. Roedd Elfed a Bryn, meibion Bryn Hyfryd, yn giamstars ar reidio, ac enillodd y ddau gystadlaethau mewn sioeau ceffylau sawl gwaith.

Roedd mynd i'r preimin yn Gwalchmai bob blwyddyn gyda theulu Bryn Hyfryd yr un mor bwysig â'r Gylchwyl, ond 'swn ni ddim yn dweud hynny wrth Mam, na Nain. Ar y diwrnod hwnnw, bydden ni'n blygeiniol yn rhoi'r ceffylau'n ofalus yn y lori, a Mr Roberts yn cyhoeddi'r cyfarwyddiadau'n bwyllog, yn glir a gofalus. Wnâi hi ddim y tro i geffyl drud gael anaf ar ei goesau. Byddwn i wrth fy modd yn gwylio'r creaduriaid mawr prydferth yn martsio'n osgeiddig i mewn i gefn y Bedford, fel tasan nhw'n gwybod mai hwn oedd eu diwrnod mawr nhw. Doedd dim lle i bawb yng nghab y lori, felly teithio'n posh yn Rover 90 gwyrdd y teulu fyddwn i; Mrs Roberts yn dreifio, a Siân ei merch yn eistedd fel tywysoges dlos wrth ei hochr.

A dyna ddiwrnod! Nefoedd o ddiwrnod! Ceffylau, bwydydd a diodydd nad oedd i'w cael yn unman arall. O, na fuaswn unwaith eto'n cael blasu'r orenj sgwash oedd i'w gael mewn poteli llefrith chwarter peint, efo top aur. O, am brofi hufen iâ cartref Ifan Llanfair-pwll a chael blasu'r sôs coch a hwnnw'n diferu fel y Swallow Falls oddi ar yr *hot dog*. Ac o, am gael profi unwaith eto inja roc Nymbar 8 Llannerch-y-medd, a hwnnw'n para yn y ceg am oriau, nes doedd dim ar ôl ond y Nymbar 8. O, am gael byw'r holl brofiadau melys hynny... Mae nostalgia ar adegau'n greulon.

Mi fydda i'n ddiolchgar tra bydda i byw am haelioni Mr a Mrs Roberts, Bryn Hyfryd, yn y cyfnod cynnar tlodaidd hwnnw yn hanes fy nheulu. Tŷ mawr crand yn cuddio yn y coed ar y ffordd allan o Fodffordd i gyfeiriad yr A5, cyn cyrraedd Capel Gad, ydy Bryn Hyfryd. Fedra i ddim peidio edrych i'w gyfeiriad bob tro y bydda i'n mynd i Fodffordd hyd heddiw. Roedd y tŷ mor wahanol i'n tŷ ni. Roedd o'n fawr i ddechrau, ac roedd ganddyn nhw *electric light* ym mhob ystafell, a hwnnw'n cael ei gynhyrchu gan injan TVO o'r garej. Wn i ddim hyd heddiw beth oedd y TVO hwnnw, ond doedd o ddim yn betrol, a doedd o ddim yn baraffîn.

Yn y parlwr bach roedd 'na delifision mawr, yn dangos lluniau du a gwyn. Ar y sgrin yn y fan honno y dois i nabod dynion mawr a phwysig, dynion newidiodd fy mywyd, dynion gonest, dynion a graen ar eu cymeriad. Dynion y ceisiais fy ngorau i'w hefelychu weddill fy oes – Lone Ranger, Ivanhoe, Robin Hood, The Man from Cheyenne, a Maverick. Od hefyd, achos dim ond deall y lluniau roeddwn i; doedd Saesneg ddim wedi cyrraedd fy ymennydd yr adeg honno. Roedd pantri Bryn Hyfryd yn fwy na pharlwr a chegin ein tŷ ni. Ac yn y pantri hwnnw, hanner ffordd i lawr y coridor tywyll, y byddai Mrs Roberts yn cadw'r teisennau roedd hi ei hun wedi'u coginio. Dyma'r cacennau mwyaf blasus brofodd neb erioed; y crystyn tew yn toddi wrth gyffwrdd fy nhafod falch, a'r riwbob fesul darn yn gorffwys am ennyd yn y geg ddiolchgar, cyn llithro i lawr y lôn goch i'r bol barus – gobeithio y bydd tragwyddoldeb yn debyg i hyn.

Mi ddigwyddodd 'na un peth digon anffodus yn Bryn

Hyfryd hefyd. Deuddeg oed oeddwn ar y pryd, a ninna'n chwara cowbois ar gefn y ceffylau. Fi oedd y *baddie* y diwrnod hwnnw, a Bryn oedd y sheriff. O'n i a'r ceffyl yn trio cuddio mor ddistaw â phosib, ond fe ddaeth y sheriff o rywle'n hollol annisgwyl, a gweiddi, 'Hands up!' Ma'n rhaid bod y ferlen fach wedi meddwl mai 'Gee up!' waeddodd y sheriff. Doeddwn i ddim yn barod, ac mi ddisgynnais ar y cae caled, a thorri 'mraich chwith – *compound fracture.* Mae'r graith lle daeth yr asgwrn allan drwy'r croen yno o hyd. Mi fysa hi wedi bod yn well taswn wedi disgyn ar fy nhin, neu fel dudodd rhywun, ar fy mhen. Cofio Mrs Roberts yn fy nghysuro efo gwydriad o Ribena, ac yna'n fy rhuthro yn y Rover gwyrdd i syrjeri Dr Glyn yn Gwalchmai dair milltir i ffwrdd. Dwi ddim yn cofio sut es i Ysbyty C&A Bangor o fan'no, na chofio cael fy symud i Ysbyty Eryri, Caernarfon, ond dwi'n cofio gorwedd yn yr ysbyty honno am wythnos gyfan.

Y peth gwaetha am y ddamwain oedd y plastr Paris ar fy mraich, a hynny am chwech wythnos. Meddyliwch mor annheg fu trefn Rhagluniaeth – torri 'mraich ar ddiwrnod cyntaf gwyliau haf yr ysgol, a thynnu'r blwmin plastr ar y diwrnod olaf!

Tua'r flwyddyn 1958 daeth trydan i Bodffordd drwy wasanaeth MANWEB. Wel, mi oedd y jôcs am y pentra yn lluosog iawn – hwyl ddiniwed. Ond cyn i'r cyflenwad trydan ddod yn llawn i Fodffordd roedd ambell dŷ wedi cael injan debyg i un Bryn Hyfryd i gynhyrchu trydan, ac felly mi fyddai 'na deledu yn llawer o'r cartrefi hynny. Yn Gorffwysfa gwelais i'r FA Cup cynta, a Bert Troutman yn y gôl i Manchester City. Yn Tyddyn Siencyn y gwelais i'r gêm tennis gynta ar y teledu; yn Tŷ Tywyrch welais i'r ornest focsio gynta, ac yn nhŷ Yncl Tomi Siop y gwelais y *London Palladium* am y tro cynta. Mi benderfynodd Wili 'mrawd, oedd wedi dechrau gweithio fel gwas ffarm erbyn hynny, fod yn rhaid i ni hefyd gael injan, a chael trydan yn Nymbar 4.

Roedd Nhad yn nabod rhywun o ochra Llannerch-y-medd a fydda'n trwsio a gwerthu injans, felly dyma neidio yn y fan, i fan Wili (dyna fydda Dad yn 'i ddweud bob tro!).

Fe gyrhaeddodd yr injan baraffîn, ac fe'i gosodwyd yn ofalus yn y sied lle roedd Mam yn gwneud y golchi, jyst y tu mewn, ac wrth y drws. Roedd angen ei chychwyn efo tipyn o betrol drwy dynnu rhaff denau, wedyn mi fyddai'n rhedeg ar baraffîn. Fe gynhyrchwyd trydan, ac fe ddaeth goleuni – Haleliwia! Ond roedd Mam yn dal i gynnau canhwyllau – 'Er mwyn ffeindio'r switsys ar y wal,' medda hi. Mewn ychydig ddyddiau roedd yn rhaid cael teledu, ac fe gyrhaeddodd acw. Pye oedd y gwneuthuriad, ac roedd hi'n anferth; welis i ddim pei mor fawr erioed! Dwi'n siŵr mai hon oedd y set deledu gyntaf i Pye ei chynhyrchu. Roedd dau ddrws o flaen y sgrin fatha drysau wardrob. Pan welodd Glyn y set yn ista yn y gornel ac yn tywyllu'r stafell, medda fo, 'Y set yma oedd gan Noa yn yr Arch, Dad?'

Erbyn hyn roedd 'na ddau ddeg wyth o dai cyngor wedi'u hadeiladu ar ein stad ni, a phob un teulu yn deulu Cymraeg. Dim ond ni a rhyw bedwar tŷ arall oedd efo injan, felly doedd dim teledu mewn pedwar ar hugain o dai, ac fe ddaeth ein tŷ ni dros nos yn gyrchfan plant a phobol ifanc. Bryd hynny, byddai rhoi erial teledu ar y corn simdda yn sicrhau digonedd o ffrindiau. Roedd mynd i dŷ Charles fel mynd i'r sinema, yn fan cyfarfod plant y pentra. Byddai o leia bump ar hugain o blant yn ista i wylio'r teledu – a'r rheiny o bob lliw, llun ac ogla, a Mam yn rhannu bisgedi a diodydd, fel petai hynny'n ddyletswydd arni. Dyma oedd yn od, wrth edrych yn ôl: yng nghanol y sŵn, a'r holl blant wrth ei draed, dyna lle byddai Nhad yn ista yn ei gadair yn dysgu ei sgriptiau. Yna, mi fydda fo'n rhoi'r sgript yn fy llaw a dweud, 'Tria fi yn honna, tudalen dau ddeg tri.'

Yn ein tŷ ni byddai'r corau adrodd yn ymarfer, a dyna'r unig adeg pan fyddai drws y tŷ wedi'i gau i bob adloniant arall. Mi fyddai un ohonon ni'n gorfod ista yn y cefn wrth y drws er mwyn dweud wrth y *regulars* nad oedden nhw ddim yn cael dŵad i mewn oherwydd bod ymarfer côr adrodd. Weithiau, fodd bynnag, mi fydda Mam yn perswadio Nhad i gael yr ymarfer yn hwyrach, fel bod y plant yn cael gwylio tan tua hanner awr wedi wyth. Mi fyddai tri chôr adrodd yn dŵad i'r tŷ: Côr Adrodd y Fron (y dynion), Y Gwerinwyr (yr hogia ifanc), a Pharti Fron Bach (y plant). Efo Parti Fron Bach oeddwn i. Roedd mynd i gystadlu mewn eisteddfodau bach a mawr yn ail natur i ni. Ma'n rhaid dweud i hynny fod yn addysg ardderchog i ni mewn oed ifanc, wrth i ni gael ein trwytho mewn barddoniaeth a'r beirdd.

Pennod 7

Methu gwireddu breuddwyd

Wedi i mi adael y jêl yn bymtheg oed – dyna oeddan ni'n galw Ysgol Gyfun Llangefni – roedd yn rhaid chwilio am waith. Mi gefais adroddiad ffafriol iawn gan Mr Davies, y prifathro, a dechreuais weithio yn siop Bradleys, Llangefni, drws nesa i Hughes Grey, a dros y ffordd i'r cloc a'r Bull Hotel. Gwerthu dillad o'n i i fod i'w neud – *sales assistant* oeddwn i ac roedd gan bob gweithiwr rif. Rhif 5 oeddwn i. Dim ond pump oedd yn gweithio yno, felly fi oedd cyw bach y llwyth, am gyflog o £3 4s 6c yr wythnos. Efo'r pres mawr yna mi fedrwn brynu 32 galwyn o betrol, tasa gin i gar, 26 fish, tsips a pys efo potal o Vimto, a mynd i Fangor ac yn ôl 18 o weithiau. Be ddigwyddodd i'n pres go iawn ni, 'dwch?

Mi o'n i wrth fy modd yng nghwmni Dafydd Jones, Emyr Edwards a Lewis Williams, y tri gwerthwr arall, ond doeddwn i ddim yn rhy hoff o Mr John Harvey, y rheolwr. Fi oedd ar fai, nid y fo! Fo oedd yn rhoi jobsys i mi, a doeddwn i ddim isio'i blwmin jobsys fel golchi ffenestri, mopio'r llawr, glanhau'r tŷ bach, tacluso'r silffoedd, cyfri'r hangars, a gwagio'r biniau. A deud y gwir, doeddwn i ddim isio bod yno o gwbwl, ond roeddwn yn rhy ifanc i fynd ar fy liwt fy hun fel diddanwr, sef yr unig beth roeddwn i isio ei wneud. Doedd gin i mo'r profiad, a doedd dim llawer o raglenni Cymraeg ar y teledu – doedd neb wedi meddwl am S4C bryd hynny, heb sôn am ei sefydlu, felly roedd yn rhaid bod yn amyneddgar.

Doeddwn i ddim yn meindio'r gwerthu na'r siarad efo cwsmeriaid. Roedd hynny'n rhoi cyfle i mi berfformio, ac mi wnes i berfformio. Byddwn i'n mynd adra wedyn a dynwared y cwsmeriaid i'r teulu – Nhad wrth ei fodd, ac yn aml mi fydda fo'n holi rhywbeth fel, 'Sut oedd y ddynas 'na'n gofyn am drôns i'w gŵr, Idris?' Wedyn pan fyddai pobol ddiarth yn dŵad i'r tŷ, mi fydda fo'n gofyn i mi ddynwared pobol oedd yn dŵad i'r siop, a finna'n gwneud. Falla ma' wrth glywad pobol yn chwerthin y daeth yr ysfa arnaf am fod yn ddigrifwr. O ia, perfformio ma pob gwerthwr, credwch chi fi!

Mi ddysgais y grefft o werthu wrth helpu Yncl Tomi yn siop Bodffordd adeg gwyliau ysgol ac yno roeddwn i bob dydd. Bob nos Iau byddwn yn mynd efo fo rownd tai Gwalchmai. Llenwi'r car neu'r fan efo llond bocsys o negeseuon, a ffwrdd â ni. Galw yma ac acw, a fy ewyrth yn addasu ei sgwrs a'i arddull ar gyfer y cwsmeriaid yn ôl y galw. Roedd gwrando ar fy ewyrth yn trin a thrafod pobol yn addysg. Byddai'n gwneud lles i ambell un yn y siopau mawr heddiw fod wedi treulio amser wrth draed Gamaliel y gwerthwyr am ddiwrnod neu ddau. Lle aeth y dywediad, 'Y cwsmer sydd bob amser yn iawn', 'dwch?

Felly, roedd y profiad hwn, yn ogystal â fy hiwmor naturiol, yn gymorth mawr i mi wrth ddelio efo cwsmeriaid anodd yn siop Bradleys. Ro'n i'n siarad efo Dafydd Jones dro yn ôl, ac mi wnaeth o fy atgoffa o'r pethau doniol fyddwn i'n eu dweud a'u gwneud yn y siop. Dwi'n cofio cael ffrae gan Mr Harvey un diwrnod am i mi golli rheolaeth ar fy hiwmor. Dynes yn dod i mewn, ac roedd hi'n dipyn o seis – nid bod hynny'n gwneud affliw o wahaniaeth i'w phersonoliaeth, ac meddwn i, 'Helô, sut dach chi'ch *dwy*?' Os dwi'n cofio'n iawn, chwerthin wnaeth hi, ond rhybuddiodd Mr Harvey fi y cawn y sac pe dwedwn rywbeth fel yna wedyn – ac mi wnes, ac fe ges y sac. Ond roedd o'n chwilio am esgus i gael gwared arna i, beth bynnag. Er na wyddwn i pam, byddai'n casáu'r ffaith fod Edwards a Jones yn dweud wrth y cwsmeriaid mab pwy oeddwn.

A bod yn deg â Mr Harvey, ei broblem fwyaf oedd y ffaith y byddwn yn cymryd amser o'r gwaith bob hyn a hyn i fynd i Neuadd y Penrhyn, Bangor, i gyflwyno rhaglenni radio, ac i actio mewn dramâu radio. Yn aml iawn, pan fyddai'r BBC yn galw arna i i fynd i Fangor ar ddiwrnod arbennig, mi fyddwn yn mynd i mewn i'r gwaith yn Llangefni yn ôl fy arfer, a deud dim wrth neb. Pan fyddai'n agosáu at dri o'r gloch, amser y bŷs i Fangor, neu'n gynharach weithiau, mi fyddwn yn dweud wrth Mr Harvey, 'Gorfod mynd rŵan, BBC heno.' Fynta'n atab, 'Ma hyn yn digwydd yn rhy aml o lawer. Mi fydd yn rhaid i ti wneud penderfyniad lle ti am fod – yma, neu yn y BBC.'

Dyna gwestiwn twp os bu un erioed, achos i mi, doedd dim dewis. Faswn i ddim wedi aros yn gwerthu'r trowsusau, y crysau, y teis a'r sanau, a'r tronsys tasa Mr Bradley ei hun wedi mynd ar ei liniau o 'mlaen i, a chusanu 'nhraed i. Doedd neb yn mynd i'm rhwystro i rhag cyflawni fy nymuniad – dyma'r camau cyntaf ar y daith i ddilyn ôl troed fy nhad. Gymaint gwell oedd oglau stiwdios Bangor yn y ffroenau nag oglau siwtiau crand. Doedd gan Mr Harvey, y creadur bach, ddim dewis ond rhoi'r sac i mi, gan y byddwn yn treulio mwy a mwy o amser tu ôl i feicroffon na thu ôl i'r cownter.

Clywch, Clywch oedd enw'r gyfres gyntaf i mi ei chyflwyno. Rhaglenni ysgafn ar gyfer pobol ifanc oeddan nhw gyda Ruth Price yn eu cynhyrchu – dynes o flaen ei hamser. O na fyddai Miss Price yn cynhyrchu heddiw! Hi fyddai'n sgwennu pob llinell o'r sgript, yn trefnu a chynllunio'r cyfweliadau, a hi oedd â'r weledigaeth i roi cyfle i bobol ifanc gael mynegi eu barn ac arddangos eu doniau. Roedd Miss Price yn arloeswraig.

Cyn iddi fynd ymlaen i gynhyrchu un o'r cyfresi mwyaf llwyddiannus yn hanes darlledu Cymraeg, *Disc a Dawn*, roedd hi wedi darganfod cantores garismatig iawn yn Helen Wyn Jones o Dal-y-Bont, ger Bangor. Daeth yn enwog yn ddiweddarach fel Tammy Jones, ac efallai'n fwy enwog fel chwaer y diweddar annwyl Now o Hogia Llandegai. Fe welodd Miss Price rywbeth go arbennig yn Helen, ac fe drefnodd ei bod hi a'i grŵp o'r enw Hebogiaid y Nos yn canu'n wythnosol ar *Clywch, Clywch*. Mi gefais i'r fraint o'i chyflwyno – fy *claim to fame* cynta.

Fe ddarganfu Miss Price seren arall mewn blynyddoedd wedyn, sef Iris Williams, a ddaeth yn fyd-enwog. Pwy all anghofio'i chyflwyniad gwefreiddiol o eiriau'r Pêr Ganiedydd, 'Pererin wyf mewn anial dir, yn crwydro yma a thraw', ar yr alw adnabyddus 'Amazing Grace'? Mi gefais y fraint o weithio efo Iris sawl gwaith; merch hynod o glên a lwyddodd i ddysgu Cymraeg.

Ym mlynyddoedd cynnar y 1960au roedd y BBC ym Mangor yn darlledu llawer iawn o raglenni plant ar y radio, a dramâu ar gyfer oedolion o Neuadd y Penrhyn, Bangor. Roeddwn yn ddigon ffodus i fod yn rhan o'r cyfnod euraid hwnnw drwy gael rhannau mewn dramâu pan fyddai angen llais ifanc neu lais plentyn.

Anodd i mi oedd credu fy mod bellach yn rhannu meicroffon gydag actorion enwog y weiarles a wnaeth gymaint o ffws ohonof pan oeddwn yn blentyn yn mynd i'r stiwdio efo Nhad. Cawn hyd yn oed fy enw ar yr un sgript â Nesta Harris, Dic Hughes, Oswald Gruffydd, Conrad Evans, Huw Tudor, Sheila Huw Jones, Richard Hughes, Hywel Gwynfryn, a llawer mwy. Cofio'n dda darlledu nofelau Daniel Owen – dwi'n meddwl mai John Ogwen oedd Wil Bryan, a finnau'n chwarae Jac Beck. Nhad oedd Thomas Bartley, a Nesta Harris oedd Barbara Bartley. Ymarfer drwy'r dydd. Yn y dyddiau hynny byddai'n rhaid bod yn actor da, yn ogystal â bod yn barod i wneud yr effeithiau sain hefyd – agor drws, cerdded ar gerrig mân, yfed o gwpan, cau ffenast, ac yn aml symud cadair.

Roedd tri lleoliad yn Neuadd y Penrhyn ar gyfer cynhyrchu drama: llawr y neuadd/stiwdio fyddai'n cael ei ddefnyddio ar gyfer y golygfeydd mewn capel, eglwys, ysgol, neu neuadd bentref. Yna, stiwdio lai ar gyfer golygfeydd y tu mewn i dŷ. Byddai'r stiwdio wedi'i charpedu a'i hamgylchynu efo muriau pwrpasol i sicrhau na fyddai sŵn o'r tu allan yn amharu. Ac yna stiwdio fechan dywyll ar gyfer y golygfeydd y tu allan. Roedd y rhan fwyaf o'r rhaglenni hyn yn fyw, felly nid yn unig roedd yn rhaid canolbwyntio ar lefaru'r llinellau'n gywir, ond roedd rhaid cofio ym mha leoliad roedd angen bod hefyd. Er bod y tri lleoliad gyda'i gilydd mewn un ystafell fawr, byddai'n rhaid brysio o'r naill leoliad i'r llall.

Y golau coch oedd yr arwydd ein bod ar yr awyr, a golau gwyrdd, 'fflic' fel y galwen ni o, yn arwydd bod angen dechrau'r olygfa. Mi fyddai pob actor yn cytuno bod fy nhad yn deall y grefft o actio radio yn well na neb, felly mi gefais goleg actio radio gan arbenigwr. Roedd angen troi cefn wrth gerdded i mewn i stafell i roi'r argraff eich bod wrth y drws yn dod i mewn; roedd hi'n hanfodol bwysig gwybod sut i weiddi ar rywun pan fyddai hwnnw ymhell i ffwrdd mewn storm o fellt a tharanau yn y ddrama, a nhwytha yn y stiwdio wrth gwrs, yn sefyll yn ymyl ei gilydd. Roeddwn wrth fy modd.

Eto i gyd, teimlwn ar adegau y byddai wedi bod yn well i mi petawn wedi cael mwy o addysg, neu wedi manteisio mwy ar y cyfle a ges i. Yn aml iawn allwn i ddim ymuno â'r sgwrs neu'r drafodaeth amser cinio neu amser panad, am nad oedd gin i'r ddealltwriaeth i ddilyn y sgwrs neu'r drafodaeth. Anaml iawn y byddwn i'n mynd i'r cantîn i gael cinio – yr ofn tragwyddol y byddai rhywun yn sylwi ar fy anwybodaeth ac yn chwerthin. Er bod yr ansicrwydd yn dal yno hyd heddiw, erbyn hyn does dim rhaid i mi boeni gormod gan i mi gael addysg drwy wrando, darllen ac astudio'n ddistaw ar fy mhen fy hun. Dwi wedi rhoi oriau lawer i wella fy addysg, ac o dipyn i beth fe enillais hyder a dod i ddeall pethau'n llawer gwell. Oni bai am hynny byddwn wedi gorfod gofyn i rywun arall sgwennu'r llyfr hwn.

Wedi i mi gael y sac o Bradleys, roedd hi'n braf iawn am gyfnod, achos mi fydda 'na ddigon o waith radio i'w gael gan y BBC. Ond pan ddaeth y cyfnod hwnnw i ben, doedd dim amdani ond mynd ar y dôl.

Y swydd nesa gefais i oedd *shop assistant* yn siop George Mason's yn Llangefni, siop groser a gâi ei hadnabod fel siop y Star. Mr Gareth Williams oedd y rheolwr – dyn hollol strêt yn mynnu'r gorau gan bob gweithiwr. Mi gefais fy rhybuddio gan y staff fod Wilias yn ddyn di-lol, ac na fyddai'n derbyn gwastraffu amser na gwamalu yn ystod oriau gwaith. Pwy, fi? Yn gwastraffu amser a gwamalu? Beth oeddan nhw wedi'i glywed? Oedd fy nghymeriad wedi cyrraedd o 'mlaen i? Gan fod pethau'n ddistaw iawn efo'r BBC, doedd gin i ddim dewis ond gwneud fy ngorau a bihafio, ac mi wnes am gyfnod.

Dwi erioed wedi bod yn ddiog, er do'n i jest ddim yn gweithio pan na fyddwn i'n leicio'r gwaith y cawn fy ngorfodi i'w wneud. Doedd Wilias ddim yn hapus un diwrnod, a finnau ac Alun Panty Bet ar y cownter cig efo'n gilydd – roedd Alun a finnau'n fêts go iawn. Yr hyn ddigwyddodd oedd fod dynas bwysig iawn yr olwg wedi dŵad i mewn i'r siop, a dod at y cownter lle roedd Panty Bet a fi. 'Hon 'di'i magu'n dda, Alun,' meddwn i. Dwi'n cofio'r geiriau yna, achos fe redodd Panty efo'i frat yn ei geg i drio atal ei hun rhag chwerthin. Bu'n rhaid i mi, felly, serfio'r ddynes 'ma, a fyddai, dwi'n siŵr, yn bwyta'i tsips efo menig.

'Gaf i ddwy sosej, plis?' meddai mewn llais main posh.

'Be, dwy?' meddwn i. 'Dwy sosej, dach chi isio dwy sosej? 'Sa ddim yn well i chi gael tair? Rhag ofn i chi gael fisitors...'

Wel, 'sach chi'n meddwl 'mod i wedi cyhuddo'r Pab o fod yn anffyddiwr! Mi glywais floedd – 'Idris!' Wilias oedd yn sefyll nid nepell oddi wrtha i. Roedd o wedi clywed y geiriau anffodus lifodd allan o'm genau, a finnau heb unrhyw reolaeth i'w hatal.

'Idris, i fy swyddfa fi, rŵan!'

A rŵan yr es i. Doedd dim llawer o bwynt meddwl am beidio. Dwi ddim yn cofio union eiriau Wilias, ond mi ddwedodd bod yn rhaid i mi nôl fy nghardiau – cael y sac oedd hynny'n ei olygu – ar ddiwedd yr wythnos. O'n i'n leicio Wilias, mi ges i lot o hwyl efo fo a'r staff: Megan, Nancy, Bernard (Buns), Catherine, Len, Freda, Margaret, Elisabeth, ac wrth gwrs Panty Bet.

Un o'r jobsys ro'n i'n gorfod eu gneud oedd delifro negeseuon ar gefn beic. Roedd y beic yn feic pwrpasol *state-of-the-art* efo basged ar y ffrynt a teiars trwchus i ddal y pwysau. A bois bach, roedd 'na bwysau! Roedd siop George Mason's yng nghanol y dref ar dir gwastad, a'r tai ble roedd y cwsmeriaid yn byw ar ben y bryniau bob ochor i'r dref – Pencraig un ochor, a Corn Hir yr ochor arall. Mi fyddwn i'n cario pedwar neu bump o focsys trwm i fyny'r elltydd serth yma a'r rheiny wedi'u rhaffu'n ofalus. Ma'n rhaid 'mod i'n weddol ffit y pryd hynny. Wrth wneud yr orchest annynol hon, roeddwn yn fwy penderfynol byth o wneud yr un gwaith â Nhad. Mi regais y beic lawer gwaith, yn arbennig ar ôl disgyn, a gorfod codi'r holl negeseuon, eu sortio, a'u rhoi yn ôl yn y bocsys cywir. Fyddai'r wyau'n dda i ddim i lawer teulu'n aml, heblaw i wneud omlet.

PENNOD 8

Da a drwg o'r drwydded yrru

MI DDECHREUAIS ARWAIN NOSWEITHIAU adloniant pan o'n i tua un ar bymtheg oed, yn defnyddio jôcs fy nhad, a hwnnw'n mynd yn lloerig bost am fy mod yn meiddio dweud jôcs mor hen. Be ydy hen jôc? Yn ôl Bob Monkhouse, jôc hen ydy jôc dach chi wedi'i chlywed o'r blaen! Os oedd pobol Llangristiolus a Berffro, Llanddona a Bodorgan yn chwerthin, pa ots pa mor hen oedd y blwmin jôcs? A beth bynnag, doeddwn i ddim yn gwybod rhai newydd. Mae'r jôcs yna ro'n i'n eu dweud yn dal i gael eu defnyddio hyd heddiw ar y *Noson Lawen*, S4C. Be ydy'r ots os ydy pobol yn chwerthin?

Mi glywais un ohonyn nhw y noson o'r blaen yn cael ei dweud gan Tudur Owen. Roeddwn i'n chwerthin wrth wrando a gwylio. Rhoddodd Tudur ryw slant newydd ar stori fyddwn i'n arfer ei chyflwyno flynyddoedd yn ôl. Daeth â'r stori mor fyw nes gwneud i mi gredu fod y digwyddiad arbennig hwnnw wedi digwydd go iawn i Anti Annie Tudur! A falla nad oes ganddo Anti Annie! Dwi'n dipyn o ffan o Tudur Owen.

Dysgu dreifio oedd y cam nesa. Wili 'mrawd yn hyfforddwr amyneddgar doeth a phwyllog, pob gair i bwrpas, ond Glyn yn taranu cyfarwyddiadau ata i, fatha Sarjant Major ar steroids. Dwi'n siŵr nad oedd o'n dallt fo'i hun, heb sôn am i mi ei ddallt. Daeth dreifio car yn rhwydd i'm dau frawd, gan eu bod nhw wedi mynd i weithio ar ffermydd yn syth o'r ysgol, ac wedi hen arfer dreifio pob math o beiriannau – tractor, Land Rover, *pick-up* a lori. Doedd bod tu ôl i olwyn car ddim yn dŵad yn naturiol i mi, felly fe gymerodd chwe mis i mi fod yn ddigon hyderus i fynd am brawf. Prynhawn dydd Gwener braf ym mis Gorffennaf 1964 oedd hi, ac fe gofiaf eiriau'r arholwr 'rôl i mi fynd rownd lonydd cul Bangor, 'Thank you, Mr Williams, you'll do.' 'Mhen blynyddoedd wedyn fe ddois i'n hyfforddwr gyrru hyd yn oed.

Fe gefais lot fawr o hwyl yn dreifio; cael benthyg Morris 1000 Nhad a mynd fel y mynnwn. Tudur Williams Nymbar 6 oedd fy ffrind gorau y pryd hynny; roedd y ddau ohonon ni fel dau frawd. Byddai Tudur yn leicio galw ei hun yn Terry pan oeddan ni'n chatio merchaid Maesgeirchen. Roedd o'n lot mwy dewr na fi efo merchaid – wel, doeddwn ddim yn ystyried bod cael swsus efo Hilda May yn fy rhoi ymysg carwyr mwya profiadol y pentra!

Cyn i mi gael y car, dwi'n cofio cael *blind date* efo hogan o Fangor. Mi fydda hogia Bodffordd oedd flwyddyn neu ddwy yn hŷn na fi'n mynd i Fangor bob nos Sadwrn, ond doeddwn i ddim yn cael mynd gan Mam. Wedi i mi ddechrau gweithio, mi gefais fy mherswadio gan Gareth Owen Nymbar 8 y byddai'n hwyl petaswn i'n mynd efo'r hogia i'r ddinas dros y Fenai. Mi fydda fo wedi trefnu lefran i mi. Aeth mor bell â threfnu fy mod yn siarad efo Elisabeth ar y ffôn o'r ciosg ym Modffordd, *direct line* i Maesgeirchen. Mi wnes ac roedd hi'n swnio'n ocê, er doedd hi ddim yn siarad Cymraeg.

Roeddwn i'n gweithio yn Bradleys ar y pryd, ac mi brynais siwt newydd a chôt law. Roedd Mam yn meddwl 'sa well i mi wisgo balaclafa a menig, a hen got dyffl Wili 'mrawd – wel, mi oedd hi'n ganol gaeaf. Felly, dyma ddal bŷs chwech ar nos Sadwrn o Langefni ar ôl gwaith, ac off â fi i gyfarfod Elisabeth. Fûm i erioed mor nerfus yn fy mywyd. O na fyddai'r bŷs yn torri lawr! O na fyddai pont Borth wedi cau! O na fyddai Bangor wedi symud neu wedi boddi dan y môr!

Gobeithio i'r nefoedd na fydd Elisabeth yna... gobeithio'i bod hi 'di cael annwyd... neu 'di boddi efo Bangor! Roedd Gareth a'r criw wedi mynd ar fŷs bump, a nhw oedd y bobol gyntaf i mi eu gweld o ail lawr y bŷs wrth iddi droi i mewn i Stand 4.

Doedd y ffaith bod yr hogia heb gôt, nefyr mind gôt dyffyl drom, o fawr help i'r sefyllfa. Gwisgai'r merchaid sgertia nad oedd fawr mwy na stamp am eu tinau, ac roedd pob un yn gafael yn llaw un o'r hogia – wel, pob un ond Elisabeth. Mi gefais ufflon o job dŵad lawr grisiau'r bŷs. O'n i'n cerddad fatha wardrob MFI! Elisabeth yn disgwyl yn eiddgar am ŵr ifanc, tal, golygus – fel yna wnaeth Gareth fy nisgrifio ar y ffôn. Pan welodd fi, pum troedfadd pum modfadd mewn balaclafa, côt dyffl a menig, fyddach chi'n meddwl ei bod wedi gweld drychiolaeth. Chlywais i ddim beth yn union ddywedodd hi, oherwydd i'r hogia o'm cwmpas chwerthin mor uchel. Welais i mo Elisabeth y noson honno, na byth wedyn. Mi neidiais yn ôl ar y bŷs, a mynd adra i fy hafan ddiogel ym Modffordd efo Mam. 'Sach chi byth yn meddwl 'mod i'n un ar bymtheg, na fasach? Mi dyngais y noson honno na fyddwn yn mynd ar gyfyl Bangor byth wedyn, wel, i chwilio am gariad mewn balaclafa, côt dyffl a menig, beth bynnag.

Pan gefais drwydded yrru, roedd pethau'n wahanol. Tudur oedd yn gwneud y siarad; fo oedd yn agor ffenast y Morris a chyfarch y merchaid. Roedd o fel magnet i ferchaid – falla i'r ffaith fod ganddo wallt hir trwchus fod o help.

'Dwy hogan, Charles – stopia!' fydda fo'n weiddi arna i.

Byddai lot o fy ffrindiau yn fy ngalw i'n Charles, ond fo oedd yr unig un o Fodffordd i wneud hynny. Falla fod Terry a Charles yn swnio'n well na Tudur ac Idris. Fydda fo byth yn methu, ond doeddwn i ddim mor hapus efo merchaid. Do'n i ddim yn gwbod be i' neud, doedd gwersi caru ddim yn rhan o wersi'r ysgol Sul. Pan gefais sws Ffrengig gan hogan o Fangor oedd yn gweithio yn Woolworths, ro'n i'n meddwl ei bod hi'n trio dwyn fy *chewing gum* o fy ngheg.

Rhaid i mi sôn am y cyfnod tristaf yn fy mywyd – y noson y cafodd fy ffrind Tudur ei ladd mewn damwain car. Roeddan ni wedi bod allan ar y nos Sadwrn yn mwynhau, a phan dwi'n sôn am fwynhau, dwi'n golygu mwynhau. Roedd gan Tudur synnwyr digrifwch tebyg iawn i *Monty Python*, cyn bod sôn am *Monty Python*. Mi fyddai'n dweud a gwneud y pethau rhyfeddaf. Er ei fod o falla yn dipyn o rebal, wnâi o ddim drwg i neb. Bu farw ei fam pan oedd yn ifanc, a phriododd Twm, ei dad, yr eilwaith.

Efo fi bydda fo mor hapus ac roedd ganddo feddwl y byd o Mam, a Mam yn meddwl y byd ohono fynta. Byddai wrth ei fodd yn gwneud castiau fel gofyn i mi stopio'r car, yna agor y ffenast, a gofyn i bobol hollol ddiarth, 'Ydach chi'n teimlo'n iawn heddiw?' Y bobol druan wedi rhyfeddu at y fath gwestiwn. Bryd arall byddai'n dweud wrthyn nhw, 'Sori, fedra i ddim aros i siarad, dwi ar frys. Oes 'na rywbeth arall dach chi isio?' Finnau wedyn yn gofyn, fel twpsyn, pam oedd o'n gwneud hynny. 'Wel, Charles, mi fydd gin y bobol yna rwbath i siarad amdano am yn hir, yn bydd?' Er yr holl ffrindiau da dwi wedi'u cael ar hyd y blynyddoedd, a 'mod i'n dal i wneud ffrindiau da, fydd neb tebyg i Tudur.

Fe ddigwyddodd y ddamwain jyst ar ôl i ni fynd drwy bentref Gaerwen, a dod i lawr am Holland Arms. Roeddan ni'n dau wedi synhwyro fod rhywbeth yn bod ar *steering wheel* y car yn ystod y nos – byddai'n cloi'n sydyn, ac yna'n rhyddhau ei hun yr un mor sydyn. Wel, wrth ddod rownd un gornel fe wnaeth o gloi. Dwi ddim yn cofio llawer beth yn union ddigwyddodd, ond mi wn i ni fynd yn syth i mewn i wal gerrig. Fe anafwyd fy wyneb yn ddrwg nes bod arna i angen dau ddeg chwech o bwythau yn Ysbyty C&A, Bangor. Ond fe gollodd fy annwyl ffrind ei fywyd, yn ddeunaw mlwydd oed. Ar bwy oedd y bai? Duw yn unig a ŵyr!

Dwi'n dal i feio fy hun. Fi oedd yn dreifio, fi oedd wrth y llyw, fi felly oedd â'r cyfrifoldeb. Pam na faswn i wedi brecio? Pam y gwnes i ddreifio'r car os oeddwn yn gwybod fod nam arno? Pam? Pam? Pam? O na fyddai'r atebion gin i, petai ond am ennyd i leihau baich euogrwydd.

Mi fu Twm, tad Tudur, yn hynod o gefnogol i mi, ac fe gefais gefnogaeth hefyd gan Egryn, ei ewyrth, a ddaeth i ymweld â mi yn y tŷ lawer gwaith. Y cysur gorau gefais oedd pan ddaeth Egryn i'n tŷ ni un noson, a finnau yn y parlwr wrth fy hunan bach yn teimlo'n hollol ddigalon. Dyma fo'n rhoi ei ben rownd y drws a dweud, ''Dan ni fel teulu ddim yn dy feio di, Idris.' Ma'r geiriau yna wedi aros efo fi, tra aeth llawer o gyfarchion eraill yn angof ers blynyddoedd.

Fe fu rhaid i mi fynd i'r llys, a chael fy nghyhuddo o yrru'n beryglus gan achosi marwolaeth. Cwyfan Hughes oedd fy nghyfreithiwr, dyn a gâi ei gydnabod fel un o gyfreithwyr gorau Sir Fôn. Gŵr bonheddig i'r eithaf, dyn oedd yn parchu ei gleientiaid. Welais i erioed ffeiliau pobol eraill ar ei fwrdd pan fyddai'n delio efo mi, a gwnâi i mi deimlo mai dim ond y fi oedd yn bwysig iddo. Mi gefais sawl cyngor ganddo, ond mi gefais fy rhybuddio hefyd y gallwn gael cyfnod mewn carchar os câi'r rheithgor fi'n euog o ladd. Bu'n rhaid ymddangos o flaen yr ynad ym Mhorthaethwy. Wedyn cael fy anfon i lys barn ym Miwmares.

Hen adeilad yw'r llys, ac wedi bod yn fan dedfrydu drwgweithredwyr am oes yng ngharchar enwog y dref, a hyd yn oed y ddedfryd o'r gosb eithaf. Roedd sefyll o flaen y barnwr gyda dau blismon bob ochor i mi yn artaith. Ai hwn oedd Dydd y Farn y clywais Hugh Roberts Talfryn yn sôn amdano yn Capel Gad, wrth ein rhybuddio rhag pechod? Does gin i ddim ofn cyfaddef i mi adrodd yn ddistaw dan fy ngwynt bob adnod roeddwn wedi'i dysgu, megis geiria Eseia a ddysgais efo Nain yn Seiat ar nos Fercher, 'Efe a archollwyd am ein camweddau ni, efe a ddrylliwyd am ein hanwireddau ni, cosbedigaeth ein heddwch ni oedd arno ef, a thrwy ei gleisiau ef yr iachawyd ni.'

Y bargyfreithiwr oedd gŵr o'r enw Robin David, a ddaeth

yn ddiweddarach yn farnwr adnabyddus. Roedd o a Cwyfan Hughes wedi darganfod arbenigwr a allai dystio fod nam ar yr olwyn, ac yn dilyn archwiliad manwl o'r car roedd yn hollol siŵr mai dyma oedd achos y ddamwain. Cafwyd arbenigwr gan yr erlyniad hefyd, yn amau a oedd y dystiolaeth honno'n gywir. Bu'r ddau fargyfreithwr yn dadlau'n hir o flaen y barnwr a'r rheithgor. Fe fu aelodau o orsaf yr heddlu Llangefni yn hynod o garedig, yn gofalu amdanaf fel ffrind yn hytrach nac fel un ar ei ffordd i'r carchar. Bu'n rhaid disgwyl yn hir cyn i'r rheithgor ddod i benderfyniad. Cefais fy ngorchymyn i sefyll pan gyhoeddwyd y dyfarniad. Wrth ddisgwyl, gwnes addunedau fil i gadw'r llwybr cul pe bai Duw y nefoedd yn rheoli pethau o'm plaid – er, mi wn yn dda nad fel 'na mae trefn Rhagluniaeth yn gweithio.

Y dyfarniad oedd fy mod yn ddieuog. Er bod hynny'n rhyddhad mawr, nid amser i ddathlu ydoedd, ond amser i dreulio orig fechan dawel uwchben bedd fy ffrind ym mynwent Llangristiolus. A fan'no y bûm i am awr neu fwy yn myfyrio a dweud sori. Bryd hynny, credwn ei fod o'n edrych i lawr arnaf, ac yn falch o'r dyfarniad, ond mi wn erbyn heddiw fod bywyd tragwyddol yn fwy na sentiment fel yna! Ma gin i graith ar fy wyneb hyd heddiw o dan fy marf gwyn sy'n fy atgoffa o'r digwyddiad anffodus hwnnw, ac o'r ffrind na fu gin i ei debyg erioed. Y person cyntaf i gyrraedd y fan 'rôl y ddamwain oedd Medwyn Williams, y garddwr enwog, a dyma sy'n rhyfeddol o od – flynyddoedd yn ddiweddarach, fe gefais ddamwain arall ar Bont Britannia, a Medwyn oedd y cyntaf i gyrraedd bryd hynny hefyd.

PENNOD 9

Y freuddwyd dal ymhell

WRTH I UN BENNOD ddod i ben, mae un arall yn dechrau. Erbyn hyn roeddwn i'n cael blas ar ddiddanu, wedi dechrau mynd i nosweithiau adloniant i arwain yn lle fy nhad, ac yna fe ddechreuodd pobol ofyn amdanaf fi yn benodol. Yn y cyfnod hwnnw yng nghanol y 1960au roedd bri ar y nosweithiau ysgafn hyn. Fy arwyr ar y pryd, ac a ddaeth yn ffrindiau da wedyn, oedd Aled a Reg, Idris Hughes a Hogia'r Werin, Bryngwran, a Hogia Llandegai.

Fe gefais y fraint o gynrychioli Sir Fôn yn y gyfres boblogaidd *Sêr y Siroedd* ddwywaith. Cyfres lle byddai talent tair ar ddeg o siroedd Cymru yn cystadlu yn erbyn ei gilydd oedd hon – De yn erbyn Gogledd. Gwyn Williams oedd yn gyfrifol am dimau'r Gogledd ac Alun Williams yn gapten ar dimau'r De. Roedd cystadlu brwd, a pharatoi gofalus. Fe fyddai Gwyn Williams yn dod i Neuadd y Dref, Llangefni, i wrando ar y cystadleuwyr, ac i ddewis y tîm.

Bu sawl cyfres lwyddiannus cyn i mi ddod yn aelod o'r tîm. Dyna dîm hynod o dalentog oedd gynnon ni: Margaret Williams, Brynsiencyn – pawb yn nabod Margaret erbyn hyn; Blodau'r Ffair, Porthaethwy, dan hyfforddiant Olwen Lewis; y ddeuawd soniarus Elisabeth a Nora, Llandegfan; Hogia'r Werin, Bryngwran gyda'r iodlwr Idris Hughes; Glyn ac Elwyn, Pen-sarn, y ddeuawd fwyaf digri droediodd unrhyw lwyfan erioed; côr adrodd Nhad, Y Gwerinwyr, a

Tannau'r Ynys, band offerynnol Trefor Owen (y gitarydd jas enwog) o Walchmai. Yn neuadd Gwalchmai y recordiodd tîm Sir Fôn eu heitemau.

Mi glywson ni eitemau'r gwrthwynebwyr drwy focs bychan ar y mur – hwnnw oedd system sain gorau'r cyfnod – a hefyd sylwadau'r beirniaid. Trwy'r bocs gwyrthiol hwnnw, felly, y clywais lais yr anfarwol Cassie Davies am y tro cyntaf. Hi oedd beirniad y beirniaid. Byddai ganddi air o gerydd am ddiffyg pwyslais, am donyddiaeth wan, ac am fanion bethau eraill, a hi oedd yn iawn. Ond roedd ganddi hefyd y gallu i roi gair o gysur a chanmoliaeth na fu ei debyg. Er y byddai gan dîm Sir Fôn ei hofn i raddau, eto byddai pawb yn ei pharchu. Falle 'mod i'n anghywir, ond does gin i ddim cof i ni golli, er mae'n siŵr i ni wneud!

Erbyn i mi gael fy nghyfle, roedd y gyfres nid yn unig ar y radio, ond ar y teledu hefyd. Mewn ysgol yn Llandudno y gwnaethon ni ffilmio'r rownd gyntaf, a'r pryd hwnnw un rhaglen ar gyfer pob tîm oedd y patrwm. Sut fyddai'r beirniaid yn cymharu'r timau, wn i ddim. Actio mewn sgets oeddwn i'n ei wneud, a hynny efo Dic Graig. Fi'n feddwyn efo beic, a Dic yn blismon yn fy stopio a fy holi. Pam Dic? Does 'na ddim llawer o bobol sy'n llai na fo ar yr ynys. Dwi'n cofio Nhad yn paratoi'r sgript yn fanwl, ac yn creu comedi ddoniol ar gyfer ei gweld ar y teledu, yn ogystal â bod yn ddoniol ar y radio.

Cwnstabl: Helô, helô, wedi meddwi?

Meddwyn: A finnau hefyd, osiffer.

Cwnstabl: Ers faint ydych chi'n cerdded?

Meddwyn: Ers pan dwi'n un ar ddeg mis oed, medda Mam, osiffer.

Cwnstabl: Does gynnoch chi ddim golau ar y beic 'ma. Pam?

Meddwyn: *Simple* – sgin i ddim lamp. Dudwch i mi, osiffer, PC 26 ydach chi?

Cwnstabl: Ia, pam dach chi'n gofyn?

Meddwyn: Fe fu bron iawn i mi eich taro lawr neithiwr!

Cwnstabl: O, sut felly?

Meddwyn: PC 27 oedd hwnnw.

(Ac ymlaen ac ymlaen.)

Fe wnaeth fy nhad gamgymeriad mawr y noson honno, wel, os camgymeriad oedd o hefyd. Y drefn oedd fod y beirniaid yn penderfynu ar eu marc i bob eitem ar yr hyn a welson nhw yn yr ymarfer. Byddai hynny'n hwyluso pethau i'r cyfarwyddwr, heb fantais y dechnoleg sydd ar gael heddiw, sef bod y sgôr yn ymddangos wrth bwyso botwm. Y pryd hwnnw, âi'r rheolwr llawr ar ei liniau a gosod cardiau cardbord efo'r marc mewn man pwrpasol o flaen bwrdd y beirniaid. Felly, roedd yn rhaid iddo wneud hyn tra bydden ni'n perfformio'n fyw ar y noson.

Doedd Nhad ddim yn ymwybodol o'r drefn, neu fydda fo ddim wedi dweud wrthon ni am ddal yn ôl ar y perfformiad yn yr ymarfer, ac wedyn rhoi'r cwbwl ynddo ar y noson o flaen y gynulleidfa. Gweddol oedd Dic a finnau yn yr ymarfer, gan ddilyn arweiniad y bòs, ond ar y noson dyma hi off, bois, tynnu'r lle i lawr, ac Emrys Cleaver a'i gyd-feirniad yn methu newid y sgôr. Roedd y rheolwr llawr wedi cael ei orchymyn i osod y marc unwaith roedden ni wedi dechrau, felly marc yr ymarfer gawson ni! Roedd Nhad a phawb yn y tîm yn gandryll!

Yr ail rownd, a minnau'n cystadlu fel digrifwr, a hynny mewn stiwdio yng Nghaerdydd – taith bum awr a hanner bryd hynny. Cymry Llundain oedd ein gwrthwynebwyr, a finnau'n cystadlu yn erbyn yr anfarwol Ryan Davies. Wel, 'sach chi'n leicio gwybod pwy, yn ôl y beirniaid, oedd y digrifwr gorau, mwyaf doniol, â'r ddawn i fynd ymlaen i bethau mawr yn y dyfodol? Ia, dach chi'n iawn – Ryan! Daria, neu hwnna fydda fy ail *claim to fame*.

Erbyn y cyfnod hwnnw roeddwn i'n aelod o Gymdeithas yr Iaith, ac yn teimlo'n gryf fod cael cydraddoldeb i'n hiaith yn ein gwlad yn hanfodol. Erbyn heddiw, oni bai am frwydr Cymdeithas yr Iaith, fyddai gynnon ni ddim arwyddion dwyieithog, na chwaith arwyddion Cymraeg mewn siopau, treth y car yn Gymraeg, ac mewn rhai siroedd fe gewch chi ffurflenni Cymraeg drwy'r post.

Dywed yr Arglwydd Dafydd Elis-Thomas fod brwydr yr iaith drosodd. Er fod gin i barch mawr iawn tuag ato, rhaid anghytuno. Fe fydd brwydr yr iaith ar ben pan fydd pob adran o bob cyngor ar draws Cymru'n cynnig pob dim yn ddwyieithog. Pan oeddwn i'n sâl yn 2005, fe wnes gais am fudd-dal, ac wrth reswm fe ffoniais y rhif cymorth Cymraeg. Bûm ar y ffôn am awr a hanner gyda'r ferch a wnâi ei gorau i'm cynorthwyo. Gofynnai'r cwestiynau a châi'r atebion yn Gymraeg, ond gan fod y ffurflen ar ei chyfrifiadur yn Saesneg, roedd yn rhaid iddi gyfieithu pob dim. Cefais y ffurflen yn Gymraeg i'w harwyddo a honno'n llawn gwallau ieithyddol yn ogystal â rhai ffeithiol am fy swydd, fy nghyflog, fy salwch ac ati. Yn y diwedd, bu'n rhaid i mi ddisgwyl wyth mis am gymorth, a siec o ganpunt fel iawndal am achosi'r fath broblemau a honno, wrth gwrs, yn uniaith Saesneg.

Cyn etholiad y Cynulliad 2007, soniai holl arweinyddion y pleidiau am bwysigrwydd yr iaith yn eu maniffesto. Ar y rhaglen *Pawb a'i Farn* haerai pob ymgeisydd mai eu plaid nhw a wnâi fwyaf dros yr iaith. Pan ddaeth y pamffledi drwy ddrws y tŷ yng Nghasnewydd, roedd pob pamffledyn heblaw am rai Plaid Cymru yn uniaith Saesneg. Pam, Mr Morgan? Pam, Mr German? Pam, Mr Bourne? Ac eto, ym mhob plaid mae unigolion sydd wedi dysgu'r iaith yn ddigon da i wneud cyfweliadau ac i gymryd rhan mewn trafodaethau ar y cyfryngau.

Roeddwn yn benderfynol o wneud bywoliaeth yn y byd adloniant, a hynny os yn bosib drwy gyfrwng yr iaith Gymraeg – do'n i ddim yn gallu siarad Saesneg yn dda iawn, beth bynnag. Mi fûm yn teithio dipyn i Gaerdydd ar ôl gwneud y penderfyniad i droi'n ddiddanwr proffesiynol. Disgyn ar fy nhin wnes i ar y dechrau, a gorfod chwilio am waith rhan-amser, i ychwanegu at y pres o'n i'n ennill am berfformio. Y broblem fwyaf oedd argyhoeddi pobol fy mod yn ceisio ennill bywoliaeth drwy arwain a dweud jôcs, felly bod yn rhaid codi mwy o ffi na'r arfer, ac ychwanegu costau teithio ar ben hynny. I rai, roeddwn yn ben bach, neu'n ben mawr. Y blê fyddai, 'Wel ia, 'dan ni'n dallt, ond ma'r pres yn mynd at y capel, ac rydan ni'n siŵr y medri helpu'r capel.'

Wedyn, mi es ati i drefnu nosweithiau fy hun; llogi neuaddau, trefnu artistiaid, gwneud posteri, ond chefais fawr ddim cefnogaeth, oherwydd y cwestiwn ym mhob man fyddai, 'Consart at be ydy o? Lle ma'r pres yn mynd?' Doedd hi ddim yn hawdd byw ar awyr iach, felly doedd dim amdani ond chwilio am swydd gall fatha pawb arall. Doedd y jobsys ges i ddim wrth fy modd. Rhaid cydnabod i mi gasáu â chas perffaith rai o'r swyddi hynny, a'r gwaethaf o'r rhain oedd bod yn was ar fferm ieir. Dyma'r swydd na fydda i'n ei chynnwys ar fy CV – pythefnos barodd y job.

Mae'r enw Ephraim yn adnabyddus yn Sir Fôn fel bridiwr ieir ac yn wir roedd ganddo fo filoedd o'r anifeiliaid pluog. Dwi'n meddwl mai rhyw ddeunaw oed oeddwn ar y pryd a rhaid ei bod hi'n gythreulig o galed arnaf i fynd i weithio i'r fath le. Y job ar fy niwrnod cyntaf yn y lle yma oedd carthu tri chwt ieir a'r rheiny'n llawn, bron i'r nenfwd, o gac... o garthion. Wel, dwi'n dweud y gwir, do'n i erioed wedi gafael mewn fforch, heb sôn am geisio defnyddio un.

'Mae'r cytiau yn fan 'cw, yli,' medda Effraim, fatha taswn i'n ddall. Roedd y cytiau mor fawr nes y basach chi'n eu gweld nhw o'r lleuad – wel, ar ddiwrnod braf. 'Mae'r tractor yn cwt tu ôl i'r tŷ, a'r trelar yn cae pellaf. Llenwa'r trelar, a dos â'r tail i'r cae drws nesa i'r tŷ i'w chwalu.'

Wel, roeddwn wedi cael tipyn bach o brofiad dreifio tractor wrth helpu i gario gwair yn Cerrig Duon, ond dim ond deg oed oeddwn bryd hynny, a dim ond mynd o gocyn i gocyn oeddwn i – *clutch* i fyny, tractor yn mynd, *clutch* i lawr, tractor yn stopio – dyna'r cwbwl ro'n i'n 'i wybod. Doeddwn i erioed wedi rifersio efo tractor a trelar, do'n i erioed wedi gosod trelar wrth din tractor – oni bai 'ch bo chi'n cyfri tractor a trelar ges i Nadolig pan o'n i'n bump oed. A do'n i'n sicr ddim wedi cael unrhyw brofiad o drelar chwalu ca... tail (er, ro'n i'n gwybod sut i falu ca... tail). Mi gymerodd tan amser panad ddeg i mi ffeindio'r tractor, gosod y trelar a dreifio at y cwt cyntaf. Dyna pryd y gofynnodd Effraim i mi sawl llwyth ro'n i wedi'u cario a'u chwalu ar y cae.

'Dim un,' medda fi.

'Be ti feddwl, dim un?' medda fo.

'Wel, dwi ddim wedi cael amser,' medda fi, ac mae'n rhaid cyfaddef, doedd gin i ddim mynadd efo'r dyn, oedd yn meddwl ei fod o'n gwneud ffafr fawr â fi drwy roi job i mi.

'Gwranda,' medda fo wedyn, 'ti ddim wedi dŵad yma i entertenio, wsdi. Ti 'di dŵad yma i weithio. Ar ôl i ti garthu, dwi isio i ti greosotio'r cytia.'

'Wel,' medda fi wrth fy hun, 'mi fydd rhaid i'r cytia aros yn hir iawn cyn y gwelan nhw frwsh creosot gin i!'

Am bob fforchiad o dail, roedd 'na wyth fforchiad arall yn llechu yn y cachu. Fasa werth i chi weld y blistars ar fy nwylo meddal, gwyn. Mi gymrais wythnos gyfan i gwblhau'r job. Mi es yn styc yn y giât deirgwaith. Y peth gwaetha oedd fod pen blaen y tractor yn y cae, a'r trelar ar y lôn fawr brysur, a thair gwaith bu'n rhaid i mi ofyn i un o'r gweision eraill i symud y tractor i mi. Embaras? Dim o gwbwl! Roedd yr holl ffws yn creu lot o sylw – pobol yn stopio i gael sgwrs a ballu. Mi wnes i adael yr afiach le ar ôl yr ail wythnos, a hynny am na allwn stumogi fy ngorchwyl nesa. Os ydach chi'n berson â theimladau cryf am anifeiliaid, peidiwch â darllen y paragraff nesa.

Mi fydda 'na arbenigwr o fath (falla mai milfeddyg oedd o) yn dŵad draw i wahanu'r cywion ieir oddi wrth y cywion ceiliogod. Dim ond ychydig oriau oed oedd yr anifeiliaid melyn del. Roedd 'na filoedd ohonyn nhw, a'r dyn yn edrych ar eu tinau (wel, yn y cyfeiriad yna, o leia), ac mewn llai nag eiliad yn gallu dweud beth oedd rhyw pob cyw. Câi'r cywennod eu rhoi naill ochor, a châi'r ceiliogod eu rhoi mewn casgen fawr yr ochor arall.

'Job i ti, Idris!' medda Effraim. 'Dwi isio i ti ddifa'r ceiliogod.'

'Sut?' medda fi, gan feddwl y basa'n well gin i greosotio'r cytiau efo brwsh dannedd na difa cywion bach oedd newydd weld golau dydd.

'Rho nhw yn y gasgen las acw,' medda fo. 'Ac wedyn llenwa'r gasgen efo dŵr o'r tap.'

Do, mi wnes i, ond credwch chi fi, mi wnes hefyd ryddhau dipyn go lew o'r cywion ceiliogod diniwed melyn 'nôl at y cywennod.

'Dyna ddigon,' medda fi wrth Effraim. 'Dwi ddim yn dŵad 'nôl wsnos nesa. Dwi'n gadael.'

'Os ti'n gadael o dy wirfodd,' medda fo, 'chei di ddim dôl.'

'Os na wna i adael,' medda fi, 'cha i ddim bywyd. Dach chi'n ddyn creulon, a dwi ddim isio bod yn rhan o'ch creulondeb chi!'

Mae'n siŵr gin i fod yna reswm da dros ddifa'r ceiliogod – ond eu boddi? Dim diolch. Dwi'n cyfeirio'n benodol at y swydd arbennig yna am na allwn ddioddef y lle.

Pennod 10

Tony ac Aloma – pwy arall?

Wel, be arall fedrwn i'i wneud 'ta? Mi fedrwn werthu hufen iâ wrth Gastell Caernarfon! Tybad? Wel pam lai, ac wrth wneud hynny y gwnes i gyfarfod â Dongo, un o gymeriadau stad Sgubor Goch, tref Caernarfon. Dros dymor yr haf, yno byddwn i'n gwerthu 99s i'r ymwelwyr, a Dongo'n ateb cwestiynau dwys a hanesyddol y bobol oedd am wybod mwy am y castell. Ei ateb, bron yn ddieithriad, oedd:

'There is no true history to the castle. It was built to make flats for *dre* people, but council ran out of cash, that's why it's got no roof on it. I. B. (Maer Caernarfon) wants to put a new roof on it and make it a bingo hall, or it might be pulled down to make a car park – it's coming down next year.'

Dwi'n meddwl bod Dongo ei hun yn credu hynny.

Tommy a Ted Davies o Rosgadfan, ger Caernarfon, oedd perchnogion y cwmni hufen iâ, ac i Tommy roeddwn i'n gweithio. Ken, mab Tommy, oedd yng ngofal y gweithwyr. Y pryd hynny, hogyn ifanc, gwyllt a gwirion oedd Ken; erbyn heddiw mae o'n hen, gwyllt a gwirion. Fo oedd y chwaraewr pêl-droed gorau welodd y Caernarfon & District erioed. Mi ddoth Ken a finnau'n ffrindiau da, a finnau wedyn yn gefnogwr o'i dîm, Mountain Rangers. Am reswm na wyddwn i, mi gafodd gwerthu hufen iâ ei wahardd wrth Gastell Caernarfon, felly bu'n rhaid ymuno â gweithwyr eraill y cwmni, yn teithio i fyny ac i lawr traeth Black Rock, Porthmadog.

Mi fydda 'na saith neu wyth ohonon ni'n gwneud hynny, a phawb am y gorau i wneud pres. Doedd dim cyflog, ond fe fydden ni'n cael swllt am werth pob punt roedden ni'n ei werthu. Chwe cheiniog oedd cornet a'r rhan fwyaf o'r lolipops, felly roedd yn rhaid i mi werthu 40 o gornets i wneud punt. Ar ddiwrnod da mi fyddwn i'n gwerthu gwerth £70 y dydd, gan roi cyflog o £7 i mi. Erbyn meddwl, roedd Ken a'i dad yn cael pedwar swllt ar bymtheg ym mhob punt, felly ar ddiwedd y dydd yn cael £63 gan saith fan, felly £441 y dydd, saith niwrnod yr wythnos, gan wneud cyfanswm o £3,087! Doedd dim rhyfedd bod Ken yn dreifio ar hyd y traeth yn ei *sports car* newydd, yn gwisgo siorts a sandals pinc, ac yn cael lot o sylw... ac yn mwynhau'r sylw hwnnw!

Ond cawn i bres ychwanegol wrth fynd allan i arwain nosweithiau a dweud jôcs. Roeddwn i'n byw mewn carafán efo Ken am gyfnod, ac yn mynd efo fo i bobman. Doeddwn i ddim yn leicio yfad cwrw, fel gweddill yr hogia. Dwi'n dal felly, a dwi bron yn sicr mai dylanwad y capel ydy hynny. Roedd rhai'n meddwl 'mod i'n yfad lot – 'Charles wedi meddwi eto.' Ia, Charles fydda hogia hufen iâ yn fy ngalw i, ond roeddwn i'n meddwi ar oglau corcyn potal o gwrw.

Yn y cyfnod hwn y dois i nabod Glyn Griffiths, sydd heddiw'n un o fy ffrindiau gorau. Roedd yntau hefyd yn un o yrwyr y faniau melyn ar draeth Black Rock. Ma llais Glyn i'w glywed ar raglenni chwaraeon, megis *Ar y Marc* a'r *Gamp Lawn*. Bydd ganddo hefyd erthygl hynod o ddiddorol yn *Y Cymro* bob wythnos. Mae o'n un o'r bobol hynny y gallwch chi ddibynnu'n llwyr arno. Os ydy o wedi addo gwneud cymwynas, fe fydd yn siŵr o gadw'i addewid. Pan oeddwn i'n sâl, fo oedd un o'r bobol mwya cyson yn ffonio i weld sut oeddwn i.

Yn y cyfnod gwerthu hufen iâ, a thrio gwneud bywoliaeth llawn amser fel diddanwr, y dois i i nabod dau a newidiodd fy mywyd i'n llwyr. Y ddau hyn sydd yn dod gyntaf i'm meddwl i wrth gofio ffrindiau. Bron nad oedden ni, ac yr ydyn ni, fel un. Er bod y ddau bellach yn rhedeg busnes yn Blackpool, nhw o hyd ydy fy ffrindiau yng ngwir ystyr y gair. Dwi ddim yn gwybod yn iawn sut y bu i Tony ac Aloma gyfarfod, falle mewn siop tsips yn Llannerch-y-medd, falle mewn tŷ yn Llannerch-y-medd – nhw sydd yn gwybod. Ond cyn i mi gyfarfod ag Aloma'n iawn, a dod i'w nabod hi'n dda, yn dda iawn, roeddwn yn gwybod am ei dawn gerddorol. Fe'i gwelais lawer gwaith yn ennill mewn eisteddfodau mawr a bach, yn canu cerdd dant, a'r delyn. Dwi ddim yn meddwl bod Aloma'n cofio hyn, ond pan oeddwn i'n cerdded efo Nhad i mewn i Eisteddfod yr Urdd Porthmadog ganol y 1960au, ac yntau'n beirniadu cystadleuaeth y Noson Lawen, pwy ddaeth tuag aton ni ond Aloma Davies Jones, ac fe wenodd arnaf. Aloma – un o ferched delaf Ynys Môn, yn gwenu arnaf fi o bawb! Ond erbyn gweld, roedd Aloma'n gwenu ar bawb, un fel'na oedd hi ac un fel yna ydy hi o hyd.

Dwi'n cofio Tony yn dŵad i tŷ ni i chwilio amdanaf, wedi clywed fod mab Charles Williams yn dipyn o *gomedian*, ac yntau, Tony, wedi addo trefnu noson lawen yn ardal Bodorgan.

'Ddoi di efo ni, Wilias?' Tony a Glyn Cesh ydy'r unig ddau erioed i 'ngalw fi'n Wilias, ac maen nhw'n dal i wneud.

'Be ti isio fi neud?' medda fi.

'Wel,' medda fo, 'ma Bobby Bake Llannerch-y-medd yn mynd i arwain; isio rhywun i ddeud jôcs o'n i rili. Ti'n gêm? Mi fedra i dalu rhyw bum punt i ti.'

A dyna ddechrau ar gyfeillgarwch sy wedi para ddeugain mlynedd a mwy. Y noson honno, roedd Bake yn arwain, yn rhy dda o lawer. Wrth i mi wrando yn yr esgyll, clywn y bobol yn chwerthin ei hochor hi, a finnau'n meddwl mai fi oedd y *comedian*! Mi ddois ymlaen, felly, yn ddigon nerfus, ond mi ges hwyl arbennig o dda arni, a thynnu'r lle i lawr. Roedd

Bake wedi gwneud y gwaith caled o'u paratoi, a dim ond eu bwydo oedd rhaid i mi. Yno hefyd roedd y grŵp Rainbow o Lannerch-y-medd. Hen hogia iawn, ond falle y dylan nhw fod wedi ymarfer mwy cyn mentro o flaen cynulleidfa. Roedd Aloma yno yn canu unawd, a deuawd efo Christine Lee, y ddwy wedi ennill sawl gwobr gyntaf mewn eisteddfodau ledled Cymru. Ac yno hefyd roedd Lligwy, ewyrth Aloma, yn canu caneuon modern y dydd. Roedd ganddo lais hyfryd, hawdd gwrando arno. Ac yna fe ddaeth un ar y llwyfan a gododd y gynulleidfa ar ei thraed, a'r gŵr ifanc, penfelyn, golygus hwnnw oedd Tony Rhosmeirch. Ni fu ar lwyfan adloniant Cymraeg erioed un tebyg i Twm, fel roeddwn i'n ei alw. Felly dyma noson i'w chofio; dechrau newydd cyffrous i bedwar ohonon ni – fi, Tony, Christine ac Aloma.

Ymhen tair wythnos roedd Tony wedi trefnu noson lawen arall, a hynny yn mhentref Parc, ger Llannerch-y-medd. Fi oedd yn arwain, yn dweud jôcs ac yn adrodd digri y noson honno, a chafodd Bobby Bake ddim gwahoddiad – rhy dda oedd o yn Bodorgan, nid rhy wael. Wel, o'n i ddim isio cystadleuaeth, nag oeddwn? Câi'r noson ei chynnal yn y neuadd leiaf ar yr ynys, felly roedd y lle yn orlawn. Dwi ddim yn cofio pwy arall oedd efo ni yn cynnal y noson – talent lleol, falle – ond fi, Tony, Christine ac Aloma a wnaeth y rhan fwyaf o'r gwaith. Tony oedd y bòs, fo felly luniodd y drefn i ymddangos ar y llwyfan. Popeth yn iawn, ond wrth ddarllen trefn y noson, a gawsai ei sgwennu'n ofalus ar gefn paced o ffags, mi welais enw deuawd newydd sbon nad oedd wedi canu'n gyhoeddus erioed cyn hynny. Y noson honno y ganwyd Tony ac Aloma, ac mi brofais yr enedigaeth wyrthiol hon yn y Parc. Os nad oedd presenoldeb bugeiliaid a doethion yno, roedd y ddau'n canu fel angylion – gwefreiddiol, rhyfeddol, anhygoel, neu unrhyw ansoddair arall y gellid ei ychwanegu.

Mae'n rhaid bod y ddau wedi bod yn ymarfer yn gyson i gael sain mor berffaith, meddyliais; ond na, erbyn deall, rhyw ddau ymarfer gawson nhw. Fe ganwyd 'Cloch Fach yr Eglwys', a 'Pam na Ddoi di, Gwen' – Tony ar y gitâr ac Aloma ar y delyn. Fe fu'r pedwar ohonon ni'n dathlu efo bag o tsips a photal o Vimto yng nghar Tony – Tony ac Aloma yn y ffrynt, fi a Christine yn y cefn, a'r delyn yn y bŵt. Ac felly y bu am lawer tro wrth fynd i gyngerdd ar ôl cyngerdd wedyn.

Doedd yna'n dal ddim digon o waith i mi yn y byd adloniant i wneud bywoliaeth lawn, er bod galw mawr ar y pedwar ohonon ni i gynnal nosweithiau llawen, felly rhaid oedd ennill pres o rywle arall. Roedd Aloma a Christine yn Ysgol Ŝyr Thomas Jones, Amlwch, Tony yn dreifio lori i Bibby's Caernarfon, a finnau'n gwerthu hufen iâ o amgylch Sir Fôn efo fan Mr Softy erbyn hynny ac yn caru efo hogan o Amlwch. Be o'n i'n wneud, felly, yn sedd ôl car Tony efo Christine, 'dwch? O ia, bwyta tsips... ac yfad Vimto!

Doedd gin i ddim car i fynd i Amlwch i garu, ond mi gawn lifft gan Alvin Bessie yn ei Hillman Imp glas gan ei fod yn caru yng Ngharreg-lefn, heb fod ymhell o Amlwch, a dwi ddim yn amau iddo ei phriodi hefyd. Dwi'n cofio chatio i fyny Catherine Jones o Amlwch o'r fan hufen iâ. Falle mai hi oedd fy nghariad cyntaf go iawn, er fy mod i wedi bod yn potshian efo merchaid eraill cyn hynny. Wel, ma un peth yn saff, efo hi y dois i brofi am y tro cyntaf beth oedd rhyw go iawn rhwng mab a merch. Heb fynd i fanylion, ond y noson arbennig honno roeddwn wedi cael benthyg fan Morris 1000 Wili 'mrawd. Mi aethom i garu i'r cefn, a dyna ni. Ar ôl y noson honno roeddwn isio priodi Catherine. Dylanwad y capel eto? Wn i ddim.

Mi fyddwn wedi'i phriodi hefyd, oni bai am Aloma! Nid bai Aloma cofiwch, ond fy mai i. Er mai yn y ffrynt bydda Aloma'n ista pan oeddan ni'n teithio, ac er bod gan Tony feddwl mawr iawn o'i bartner, wnaeth o erioed gymryd mantais o'r ferch ifanc rywiol, ddel a wisgai fini-sgyrt a bŵts gwyn. Wrth i mi werthu hufen iâ ar fy rownd yn Llangefni, mi ddoth Aloma allan ac archebu llwyth go dda o lolipops a hufen iâ. Yn Llannerch-y-medd efo'i nain roedd Aloma'n byw, ond y noson honno roedd hi'n aros efo'i mam, Rowena, yn Corn Hir, Llangefni.

'Ti isio dŵad am dro?' medda fi.

'I le?' medda hithau.

'Wel, ma gin i rownd go fawr, sy'n gorffan yng Nghaergybi.'

Dyna, mae'n debyg, oedd fy hoff *chat-up line* i'r dyddiau hynny – 'Ti isio dod am reid yn y fan *ice cream*?' Ond roedd y ferch benfelen yn haeddu mwy na dod rownd efo fi.

''Na i fynd â chdi adra i Llannerch-y-medd ar ôl gorffen.'

'Mi wna i fynd i ofyn i Rowena,' meddai.

'Brysia,' medda fi, 'ma'r *ice cream* yn toddi.'

Mi ddoth 'nôl allan efo'i bag ysgol a chês bach. Ew, mi o'n i'n leicio Aloma. Dim ond tair blynedd sydd rhyngddon ni, felly nid hen ddyn budur yn manteisio ar ferch ysgol un ar bymtheg oed oeddwn i. Wnes i ddim galw yn hanner y pentrefi'r noson honno; doedd gin i ddim diddordeb chwaith yn y comisiwn a gawn ar y gwerthiant. Yn fan hufen iâ Mr Softy y cefais y snog orau erioed. Roedd yr hufen iâ'n toddi'n gyflymach na'r arfer, ac roedd y ddwy rewgell yn y cefn yn chwysu.

Yn dilyn y noson honno roeddwn i'n hollol gymysglyd yn fy mhen. Oedd Aloma a fi'n gariadon ar ôl un snog mor ffantastig mewn fan hufen iâ? Doedd dim modd cysylltu i gael gwybod. Doedd 'na ddim ffôn yn ei thŷ hi nac yn fy nhŷ i. Byddai'n rhaid gwneud trefniadau ein bod ni'n dau'n mynd i ddau giosg gwahanol ar amser arbennig, a doedd dim modd cysylltu i wneud hynny. Onid oedd bywyd yn gymhleth bryd hynny, 'dwch? Doedd gin i ddim car i bicio draw yna. Felly doedd dim dewis ond sticio efo Catherine, ac roeddwn yn hoff iawn ohoni. Dwi wedi dweud erioed, petawn i'n gorfod dewis mynd yn ôl at un o fy nghyn-gariadon, mi fyddwn wedi dewis Catherine.

Mi ges sioc un nos Sadwrn 'rôl profiad y snog rhwng y lolipops a'r 99s. Mynd i'r pictiwrs yn Amlwch efo Catherine yn ôl fy arfer, a chyfarfod ag Aloma a Christine ar y grisiau. Fe edrychodd y ddwy'n gas arna i, a finna ddim yn siŵr pam nad oedd y wên serchog arferol ar wyneb tlws Aloma. Mi es adra'r noson honno'n ddigalon, ac mi benderfynais fod yn rhaid i mi brynu car. Car fyddai'n setlo'r broblem.

Fe ddwedais wrth Mam fod arna i angen car i fynd i'r gwaith bob dydd, er fy mod yn parcio'r fan hufen iâ yn yr ardd a'i defnyddio i deithio i'r gwaith. Nid dweud celwydd yn fwriadol oeddwn i, gan nad fan hufen iâ oedd y modd gorau o deithio. 'Mi gawn ni gar i ti,' medda Mam annwyl yn ôl ei harfer, ac o'r cynilion a gadwai o gyflog fy nhad, fe brynodd gar i mi – Standard 10, £60 *cash* o garej Gwalchmai. Dwi'n cofio'r rhif – BFF 688. Bydd Aloma hyd heddiw'n sôn am y BFF, neu fel y bydd hi'n dweud, y 'byff yff'. Mi fu'r car bach yn was ffyddlon am hir iawn; mi aeth â fi i ŵyl, gwaith a phleser.

Erbyn hyn, roedd Tony ac Aloma yn dechrau gwneud enw iddynt eu hunain drwy'r Gogledd. Un noson yn Cerrig Tyrn, cartref Tony, mi benderfynwyd y byddai'n syniad da cael beirniadaeth gan arbenigwyr ar ganu'r ddau. Roedd Aloma'n hen gyfarwydd â chanu mewn eisteddfodau, ac fe gytunwyd i gystadlu ar y gân bop yn steddfod Llanddona, Sir Fôn. Penderfynodd Tony ganu yng nghystadleuaeth yr emyn yn ogystal. Fe gafodd ei ddiarddel o'r gystadleuaeth am iddo, am wn i, ganu emyn o'i waith ei hun i gyfeiliant gitâr, yn hytrach na chanu emyn traddodiadol i gyfeiliant piano. Ond y noson honno, yn Llanddona, cafodd y gynulleidfa eu gwefreiddio efo'i lais persain yn canu 'Cloch Fach yr Eglwys.' Pam y dyfarnwyd nad oedd y gân yn emyn, wn i ddim...

> O gloch fach yr eglwys, O gloch fach mor gu,
> O gloch fach yr eglwys yn galw am lu;

Mae'n mynd at eich calon, mae'n alwad mor gref,
O, cofiwch mai'r eglwys yw llwybr y nef.

Doedd gan y beirniad ddim syniad beth i'w wneud na'i ddweud, ond er iddo ei ddiarddel, rhoddodd wobr arbennig i Tony, a hynny o'i boced ei hun. Ond roedd mwy i ddod, Mr Beirniad – cystadleuaeth y gân bop! Dyma ganu, dyma ennill, a drws mawr gyrfa newydd yn agor o'u blaenau. Yn y gynulleidfa roedd Ifan Roberts, a oedd ar y pryd yn ohebydd gyda rhaglen *Y Dydd* ar Deledu Harlech. Ar y rhaglen honno y daeth Dafydd Iwan yn boblogaidd. Fe roddwyd gwahoddiad i Tony ac Aloma fynd ar y rhaglen, felly diolch i Ifan am sylweddoli fod gan y ddeuawd ddawn go arbennig. Fo roddodd nhw gyntaf ar y teledu, hwythau wedyn yn dod yn sêr dros nos, a minnau'n cael mwy o waith a dod â fy ngyrfa fel gwerthwr hufen iâ i ben.

Gan fod Tony wedi dechrau sgwennu llyfr am Tony ac Aloma wna i ddim datgelu gormod o wybodaeth amdanyn nhw. Dechreuodd sgwennu tua naw mlynedd a hanner yn ôl, ac erbyn hyn mae'r llyfr wedi cael teitl – *Cofion Gorau*. Mi fydd yn y siopau yn fuan, medda Twm, ond fuodd Tony ac Aloma ddim yn fuan yn unlle yn y byd. Digon i mi ydy dweud am fy lle i yn eu stori. 'Mhen peth amser aeth y pedwarawd yn driawd. Nid mater o gael gwared â Christine oedd hynny, ond dwy ffaith. Yn gyntaf, roedd hi ac Aloma'n dechrau yn y coleg, ac roedd hi'n ddigon doeth i sylweddoli nad oedd bryd hynny wir ddyfodol iddi mewn perfformio'n broffesiynol. Yr ail reswm oedd fod Tony ac Aloma'n fwy poblogaidd na Christine ac Aloma, felly camu i'r naill ochor wnaeth hi, a chreu llwybr newydd llwyddiannus iddi ei hun. Roedd Christine yn ferch ifanc dlos, yn hoff iawn o chwerthin ac yn dod o deulu cerddorol iawn ac roedd hi a'i chwaer Sandra yn adnabyddus fel enillwyr eisteddfodau. Da gweld fod mab Sandra'n parhau â'r traddodiad o ddiddanu – fo ydy Ed Holden yn y band adnabyddus Genod Droog.

Wrth i boblogrwydd Tony ac Aloma ledu, roedd pawb dros

yr ynys am eu clywed, o Dothan i Dwyran, ac o Gaergybi i Borthaethwy. Mi wnes i fanteisio ar eu poblogrwydd. Yn eu dyddiau cynnar fi fyddai'n arwain neu'n dweud jôcs yn y nosweithiau hynny. Yma yn Sir Fôn y clywais gyntaf y geiriau, 'Fyddi di byth cystal â dy dad.' Bryd hynny, doedd gin i ddim chwarter cymaint o brofiad â Nhad. Fo oedd arwr y Cymry Cymraeg; doedd dim posib i mi fod cystal â fo, felly rhaid oedd derbyn hyn. Mae 'na feirniadu wedi bod arnaf am or-berfformio, neu fynd 'dros y top'. Mi wyddwn fod hynny'n wir.

Ceisio'n rhy galed fyddwn i i gael gwared ar y tebygrwydd amlwg rhyngof fi a fy nhad. Nhad yn ddyn hamddenol ar y llwyfan yn dweud ei straeon yn hollol gartrefol braf am gymeriadau bro ei febyd. Felly mi es ati i fod yn wahanol. Prynes gôt binc, crys oren efo ffrils merchetaidd ar y blaen, a throwsus amryliw fatha siaced Joseff ei hun. Fedrwn i ddim mynd ymhellach oddi wrth ddelwedd fy nhad. Ond doedd Cymry Cymraeg y noson lawen draddodiadol ddim yn barod am hynny, a pham y dylsan nhw fod? Do'n i fy hun ddim yn barod!

Cofio'n iawn gwneud noson yn neuadd bentref Llangernyw; roedd mynd i Langernyw i ddiddanu fel cario dŵr dros ffynnon, beth bynnag. Talentau lleol oedd yn cymryd rhan, a finnau'n arwain. Wel, am noson o chwerthin! Roedd y gynulleidfa'n chwerthin cyn i mi ddweud yr un gair. Chwerthin am fy mhen i oeddan nhw – chafodd y jôcs ddim llawer o ymateb. Awgrymodd rhywun yn fy nghlust, a dwi'n meddwl mai Llew Williams oedd o, fy mod i'n edrych fel clown, ond ddim mor ddoniol â chlown. Doedd dim amdani ond newid, a gwisgo dillad cyffredin. Wrth gerdded ar y llwyfan fel dyn normal yn yr ail hanner, mi gefais gymeradwyaeth fyddarol, a'r jôcs (jôcs fy nhad) yn dal y gynulleidfa.

A sôn am gael ymateb da efo cynulleidfaoedd, ma dau le yn aros yn y cof – Neuadd y Dref, Pwllheli, a Neuadd y Dref,

Dinbych. Byddai pobol yn yr ardaloedd hynny'n dod allan i fwynhau, ac yn gwir werthfawrogi adloniant. Mae 'na un noson yn Ninbych dwi'n ei chyfri'n un o nosweithiau gorau fy mywyd. Bryd hynny byddai llond trol o berfformwyr yn cymryd rhan mewn nosweithiau o'r fath. Y noson arbennig honno dwi'n cofio bod Dafydd Iwan, Hogia'r Wyddfa, Hogia'r Deulyn, Alwen ac Owain Selway, a Tony ac Aloma yno. Ar ddiwedd y noson, dyma fi yn ôl fy arfer yn galw'r artistiaid yn ôl fesul un i'r gynulleidfa gael cyfle i ddangos eu gwerthfawrogiad. Yna mi gofiaf yn dda Dafydd Iwan yn mynd at y meicroffon a dweud, 'Diolch hefyd i Idris, yr arweinydd.' Wel, am y tro cyntaf, a'r tro olaf, fe gefais fwy o gymeradwyaeth na neb arall.

Yn niwedd y 1960au roeddwn yn benderfynol o lwyddo fel digrifwr neu fel diddanwr proffesiynol, ac rwy'n credu mai dyna pam y bu fy ngyrfa'n un llwyddiannus a lliwgar, nid yn gymaint oherwydd y ddawn ond yn hytrach y dyfalbarhad.

Mi fûm yn teithio'r wlad yn perfformio, a hynny'n fwy aml na pheidio efo Tony ac Aloma. Ond cawn alwadau fel unigolyn yn ogystal. Fe wnes i berfformio mewn clybiau yn Lloegr, a chael profiadau arbennig iawn fel digrifwr na fyddwn wedi'u colli am y byd. Yng Nghymru byddai cynulleidfaoedd yn gynnes, yn garedig, ac yn chwerthin 'rôl jôc, fel petai'n rhan o'r broses, neu'n rhan o'n traddodiad. Jôc, yna chwerthin, jôc, a chwerthin wedyn. Doedd fawr o amrywiaeth yn lefel y chwerthin chwaith. Ond yng nghlybiau gwaith gogledd Lloegr, dim ond chwerthin os oeddan nhw'n meddwl fod y jôc yn ddoniol wnaen nhw. Fe wnes i lwyddo'n weddol; wel, o leiaf roeddan nhw'n gwrando. Y tro gwaetha erioed oedd mewn cynhadledd y Welsh TUC mewn gwesty crand yn Blackpool. Fi a dynes o Lundain ar yr organ oedd yr unig ddau artist i ddiddanu rhyw bedwar cant o bobol a'r rheiny'n ysu am fynd at y bar. Fi oedd y cyntaf i geisio diddanu'r sychedig rai. Doedd hi ddim yn ddechrau da i mi pan wnaeth yr MC anghofio fy enw. Beth oedd y canlyniad?

Marw, marw, marw ar fy nhin. Sori, ond mi fyddwn wedi cael mwy o ymateb ym mynwent Capel Gad. Neb yn chwerthin, neb yn gwenu hyd yn oed!

Mi daflais atynt bob jôc ro'n i'n ei gwybod, a rhai doeddwn i ddim yn eu gwybod. A dyma pryd y bu rhaid i mi brofi fy ngallu i adlibio am y tro cynta yn Saesneg. Ro'n i'n gwybod y gallwn ymateb yn ffraeth a chyflym i unrhyw sefyllfa ymysg ffrindiau. Dwi'n cofio cael cystadleuaeth efo Nhad am ddweud jôc ar bynciau a gâi eu taflu atom. Roedd o'n eithriadol o gyflym, ond doeddwn i ddim yn bell iawn ar ei ôl. Wrth i mi farw'n raddol ar fy nhraed o flaen y bobol bwysig hyn yn Blackpool, roedd rhaid mentro. Wel, ro'n i wedi marw, a dweud y gwir, a fyddai fy nghladdu i ddim mor boenus. Dyma ddechrau holi pobol yn y gynulleidfa, a dechrau gwawdio unigolion yn y gynulleidfa. O dipyn i beth, a finnau, mae'n rhaid, wedi taro'r hoelen ar ei phen, ces ymateb rhyfeddol.

'Is this your daughter, sir? Or your wife? What did you see in him, madam? His wallet? Well, there's nothing much else to look at, is there?'

'Is that a mohair jumper you're wearing, or have you got lots of cats?'

Fe lenwais y tri chwarter awr yr addewais ei wneud am ffi o naw deg punt, a'r asiant yn cael decpunt. Mi ofynnwyd i mi fynd 'nôl ar y llwyfan am ganpunt arall. Na, dim diolch, medda fi, a diflannu.

Mi ddysgais lawer am baratoi nosweithiau yn Lloegr, nid yn unig mewn clybiau ond mewn nosweithiau tebyg i'n nosweithiau adloniadol ni. Cofio gweithio gyda'r Grumbleweeds yn theatr enwog Leeds, y City Varieties Music Hall. Ar y pryd, y Grumbleweeds oedd â'r rhaglenni comedi radio mwyaf poblogaidd ym Mhrydain. Popeth wedi'i drefnu – ymarfer yn y prynhawn, ac yna'r cynhyrchydd yn dweud rhywbeth fel, 'Yes, good show everyone. Idris, could you add four more minutes to your act? We need to have the interval at quarter to nine. Thank you all.' Roedd y dalent heb amheuaeth gynnon ni yma yng Nghymru, ond ganddyn nhw roedd y proffesiynoldeb o baratoi sioe – y system sain orau posib, trefn ymddangos bendant, ac amser penodol i bawb, y posteri, yr hysbysebu, y llwyfan, y goleuadau ac ati.

Byddai'r paratoadau manwl yn sicr yn codi perfformiad. Fues i erioed yn gyfforddus yn gweithio yn Saesneg, ond fe ddois i sylweddoli pa mor dalentog ydyn ni fel Cymry. Yr unig beth oedd ei angen oedd pecynnu'r dalent yn well. Fe es ati i anelu i wella safon nosweithiau adloniadol; nid gwella safon y perfformiadau – fyddai hynny ddim yn bosib. Yr hyn oedd yn od oedd fod nosweithiau a gâi eu trefnu ar gyfer yr Eisteddfod yn cynnig gwasanaeth da, yn ogystal â'r Pinaclau Pop a'r Tribannau Pop, er bod lle i wella ar y rhain hefyd. Roedd yn rhaid gwneud rhywbeth yn fuan gan fy mod yn mynd yn fwyfwy rhwystredig o noson i noson.

Fe gefais syniad o gynnal nosweithiau yn arddull *Sunday Night at the London Palladium,* a hynny yn sinema'r Majestic, Caernarfon – sinema hardd gydag 800 o seddi cyfforddus, llwyfan enfawr, a dwy ystafell newid. Mi berswadiais Mr Brown, y rheolwr cyffredinol, y byddai'n dda i'w fusnes gael noson o adloniant Cymraeg yn y Majestic ar nos Sul. Sais oedd Mr Brown, ac wn i ddim a oedd yn gefnogol i gynnal gweithgareddau Cymraeg yn y sinema, neu ai gweld fod modd gwneud arian i'r cwmni o'r fenter oedd y sbardun. Wedi cael sêl bendith y dyn mawr, ac yntau wedi cael yr OK gan HQ, dyma fynd ati i drefnu.

Doedd yr ochor ariannol ddim yn bwysig iawn i mi – gosod rhyw fath o gynsail ar gyfer y dyfodol oedd fy mwriad pennaf. Llwyddwyd i lenwi'r lle ar y noson gyntaf heb unrhyw broblem. Tra oedd Mr Brown a Mr Viv Williams, y rheolwr, yn gwenu ar bres y noson ac yn glafoerio dros yr elw aeth i goffrau'r cwmni, manteisiais ar y cyfle i awgrymu y byddai cyfres o nosweithiau o'r fath yn siŵr o fod yn boblogaidd.

Hynny a fu, ac fe redodd nosweithiau 'Sêr Cymru' yn y Majestic, Caernarfon, ar nos Sul unwaith y mis am bron i ddwy flynedd.

Cyhoeddwyd cylchgrawn yn llawn lluniau o'r artistiaid, ychydig o'u hanes, a chyfle i bobol gyfrannu, a gwnaeth cwmni'r Dryw record o un o'r nosweithiau. Roedd yr artistiaid wrth eu boddau'n perfformio mewn awyrgylch hollol broffesiynol. Falle nad oedd safon yr offer sain cystal â'r hyn ydyw heddiw, ond dyna'r gorau posib ar y pryd. Byddai ymarferion yn y prynhawn, a phob artist yn cael amser penodol i berfformio. Prawf o lwyddiant y nosweithiau hynny i mi oedd fod artistiaid megis Ryan a Ronnie, Alun Williams, Bryn Williams, Margaret Williams, Y Triban, Bara Menyn, Y Diliau, Y Perlau, Perlau Taf, Yr Hennessys ac Iris Williams – unigolion a grwpiau oedd wedi teithio cryn bellter – yn gofyn am gael dychwelyd. Daeth y nosweithiau hyn yn boblogaidd tu hwnt, a phobol yn teithio o bell i'w mynychu.

Ym mhob noson byddai rhwng chwech ac wyth perfformiwr yn cymryd rhan, a'r rhan fwyaf ohonynt yn enwau adnabyddus ac wedi ymddangos ar raglenni teledu megis *Disc a Dawn* a *Hob y Deri Dando*. Byddai artistiaid megis Tony ac Aloma, Hogia'r Wyddfa, Aled a Reg, Huw Jones, a'r Perlau yn ymddangos ar yr un noson, a Glan Davies yn arwain. Pwy oedd *top of the bill* ar y noson? Neb, a phawb. Fyddai'r artistiaid ddim yn holi pwy oedd bwysicaf, ond gallai'r gynulleidfa ddarllen y poster a phenderfynu pwy oedd bwysicaf iddyn nhw. Byddwn yn pwysleisio wrth yr artistiaid bod yn rhaid iddynt edrych ar eu gorau ar lwyfan lliwgar. Ar y prynhawn y daeth y Tebot Piws i'r ymarfer, mi ofynnodd Mr Brown i mi a oedd yr hogiau gwallgof yma'n mynd i newid eu dillad cyn mynd ar y llwyfan. Wel, a bod yn onest, roedd yr hogia'n gymharol drwsiadus heblaw am un, a Dewi 'Pws' Morris oedd hwnnw. Mi gefais air gyda'r Bonwr Pws yn yr ystafell newid.

'Ti ddim yn mynd i wisgo'r jîns budur 'na ar y llwyfan heno, wyt ti Pws?'

'Jiw jiw, nagw!' medda fo. 'Ma 'da fi bâr arall yn y bag!'

Roedd ganddo bâr arall yn y bag, ac fe wisgodd y pâr hwnnw. Yr unig broblem oedd fod y jîns wedi bod yn y bag ers iddyn nhw gael noson wlyb yn rhywle. Roedd mewn gwaeth stad na'r llall! A hwnnw gafodd ei wisgo. Diolch byth mai cymeriad fel yna ydy Pws o hyd. Gobeithio na wnaiff o byth newid... wel, dim byd ond ei jîns.

Rhaid dweud mai ychydig iawn o droeon trwstan gawson ni , os bu rhai o gwbwl, a hynny, mae'n debyg, am fy mod i'n berffeithydd. Ydy, mae hynny'n broblem i mi. Dwi ddim yn medru ymlacio fel pobol eraill, nac yn medru dweud, 'A wel, os ydy o i fod i weithio, fe wnaiff.' Na, mae'n rhaid gwneud iddo weithio. Dwi ddim yn leicio segura, dwi ddim yn leicio mynd ar wyliau, dwi ddim yn leicio eistedd yn gwneud dim. Dyna pam nad y fi ydy'r person gorau i fod yn ei gwmni hyd heddiw. Ma'r gwaith diddanu, neu drefnu nosweithiau adloniadol neu raglenni teledu yn rhywbeth mae'n rhaid ei wneud o ddifrif, neu ddim o gwbwl. Falle fod yr hen Parry Tom yng ngardd Ysgol Llangefni wedi plannu rhywbeth yn fy isymwybod pan roddodd yr *one hundred lines* yna i mi – 'A job worth doing is worth doing well.'

Fodd bynnag, mae 'na ddau ddigwyddiad yn y Majestic fydd yn aros yn y cof tra bydda i byw. Roeddwn wedi trefnu noson yn hen Bafiliwn y Rhyl gyda llond gwlad o artistiaid, ac yn eu mysg yr anfarwol Meic Stevens. Ma'n rhaid cyfaddef bod Meic o flaen ei amser, a doedd y werin Gymraeg ddim yn siŵr beth i'w wneud o'r canwr gwallt hir 'ma, yn gwisgo sbectol haul ar lwyfan ac yn canu barddoniaeth o'i waith ei hun. Ond roedd y noson yn y Rhyl yn ysgubol o lwyddiannus. Dwi'n meddwl yn siŵr mai hon ydy'r noson a recordiodd y BBC, ond na ddarlledwyd erioed mohoni, y bu John Hardy yn ceisio cael atebion pam na wnaed hynny ar ei raglen wych, *Cofio*, ar fore Sadwrn. Wedi'r nos

Sadwrn honno roeddwn wedi trefnu, yn ôl fy arfer, noson Sêr Cymru yn y Majestic, gyda Meic Stevens, Heather Jones a'r Bara Menyn. Ro'n i mor siomedig gan mai ychydig o dan bedwar cant ddaeth i'r noson honno. Dwi'n gwybod hynny oherwydd hanner y ffi dderbyniais i am y noson. Dyna oedd y drefn – £24 am gynulleidfa gref, £12 am gynulleidfa o dan bedwar cant. Roedd hynny'n bres da iawn yr amser hynny, o ystyried mai £60 fyddai Ryan a Ronnie'n ei gael rhyngddyn nhw, gan gynnwys costau teithio o Gaerdydd. Dyna'r unig noson i mi fethu cael fy nghyflog yn llawn.

Yr ail ddigwyddiad, ac un hollol bositif, oedd y noson honno pan safodd y gynulleidfa ar eu traed i gymeradwyo. Roedd Tony wedi bod am gyfnod hir yn yr ysbyty yn dioddef o'r diciâu, neu TB. Mi fûm yn ymweld ag o'n rheolaidd tra bu yno. Ceisiwn fy ngorau roi dyddiad iddo i ddychwelyd ar y llwyfan, dyddiad y gallai edrych ymlaen at ei gyrraedd, a hynny wedyn, gobeithio, yn ei gryfhau'n feddyliol ac yn ysbrydol. Mi wyddai'n iawn fy mod am iddo fo ac Aloma ganu yn y Majestic, ond wrth i'r dyddiad penodedig agosáu, fe deimlai'r hen gyfaill na fedrai ystyried gadael i mi roi ei enw ar y poster – fyddai hynny ddim yn deg â'r gynulleidfa pe na bai'n medru dŵad. Fe awgrymodd Tony y byddai Aloma yn gallu canu ar ei phen ei hun, ac roedd am i mi roi enw Aloma, ac Aloma yn unig, ar y poster. Yn erbyn ewyllys Aloma y gwnes i hynny.

Pan welodd Aloma'r posteri, ac roeddan nhw'n glamp o bosteri, fe dorrodd i lawr a chrio.

'Fedra i ddim, Idris,' meddai. ''Di o ddim yn iawn fy mod i'n canu ar y llwyfan, a Tony yn gorwedd yn ei wely.'

Wedi hir drafod, fe welodd Aloma synnwyr y byddai yno'n cynrychioli'r ddau, ac y câi hi gyfle i ddweud wrth y bobol fod Tony'n gwella.

Wythnos cyn y nos Sul arbennig honno, fe es draw i'r ysbyty yn Abergele i weld Tony. Roedd o mewn hwyliau da; roedd yna hogan o Lanrwst wedi bod yn ymweld ag o, ac wedi dweud fod pawb yn y dref honno am ei weld yn gwella'n fuan. Roedd clywed geiriau felly bob amser yn codi ei galon, ac yntau, ar adegau, yn teimlo rhwng byw a marw yn yr ysbyty. Mi siaradon ni am awr dda, am gynlluniau'r noson yn y Majestic, pan fyddai Aloma'n canu heb Tony, ond yn canu ambell i gân Tony ac Aloma. Yna, dyma fo'n deud rhywbeth tebyg i,

'Ma gin i le i ddiolch i ti, Wilias, ond ti'n gwbod be? Dwi'n siŵr bod 'na rywun fyny fan'na,' gan bwyntio tua'r nef, 'yn edrych ar fy ôl i, wsdi.'

Fyddai'r ddau ohonon ni byth yn trafod crefydd, er y gwyddai fod gin i frawd oedd yn weinidog, a fy mod i wedi cael fy magu i fynd i'r capel.

'Dwi wedi sgwennu emyn, Wilias,' medda fo. 'Gwranda, a deud be ti'n feddwl.' A dyma fo'n estyn ei gitâr a dechrau canu:

Am gael geni'n faban bach,
Diolch i Ti.
Am gael bod yn fyw ac iach,
Diolch i Ti.
Am yr haul a'r lloer uwchben,
Daear las o dan y nen,
Mae fy myd fel nefoedd wen,
Diolch i Ti.

Am gael dydd ac am gael nos,
Diolch i Ti.
Am y blodau ar y Rhos,
Diolch i Ti.

Dim bwys am boen,
Na'r dagrau chwaith,
Ar bob un croen
Mae'n rhaid cael craith,

Nid am ei fod yn iawn, o na,
Mae'n rhaid cael drwg
Cyn gweld y da.
Am bob peth, yn fach a mawr,
Yrrodd Duw o'r nef i lawr.
Anodd diolch, hawdd gweld bai,
Pam na allwn gwyno llai?

Wn i ddim am air yn awr, a wyddost ti?
Sy'n ddigon da a digon mawr, na, dim i mi.
Yr unig beth y gallaf ddweud,
Yw cofio beth wyt wedi'i wneud,
Byth dy anghofio di na dweud
Diolch i Ti.

O'n i'n gwybod ei fod o ar wella; doedd o ddim wedi gafael mewn gitâr ers wythnosau, heb sôn am gyfansoddi cân. Mi gynhyrfais yn llwyr. Doedd gin i ddim hawl i wneud yr hyn ddilynodd – perswadio Tony yn gyntaf, ac yna awdurdodau'r ysbyty i ryddhau Twm am ychydig oriau ar nos Sul. Mi fu cryn baratoi, a sicrhau na fyddai'r trefniadau'n dod i glyw neb ond y bobol oedd yn rhan o'r cynllun. Un o'r bobol hynny oedd John, llystad Aloma, dyn parod ei gymwynas bob amser. Doedd dim byth yn ormod i John. Fo oedd i fynd i Abergele i nôl y claf, ei wisgo'n ofalus, a'i warchod.

Pan gyrhaeddodd Tony gefn y llwyfan, roedd Aloma ar y llwyfan yn canu, ac yn cael croeso gwresog gan gynulleidfa'r Majestic. Wedi iddi ddechrau cân arall, fe gerddodd Tony yn ddistaw ar y llwyfan y tu ôl iddi. Pan welodd y gynulleidfa Tony, roedd y gymeradwyaeth yn fyddarol. Roedd Aloma'n meddwl eu bod yn falch ei bod yn canu cân Tony ac Aloma, ond pan glywodd lais peraidd Tony tu ôl iddi'n ymuno yn y gân, fe ddychrynodd cymaint nes iddi redeg ato'n awtomatig a gafael yn ei law, ei dywys at ei hochr ar flaen y llwyfan, cario 'mlaen i ganu a'r dagrau'n llifo i lawr ei gruddiau bach tyner. Erbyn diwedd y gân roedd pawb ar eu traed yn cymeradwyo, ac fe gefais fy ngalw ar y llwyfan i dderbyn diolchiadau Tony ac Aloma. Pethau fel yna sy'n bwysig!

Wedi i Tony wella'n ddigon da, fe ddechreuodd y ddau ganu efo'i gilydd unwaith yn rhagor, a'r galwadau a'r llythyrau yn cyrraedd yn eu cannoedd o bob cwr o Gymru. Nid fy lle i yn yr hunangofiant yma ydy rhannu cyfrinachau'r ddau, ond mi feiddia i ddweud hyn – wn i ddim am ddau sy'n caru ei gilydd yn fwy, yn parchu ei gilydd yn fwy, nac yn amddiffyn ei gilydd yn fwy. Ond ar y llaw arall, wn i ddim am ddau oedd yn medru ffraeo efo'i gilydd yn fwy chwaith. Bûm yn dyst i lawer achlysur pan fyddai'r ddau yn taranu yn erbyn ei gilydd, a'r geiriau'n bownsio oddi ar y muriau. Bron na fasach chi'n medru tanio ffag efo'r sbarcs! Wedi iddyn nhw edliw pob math o bethau i'w gilydd, bydden nhw'n medru mynd ar y llwyfan, edrych i mewn i lygaid ei gilydd a chanu, 'Ma gin i gariad, a fi yw honno...' Mi gewch wybod mwy, mae'n siŵr, yn llyfr Tony ac Aloma, pan wnaiff ymddangos.

Mi fu Aloma a finnau'n gariadon am hir iawn, er nad oedd y berthynas ddim yn hollol gyfforddus, oherwydd roedd Tony yn mynnu mai efo fo y dylai hi fod – hynny ydy, yn canu nid yn caru.

Fel roedd poblogrwydd y ddau'n tyfu drwy Gymru gyfan, bydden ni'n treulio oriau lawer yn y car. Roedden ni'n ffrindiau da. Bron nad oedd y tri ohonon ni gyda'n gilydd am 24 awr y dydd. Ond erbyn hynny nid fi fyddai'n arwain, gan mai pobol eraill oedd yn trefnu, a byddai arweinyddion y gwahanol ardaloedd am gael rhannu llwyfan gyda'r ddau o Fôn. Ond roeddwn i'n teithio efo nhw i bob man. Dwi ddim yn meddwl i mi chwerthin mwy erioed nag y gwnes i yn y cyfnod hwnnw. Mi fyddan ni'n chwarae gêmau na fydda neb arall yn meddwl eu chwarae wrth deithio o le i le. Y gêm fwyaf poblogaidd oedd dweud y peth cyntaf oedd yn dod i'r meddwl. Tydy o'n swnio'n hollol wallgof? Pwy fydda'n meddwl am y fath beth? Wel, fe wnaethon ni, cyn i ryw Americanwr wneud ei ffortiwn gyda'r syniad *Whose Line Is It Anyway?* Y cyfan roedden ni'n ei wneud oedd i'r naill roi testun i'r llall, a hwnnw wedyn yn gorfod cwblhau'r sialens. Doedd dim amser i feddwl, rhaid oedd dweud y peth cyntaf a ddeuai i'r meddwl, a dyna a wnâi'r peth mor wirion o ddoniol.

Petasa rhywun yn digwydd bod yn gwrando, mi fydden nhw'n meddwl ein bod ni off ein pennau. Falle bydda Tony yn dweud rhywbeth fel, 'Wilias, d'wad stori am gath yn mynd ar ei gwyliau i Rosgadfan am bythefnos a hanner efo chwaer ei nain.' Bydda'n rhaid i'r testun hefyd fod y peth cyntaf a ddeuai i'r meddwl. Finnau wedyn yn mynd ymlaen ac ymlaen yn adrodd stori ar y pryd, a allai amrywio o ddeg eiliad i ddeg munud. Yna, 'rôl gorffen, yn rhoi sialens i Tony ddweud beth gafodd o i frecwast, yn lle, ac efo pwy. Dwi'n dal i chwarae'r gêm efo nhw hyd heddiw. Mi ffonia i Tony, a'r peth cynta fydd o'n ddweud hyd yn oed rŵan fydd rhywbeth fel, 'Wilias, gwna stori i mi am droed chwith yr Wyddfa.'

Mae yna ddwy arall newydd ymuno â'r clwb 'dweud y peth cynta ar dy feddwl' erbyn hyn, sef Branwen Gwyn a Heledd Cynwal, fy nghyd-weithwyr hoff yn Tinopolis. Mi fyddwn ni'n chwerthin gymaint weithiau nes bydd pobol o'n cwmpas yn holi be ydy'r jôc. Wel, sut fedrwch chi egluro? Y jôc fwya un diwrnod oedd i Lowri Griffiths, un o'r PAs ifanc, fy nghlywed i'n adrodd penillion ro'n i'n eu cyfansoddi ar y pryd, a gofyn, 'Idris, lle fedra i brynu llyfr efo'r caneuon yna?' Ma Heledd a fi wedi ychwanegu at y gêm. Os bydd rhywbeth wedi digwydd, rydyn ni'n creu dywediadau gwreiddiol hollol newydd ar y pryd. Mae'r pethau rhyfeddaf yn cael eu dweud, credwch chi fi. Pethau fel… na, dim iws i mi eu cofnodi nhw, rhaid i chi fod yno i glywed y rhialtwch digyfeiriad a diystyr. Triwch o – mi gewch lot o hwyl!

Er mai efo Tony ac Aloma roeddwn i'n perfformio'r rhan fwyaf o'r amser, fe ges i lawer iawn o waith fy hun. Er bod hyn yn swnio fel tawn i'n ben mawr, mae'n wir – ar ôl i mi berfformio yn rhywle, byddai galw arnaf i ddychwelyd dro ar ôl tro. Bryd hynny, nid unwaith neu ddwywaith y flwyddyn y cynhelid cyngherddau mewn pentra neu fro. Roedd rhywbeth yn rhywle bob nos.

Ond nid yn y Majestic yn unig y byddwn i'n perfformio chwaith. Erbyn hynny roeddwn wedi dod yn ffrindiau da efo Hogia'r Wyddfa a Hogia Llandegai, Hogia'r Deulyn, Aled, Reg a Nia, Emyr ac Elwyn (yn y Majestic y cawson nhw'r cyfle cyntaf i ddangos eu dawn, a daeth Emyr yn fwy adnabyddus fel Gari Williams mewn blynyddoedd wedyn), Y Pelydrau, Rosalind Lloyd, Y 4 Cabalero, a llu o artistiaid eraill. Mi fyddan ni'n cyfarfod mewn mannau yn y de os byddan ni'n digwydd bod yn weddol agos at ein gilydd. Pawb yn ffrindiau da bryd hynny, ac yn eithriadol o amddiffynnol o'r naill a'r llall. Mi fyddai Hogia'r Wyddfa a Hogia Llandegai yn gallu cynnal noson gyfan ar eu pennau eu hunain, yn canu, actio a dweud jôcs. Ond mewn criw roeddan nhw'n leicio bod. Ma gin i barch mawr at bawb sy'n perfformio heddiw, ond maen nhw'n cynnal noson gyfan eu hunain, mewn cornel clwb neu dafarn, yn hytrach na bod yn rhan o gwmni sydd wrthi yn diddanu, fel roeddan ni.

Efo fi fydda Aloma pan doedd hi ddim yn canu efo Tony. Felly efallai fod bai arnaf fi'n fwy na neb am y ffaith i Tony adael Cymru a mynd i weithio i Loegr. Fi oedd cariad Aloma, ac roeddwn, mae'n debyg, yn blydi niwsans, nid oherwydd y garwriaeth ond am ei fod o'n teimlo nad oedd dyfodol iddo fo a hi fel deuawd, nac fel arall. Mi ydw i'n siŵr y byddai'r ddau wedi priodi ei gilydd, ond doedd pethau ddim cweit yn iawn.

Pan aeth Tony a'n gadael, mi greda i iddo sgwennu'r caneuon gorau sgwennodd o erioed, megis 'Ddoi Di'm yn Ôl i Gymru?', 'Biti na Faswn i', 'Môn Mam Cymru', a 'Wedi Colli Rhywun sy'n Annwyl', i enwi dim ond pedair. Geiriau o brofiad dyn oedd yn chwilio am atebion mewn bywyd, ac ateb iddo ef ei hun. Mi dreuliodd Aloma a finnau gyfnod hapus iawn efo'n gilydd, er fy mod i'n teimlo yn aml ei bod yn hiraethu am Tony. A does dim dwywaith mai cyfeirio at Aloma, ac Aloma yn unig, mae Tony yn ei ganeuon mwyaf serchus. Mae ail bennill 'Wedi Colli Rhywun sy'n Annwyl' yn dweud y cyfan:

> Disgynnais mewn cariad â geneth,
> Fy nghalon a roddais iddi hi,
> Ond bachgen arall ddaeth heibio,
> Ac yn awr dim ond cof ydyw hi.

Dwi'n cofio mynd am wythnos, er mwyn dianc, i Ynys Manaw haf 1968 efo Aloma, a hithau newydd gael ei derbyn i astudio Cerdd mewn prifysgol, gan arbenigo ar y delyn. Roedd y ddau ohonon ni'n cael problemau gyda'n rhieni. Fi oedd yn cael y bai am gadw Aloma oddi wrth ei gwaith ysgol ar y dechrau. Byddai Haf Morris, athrawes gerdd Aloma, yn dweud yn glir na fyddai dim yn dod ohoni, er ei dawn gerddorol amlwg, os byddai'n parhau i weld y boi 'ma oedd yn dod i'w nôl o'r ysgol bron bob dydd mewn *sports car* coch. Ac yn ddiweddarach, fi oedd y drwg, yn ôl y teulu, a'r rheswm pam nad oedd Tony ac Aloma wedi dal ati i ganu gyda'i gilydd. Ac o ran fy nheulu i, bydden nhw'n edliw wrtha i, pam 'mod i'n gwirioni am hogan fydda yn fy ngadael a'm brifo unwaith bydda Tony yn ôl? Ond wedi dweud hynny, roedd y ddau deulu fel ei gilydd am i ni fod yn hapus. Mi dreuliais rai misoedd yn byw yn nhŷ mam Aloma yn Llangefni, a bu'n hynod o garedig wrtha i. Roedd gan Mam hefyd feddwl y byd o Aloma.

Y bwriad oedd mynd i Ynys Manaw, yn ddigon pell i guddio. Y broblem fawr oedd nad oedd gynnon ni arian i fyw ar yr ynys am fwy na dwy noson. Dyma groesi o Lerpwl i Douglas, a chael gwesty rhad i aros am y ddwy noson gyntaf. Fi mewn un ystafell efo wyth o fechgyn eraill, a matresi blith draphlith ar y llawr. Fyddai'r fath beth ddim yn gael ei ganiatáu heddiw – oglau cwrw a sanau budron yn un gymysgfa fawr. Aloma mewn ystafell arall efo'r merchaid a'r stafell honno yn yr un stad. 'Rôl dau ddiwrnod, doedd gynnon ni ddim dimai goch, felly doedd dim i'w wneud ond cysylltu efo teulu Aloma yn Sir Fôn a gofyn iddyn nhw roi arian yn Swyddfa'r Post i ni. Dwi ddim yn cofio sut oedd y system yn gweithio, ond fe ddaeth y pres o fewn oriau – digon i gael bwyd, beth bynnag! Fe benderfynon ni gysgu ar y traeth y noson honno. Ond drwy ddirgel ffyrdd, fe welson ni bosteri'n hysbysebu sioe dalent yn y Gaiety Theatre yn Douglas yn gwenu arnon ni, a gwobr ariannol i'w hennill.

'Ti'n gêm i drio?' medda fi.

'Yndw,' meddai Aloma, 'os gwnei di hefyd.'

'Ia, iawn,' medda fi.

Mi wyddwn y byddai Aloma'n ennill, roedd ganddi dalent tu hwnt i'r cyffredin. Felly, ar sail fy ffydd yn ei gallu, fe es i fwcio gwesty am y noson – dwy ystafell – doedd hi ddim yn beth neis i gariadon gysgu efo'i gilydd bryd hynny. Fe aeth y flonden ar y llwyfan a chanu 'The Wedding', cân a wnaed yn enwog gan Julie Rogers – 'You by my side, that's how I see us...' Roedd clywed Aloma'n taro'r nodau uchel gyda'r geiriau 'I can hear sweet voices singing, Ave Maria...' yn wefreiddiol, a finnau'n teimlo mor falch ohoni. Dim ond un wobr oedd ar gael, ac wedi clywed y gymeradwyaeth i Aloma, mi benderfynais nad oedd llawer o bwynt i mi fynd ar y llwyfan. Y canlyniad yn dod, ac Aloma'n ennill yn rhwydd. Roedd hi drwodd i'r rownd derfynol ar y nos Wener, y noson roedden ni wedi penderfynu mynd adra.

Ond aros oedd y penderfyniad, ac aros mewn gwesty unwaith eto, gyda ffydd y bydda'r hogan o Lannerch-y-medd yn ennill yr arian mawr i dalu amdano. Roedd safon y gwesty ddewison ni i aros ynddo erbyn hyn wedi gwella – o fatres i wely, a sinc dŵr poeth yn yr un ystafell; dyma beth oedd byw mewn steil! Fe enillodd Aloma, ac fe gawson ni noson dda i ddathlu – noson ry dda. Doedd gynnon ni ddim digon o bres i gael trên 'nôl o Lerpwl i Fangor. A dyma sy'n rhyfeddol o od – fe gawson ni fenthyg chweugain gan foi o'r enw Roy Jones. Roedd o'n cystadlu hefyd, ac wedi bod yn siarad efo Aloma. Mewn rhai blynyddoedd wedyn, mi ddaeth Roy i ogledd Cymru i ganu, fe gwrddodd y ddau am yr eildro ac mae'r ddau gyda'i gilydd byth ers hynny. Gyda Roy y bu Aloma'n teithio'r byd yn diddanu, felly os gwelwch chi LP o'r ddeuawd *Aloma and Jones,* wel, mi fyddwch wedi dod ar draws Aloma a Roy, sydd erbyn hyn yn berchen ar y Gresham Hotel yn Blackpool, gyda Tony.

Pennod 11

Drysu ac ar goll

Roedd y blynyddoedd rhwng 1967 ac 1970 yn rhai cymysglyd i mi. Mynd o un pegwn i'r llall mewn tair blynedd. Fel diddanwr roeddwn yn hapus fy myd, y bywyd carwriaethol yn boeth ac yn oer, a chrefydd yn dechrau cael gafael arnaf. Rwyf wedi sôn ychydig yn barod am y cyfnod hwn, ond anodd dweud y cyfan, ac mae llawer o bethau fyddai neb eisio eu clywed beth bynnag. Ond dewch i mi grynhoi hanes y tair blynedd yma mor onest ag mae'r cof yn caniatáu.

Wrth edrych yn ôl dros fy mywyd, does yr un cyfnod tebyg i'r tair blynedd yma, lle roedd pethau'n gyffrous, yn gymysglyd, yn anghyson, yn serchus ac yn greulon. Cyfnod pan oedd pwrpas i fywyd; eto, byddai hi'n dywyll, ac yn olau ar yr un pryd, fel llong yn hwylio mewn cymysgfa o fôr tymhestlog a thawel.

Dechreuais gael fy nhraed oddi tanaf fel diddanwr proffesiynol, un o'r ychydig rai a fyddai'n gweithio drwy gyfrwng y Gymraeg, ac roeddwn yn benderfynol o symud ymlaen. Doedd cefnogaeth Dad ddim bob amser yn hawdd i'w chael, ac yn aml iawn roedd yn feirniadol o fy mherfformiadau. Y drwg oedd fy mod wedi dechrau torri fy nghwys fy hun, a honno'n hollol groes i'w arddull o. Mam ar y llaw arall bob amser â gair o gysur, ond yn gwylio'n ofalus nad oeddwn yn cael cam. Pan mae pethau'n mynd yn hwylus, dyw dyn ddim yn dueddol o feddwl am fory, a dyna sut roedd pethau efo fi. Yng nghanol llwyddiant y Majestic, fe gefais alwad i fynd i Deledu Harlech am gyfweliad i gyflwyno eitemau pop yn y gyfres *04, 05 Ac Ati*. Cyfres arloesol wedi'i chreu a'i chynhyrchu gan yr anfarwol Euryn Ogwen Williams a'r gŵr bonheddig Huw Davies oedd hon. Dwi ddim yn cofio llawer am y cyfweliad, ond roedd y ddau wedi clywed amdanaf fel trefnydd a diddanwr. Geiriau Euryn oedd,

'Fedri di ddechrau dydd Llun nesa?'

'I neud be?' medda fi, achos roeddwn i wedi gweld y rhaglenni ac yn meddwl na fyddwn i byth bythoedd, Amen, yn ffitio i mewn.

'Wel, gawn ni weld,' medda Euryn, a Huw yn nodio ei ben. 'Meddwl oeddan ni y basan ni'n rhoi tipyn o ganu pop bob pythefnos yn y gyfres *04, 05 Ac Ati*, a ti, yn ôl y sôn, fydda'r person gorau i wneud hynny. Ma 'na ffi i'w chael, a chostau.'

Dyma fynd draw i swyddfa Euryn ar y dydd Llun canlynol. Doedd o ddim yno, a'i ysgrifenyddes, Meifis Howell, yn fy sicrhau na fydda fo'n hir. Mi ddaeth o rywle yn y diwedd yn cŵl braf, heb air o eglurhad. Un fel yna ydy Euryn o hyd, byth yn gwneud môr a mynydd o bethau, hyd yn oed tasa fo ar fôr neu fynydd. Mi gawsom sgwrs a oedd yn ddigon i fy mherswadio y gallwn weithio'n hapus iawn efo'r dyn hwn, ac yntau yn llawn syniadau am raglenni nas gwelwyd ar deledu Cymraeg cyn hynny. Chafodd y rhan fwyaf ohonyn nhw mo'u gwireddu, gan fod Euryn efalla'n edrych tuag at bobol ifanc ddewr Cymdeithas yr Iaith yn fwy nag ar ei gyflogwyr, ond stori arall ydy honno.

Roeddwn i gyd-gyflwyno efo John Roberts o ardal Caernarfon ac a ddaeth yn brifathro ar Ysgol Syr Hugh Owen yn y dref ymhen blynyddoedd. Roedd John yn llawer mwy traddodiadol ei arddull nag oeddwn i yr adeg hynny – y fo yn fwy tebyg i Pete Murray, a finnau fel Jimmy Saville. Dau mor wahanol. Fe ddaeth llwyddiant, ac oherwydd fy mod i mor wahanol yn fy ngwisg a fy arddull i bawb arall, fi oedd yn cael y sylw. Wrth fynd allan ar y stryd roedd pobol yn fy adnabod fel 'y boi newydd ar *04, 05 Ac Ati*'. Doedd dim posib cymryd mwy na dau gam yn Eisteddfod yr Urdd, Caerfyrddin 1967, nac Eisteddfodau Cenedlaethol y Barri 1968, na'r Fflint 1969 heb fod rhywun yn holi am gael llofnod. Daeth pobol i gysylltu'r rhaglen *04, 05 Ac Ati* â'r enw Idris Williams.

Fe ddylwn egluro mai Idris Williams yw fy enw swyddogol – dyna'r enw bedydd. Daeth yr enw Idris Charles i fod yn ddiweddarach. Y rheswm am y newidiadau oedd i mi fabwysiadu'r enw Idris Charles Williams i ddechrau. Felly y byddai llawer o bobol yn fy nabod i beth bynnag bryd hynny, a hwnnw oedd yr enw arnaf yn Equity. Yn anffodus, byddai pobol yr undeb yn Llundain yn fy nghymysgu efo Charles Williams, felly dyma ollwng y Williams, a dyna ni yn ôl i ble roeddan ni.

Fe gynyddodd fy mhoblogrwydd yn enfawr, nid am fy mod yn arbennig o dda, ond am nad oedd neb tebyg i mi wedi bod yn Gymraeg cyn hynny, ac ychydig o bobol a fyddai'n ymddangos ar y teledu yr adeg honno beth bynnag. Dwi'n gwybod y cawn fy nghasáu â chasineb pur gan y criw hwnnw fyddai'n ceisio arwain trafodaethau ar y rhaglen. Ysgolheigion oedd y rheiny – hogiau a merched oedd wedi cael coleg, ac yn gwybod y cwbwl. Cefais fy mychanu'n aml gan rai, a fy mwlio'n eiriol. Ond doedd dim ots o gwbwl gin i – dim o gwbwl, gan fod bywyd yn fêl i mi. Falle bod rhai ohonyn nhw'n darllen hyn rŵan, ond wna i ddim eu henwi – i be?

Yn aml fe roddai Euryn rwydd hynt i mi fynd allan i wrando ar artistiaid, gyda'r bwriad o ddod â rhai ohonyn nhw i'r stiwdio i berfformio. Bob yn ail wythnos, ochor bop y gyfres a gâi'r sylw. Fi, felly, oedd y prif gyflwynydd, yn darllen siart *Y Cymro*, yn holi'r cantorion, ac yn penderfynu trefn yr ymddangos. Ar y rhaglenni hynny, byddai'r stiwdio ym Mhontcanna'n llawn dop o bobol ifanc yn ymdebygu fwy i *Top of the Pops* nag oedd *Disc a Dawn* ar y BBC. Fe gyflwynais fawrion y genedl, ac fe ddois i nabod y byd pop Cymraeg yn well na neb.

Byddai rhai o'r rhaglenni'n mynd allan yn fyw ar nos Wener, eraill yn cael eu recordio'r noson cynt. Bryd hynny, roedd rheolau'r gwahanol undebau'n llawer mwy llym o'u cymharu â heddiw. Fe fu bron iawn i mi achosi streic yno unwaith. Eistedd ar stôl uchel oeddwn, a dyma Graham Jones, y rheolwr llawr, yn dweud bod y cyfarwyddwr am i mi eistedd yn fwy i'r chwith. Felly dyma fi'n codi, yn gafael yn y stôl a'i symud. Fe gafwyd cyfarfod o'r adran dechnegol, oherwydd i'r cyflwynydd wneud job y *rigger*. Pan fyddai ymarfer wedi'i drefnu a hwnnw i bara am dair awr, yna tair awr fyddai hi, a dim eiliad yn fwy. 'Rôl y tair awr byddai'r criw i gyd yn gadael. Dyna pam, ar adegau pan âi pethau o'i le yn yr ymarfer, na fyddai dim digon o amser i orffen un ymarfer, heb sôn am gael ail ymarfer.

Byddwn wrth fy modd pan fydda grwpiau merched yn dod ar y rhaglen, gan mai fy ngwaith i oedd eu croesawu. O'n i'n cael gymaint mwy o hwyl efo'r merched! Fy hoff fand merched oedd y Pelydrau. Edith bob amser yn barod i chwerthin, Glenys a Gwenan yn rhadlon braf, dim ffws, a Susan yn un o ferched tlysaf y ddaear. Ac mi o'n i'n ei ffansïo hi. Dwi'n meddwl i mi gael un noson ramantus efo hi'n cerdded o'r stiwdio i'r car. Dyna i gyd! Cawn hwyl hefyd efo merched grŵp Perlau Taf, a byddai Perlau Llanbed yn giglo. Ar *04, 05* y cafodd Gillian Elisa ei chyfle cyntaf ar y teledu, a hynny fel dawnswraig – 'sgwn i ydy hi'n cofio? Mynd draw i Lanbedr Pont Steffan i weld fy nghariad wnes i – ia, cariad. Wel, mi ddwedais fod y daith yma'n gyson o anghyson, 'yn do? Mi ddwedwyd wrtha i fod grŵp o ferched yn y dref yn dawnsio, ac y bydden nhw'n ddigon da i ymddangos ar *04, 05 Ac Ati*. Wel, doedd dim angen gofyn eto, nag oedd? Bobol y ddaear faith, welis i ddim byd gwell yn dod i stiwdio deledu ar fy ngwahoddiad i erioed... a doedd y dawnsio ddim yn rhy ddrwg chwaith!

Pan ddwedais wrth Euryn fod 'na ddwsin o ferched ifanc, del, rhywiol, rhamantus, fe gytunodd Euryn i'w cael ar y rhaglen yn syth 'rôl clywed y tri ansoddair. Er bod y merched yn arbennig o dda, fe gawson nhw gam mawr y noson honno. Fe ddechreuodd y gerddoriaeth, ond bu rhai eiliadau cyn i'r sŵn ddod drwy'r *speakers*, felly fe aeth popeth ar chwâl. Roedd rhai efo'u coesau i mewn pan oedd y lleill efo'u coesau allan, rhai i fyny, eraill i lawr. Ond doedd dim modd ail-wneud dim, ac fe aeth y llanast o ddawns allan ar y teledu fel ag yr oedd, ac yn waeth na hynny roedden nhw'n dawnsio i'r *credits* ar y sgrîn.

Yn Eisteddfod Genedlaethol y Fflint roedd Ryan a Ronnie wedi llogi clwb yng Nghei Conna am wythnos gyfan. Nosweithiau *cabaret* mewn arddull roedd y ddau wedi'i defnyddio wrth berfformio mewn clybiau mawrion ledled de Cymru oedd y rhain i fod. Ond efallai mai peth newydd oedd yr arddull yma i Gymry Cymraeg yr Eisteddfod. Nos Fawrth a nos Fercher, fi oedd i gyflwyno; y rhaglen wedi'i threfnu'n ofalus, y meicroffonau a'r goleuadau yn eu lle, yr artistiaid yn disgwyl yn eiddgar yn y cefn, gan gynnwys Hogia'r Wyddfa, Tony ac Aloma, ac enwau mawr eraill. Dim ond un peth oedd ar goll ar y nosweithiau hynny – cynulleidfa. Wyth ddaeth i'r noson gyntaf, a deuddeg i'r ail noson. Ymlaen â'r sioe; finnau'n dechrau drwy dynnu 'nghoes fy hun a'r gynulleidfa. Cofio deud petha fel, ''Nathoch chi ddŵad yn yr un tacsi?' Yna, 'Cofio gwneud noson debyg yn Llanrwst. Dim ond deg oedd yn y gynulleidfa amser hynny hefyd, a dyma'r trefnydd yn dŵad ataf fi a dweud am i mi beidio poeni, fod yna fws ar y ffordd, ac fe ddaeth y bws, ac fe aeth y deg arno a mynd adra.' Wel, roedd rhaid dweud rhywbeth, yn doedd? Wnaeth y diffyg cynulleidfa ddim amharu dim ar yr hwyl yng nghefn llwyfan.

Bryd hynny bydda Hywel Gwynfryn yn odli wrth gyflwyno ar ei raglen *Helô, Sut 'Dach Chi?* ar fore Sadwrn, megis 'Ti ar frys, Rhys?' 'Ti bia'r tei, Dei', 'Odl slic gan Dic' ac yn y blaen, felly roeddan ninnau'n ei ddynwared drwy ddefnyddio odlau yn ein sgwrs. Ond un noson yn y clwb yma yng Nghei Conna, dyma'r hen El o Hogia'r Wyddfa i mewn i'r stafell newid, finnau wrthi'n siafio, a medda fo yn ei lais dwfn, 'Ti isio smôc...' – yna saib berffaith cyn rhoi'r odl ryfeddaf, 'Wil?' Fe fu bron i bawb yn y stafell farw o chwerthin. Na, dydy o ddim yn ddoniol mewn print falla, ond i ni, ar y pryd, hwn oedd y peth doniolaf ddwedwyd erioed. Honna i mi ydy'r gomedi orau, y diweddglo perffaith annisgwyl yna. Ac fel yna 'dan ni wedi bod yn cyfarch ein gilydd byth ers hynny. Ddeugain mlynedd yn ddiweddarach, fe ddaeth Arwel i stiwdio *Wedi 3/7* ym Mehefin 2007, ac fe welodd fi yn y pellter. Fe gerddodd yn distaw y tu cefn i mi a sibrwd y geiriau, ''Sgin ti smôc, Wil?' O'n i'n gwybod pwy oedd yna'n syth. Os mêts, bois!

Roedd 1969 yn flwyddyn fawr i mi. Fe anwyd merch i mi y tu allan i lân briodas – sioc fawr i bawb. Doedd hynny ddim mor gyffredin ag ydy o heddiw. Os ydw i'n edifar am rywbeth yn fy mywyd, hyn ydy o. Nid edifar oherwydd i'r ferch fach gael ei geni ond am y ffaith i mi, am gyfnod rhy hir o lawer, wadu mai fi oedd ei thad. Sut ar y ddaear roedd y fam yn teimlo? Bron fy mod yn ei chyhuddo o fod yn butain, ac yn cysgu'n rhydd efo rhywun rywun. Doedd dim rheswm dros feddwl hynny, a doedd dim rheswm o gwbl pam na ddylai fy enwi i fel tad ei phlentyn.

Wedi'r cwbwl, roedden ni wedi addunedu y bydden ni'n ffyddlon i'n gilydd, a chyn iddi fynd yn feichiog roedden ni wedi dyweddïo. Wel, roeddwn i wedi prynu modrwy iddi, ac fe fyddai'n ei gwisgo yn achlysurol, ond ddim bob amser. Roedden ni hyd yn oed wedi cynllunio i briodi, ac i fyw'n gytûn.

Beth wnaeth i mi, felly, fynd yn ôl ar fy ngair? Falla bod dylanwadau'r teulu yn tywyllu pethau yn fy meddwl. Nhad yn fwy na neb arall oedd yn cwestiynu – fo roddodd amheuaeth yn fy mhen, ac roedd Mam am i mi fod yn hollol siŵr. Byddwn yn holi fy hun: pam wnaeth hi fy enwi i fel y tad, os mai rhywun arall oedd y tad? Pam na fyddai wedi'i enwi fo? Yn waeth na dim, pan ddaeth y cais i mi dalu am gadw'r plentyn, gwrthodais. Bu'n rhaid mynd i'r llys yn Llangefni i geisio profi mai fi oedd y tad.

Anfonodd fy nghyfreithiwr fi i Ysbyty Bangor i weld a oeddwn yn ffrwythlon. Pan brofwyd fy mod, y cam nesaf oedd cael prawf i weld oedd hi'n bosib mai fi oedd tad y plentyn. Eto, yr un canlyniad – positif. Roeddwn i mor falch! Ond eto, roedd y drwg wedi'i blannu yn fy mhen, a bu'r amheuon yn stiwio yn fy meddwl am gyfnod hir iawn.

Mae'r ferch heddiw bron yn ddeugain oed ac mae hithau'n fam i dri o blant erbyn hyn – ac mae meddwl am hynny'n brofiad braf iawn i mi, er mai ychydig iawn o gysylltiad sydd rhyngddon ni, yn anffodus. Bydd Ceri, fy ngwraig, yn cofio am ei phen-blwydd hi ac am ben-blwydd ei phlant bob blwyddyn. Bydda i'n meddwl weithiau wrth ei gweld y byddwn yn hoffi ei mynwesu a dangos fy mod yn ei charu…

Pennod 12

Y newid rhyfeddol

Wedi cyfnod hapus a llwyddiannus iawn yn trefnu Sêr Cymru a *04, 05 Ac Ati*, yn ddisymwth fe ddaeth y cyfan i ben. Roeddwn ar ben y mynydd o safbwynt gyrfa, yn wir allwn i ddim codi'n uwch. Y cyfan oedd rhaid i mi ei wneud oedd dal fy ngafael, gwerthfawrogi'r olygfa a pheidio llithro. Roedd Sêr Cymru wedi datblygu i fod yn sioe deithiol a byddem yn cynnal nosweithiau tebyg i rai'r Majestic mewn sinemâu llawn yng Nghonwy, y Drenewydd a Bangor. Fe ddechreuais gwmni adloniant gyda Vivian Williams o Hogia'r Wyddfa. Cofio llenwi pafiliwn mawr Corwen gyda dros fil o bobol, a llond gwlad o artistiaid yn perfformio. Fi, heb os, oedd un o gyflwynwyr prysuraf y cyfnod. Beth arall oedd ei angen arnaf?

Mae geiriau'r emyn 'O'r fath newid rhyfeddol a wnaed ynof fi' yn dweud y cyfan. Dwi ddim isio bradychu cyfrinachau neb, ond roedd fy mywyd mor chwit-chwat, gydag yfed a merched yn rhan annatod ohono – er y byddwn yn meddwi ar ogla corcyn potel o sieri. Petawn i mewn unrhyw waith arall mae'n debyg na fyddai merched yn edrych ddwywaith arnaf, ond am fy mod yn un o sêr y teledu roedd pethau'n rhy hawdd. Rhaid cofio mai un ar hugain oed oeddwn i, ac yn un o'r ychydig bobol Gymraeg ar y teledu, felly yn naturiol o annaturiol, mi gawn sylw, ac am dair blynedd bûm yn byw fel tywysog.

Beth ddigwyddodd, felly, ym mis Medi 1970? A bod yn hollol onest, erbyn heddiw dwi ddim yn gwybod! Ond ar y pryd, ac am flynyddoedd wedyn, roeddwn i'n credu i mi gael beth fyddai'r Beibl yn ei alw'n dröedigaeth. Tröedigaeth? Wel ia, swnio'n od, 'tydi? I beth ar wyneb daear oedd arna i angen tröedigaeth? Bu fy mywyd yn un rhuthr gwyllt – mynd, mynd a mwy o fynd. Y *sports car* bach coch yn gwibio fel mellten ar goll o fan i fan. Noson fan hyn, noson fan acw, parti fan hyn, parti fan acw, rhaglenni teledu fan hyn, rhaglenni radio fan acw – heb fyw yn unman go iawn, ond byw ym mhob man. Y Sunbury Hotel, Ffordd Casnewydd, Caerdydd, oedd y *base camp* i mi, a hynny am bymtheg swllt y noson. Gwely glân a llond bol o saim yn y bora. Digon o bob dim, tybed?

Wili 'mrawd hynaf yn cael ei sefydlu'n weinidog yn Llanrhystud oedd yr achlysur. Roedd gin i, fel gweddill y teulu, feddwl mawr o Wili – dyn gonest, parod iawn ei gymwynas bob amser, a Menna, ei wraig – hithau'n wraig gweinidog heb ei hail ac yn un a fu'n gefn mawr iddo drwy gydol ei yrfa. Teimlai Wili'n gryf iawn pan oedd yn ffermio mai gweinidog oedd o am fod, ac er iddo adael yr ysgol yn bymtheg oed, fe lwyddodd yn ddigon da yn y coleg i'w gymhwyso'i hun ar gyfer y weinidogaeth. Mae Wili bellach newydd ymddeol ar ôl oes o fod yn weinidog ffyddlon.

Doedd gin i ddim llawer o ddewis yn y cyfarfod pnawn i wneud dim ond gwrando ar y bregeth. Doedd dim ffonau symudol i'w hateb bryd hynny, a doeddwn i ddim wedi cynllunio i wneud unrhyw beth arall y diwrnod hwnnw. Does gin i'r un syniad beth oedd testun pregeth y Parch. Emlyn Richards, Cemaes, Sir Fôn, ond mi wn i i rywbeth, neu rywun, gyffwrdd â'm cydwybod drwy ei bregethu grymus. Fe deimlais yn euog fod fy mywyd ar gyfeiliorn, a hynny am y tro cyntaf ers amser maith. Er na theimlwn fy mod yn berson drwg, eto mi wyddwn fod rhywbeth mwy i fywyd na'r hyn roeddwn i'n ei wneud.

Ar y ffordd adref yn y car, roedd Dad yn dreifio, Mam wrth ei ochor, a minnau yn y cefn. Fel arfer, pan fyddai

Y Teulu

Teulu Bodffordd,1958. *Cefn:* Glyn, fi, Wili; *blaen:* Glenys, Mam, Dad, Valmai, Beryl.

Mam a Dad.

Fy rhieni yng nghyfraith – a fy narpar wraig!

Nain (mam fy nhad).

Priodi Ceri.

Mam a Iwan
(Nain Bodffordd wedi gwirioni).

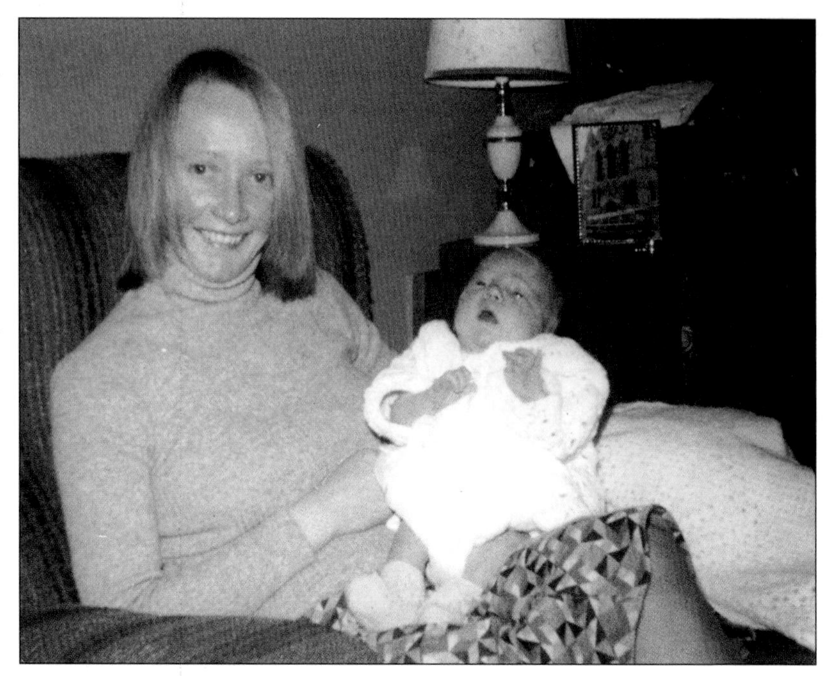

Ceri a Iwan.

Ceri yn mwynhau parti un o'r plant.

Ceri efo Sam a Tessa, y cathod.

Owain a Iwan yn Ysgol Glanrafon, yr Wyddgrug.

Owain – BBC Radio 2.

Owain – BBC Sport on 5.

Iwan, diwrnod graddio.

Rhieni balch.

Owain wedi gadael y nyth.

Owain ac Iwan yn Mexico.

Panad a thost efo Ceri.

Ceri, fy angor ym mhob storm.

THE COUNTY SECONDARY SCHOOL,
LLANGEFNI,
ANGLESEY.

HEADMASTER:
E. D. DAVIES. M. A.
TEL. 3112.

16th November 1961.

Idris Williams, 4 Bronheulog, Bodffordd, has been a pupil here since September 1958. He is a very pleasant, courteous, likeable young lad who will do well in an occupation where good personal relations are required. He is quick on the uptake, and has a delightful sense of humour and a ready wit. He is invariably the same temperamentally, always friendly and cheerful, shrewder than his years, and completely honest and trustworthy. There are few boys in the school whose company and comments I enjoy more than his.

E D Davies

Headmaster.

Tystlythyr gan brifathro Ysgol Gyfun Llangefni wrth i mi ymadael â'r ysgol yn 1961.

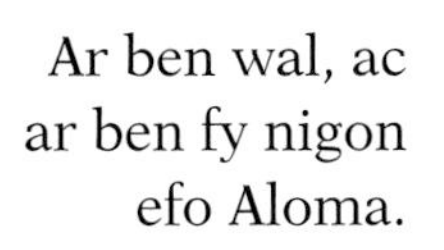

Ar ben wal, ac
ar ben fy nigon
efo Aloma.

Y wal yn fy
ngollwng… lle
aeth Aloma?

Cadair Idris yn
y cefn, 'ta bol
Idris yn y ffrynt
ydy'r mwya?

Tony a fi yn
cael her i wisgo
fel cardotwyr
yn Llandudno.

Rhywun 'di
gweld Tony?

Y fan hufen
iâ enwog.

Aelod o'r FWA
yn barod
i 'sgubo'r gelyn.

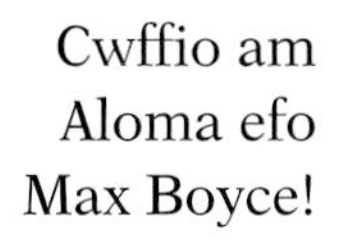

Cwffio am
Aloma efo
Max Boyce!

Tony yn brwsio 'ngwallt?

Fi 'ta'r ceir sydd wedi newid fwyaf?

Gwallt fel Elvis Presley!

Trowsus fel Tom Jones!

Nhad a finnau gyda'n gilydd, siarad a rhannu jôcs fyddan ni bob amser. Y noson honno doedd gin i ddim awydd, a dyma Mam yn dweud, 'Be sy'n bod, Idris bach? Ti'n ddistaw iawn, 'ngwas i.'

Yr unig beth fedrwn i ei ddweud, a hyd heddiw dwi ddim yn gwybod pam, oedd:

> Mi glywaf dyner lais,
> Yn galw arnaf fi.
> I ddod a golchi 'meiau i gyd
> Yn afon Calfarî.

Mi fu'r emyn yna'n adleisio yn fy mhen am ddyddiau. Doedd dim ateb, doedd neb yn deall. Doedd gin i ddim awydd mynd 'nôl i Gaerdydd, doedd gin i ddim awydd mynd am beint efo Glyn Cesh.

Fe es draw i Amlwch i weld tybed fyddai Catherine yn deall. Meddyliais y byddai euogrwydd y pechod rhywiol yn cael ei waredu, hyd yn oed, petawn yn mynd yn ôl i'r union fan y dechreuodd hynny i mi. Cyrraedd y tŷ yn ofnus. Fyddai hi'n maddau i mi? Fyddai hi'n fodlon ailddechrau perthynas efo fi? Wedi'r cyfan, hi oedd y ferch y byddwn yn mynd yn ôl ati ryw ddiwrnod. Mynd rownd y cefn yn ôl fy arfer, a'r drws ar agor. Gweiddi 'Oes 'na bobol?' fel y byddwn i. Dim ond ei thad oedd yn y tŷ, doedd o ddim yn iach ei iechyd. Ac yno roedd o, a'i wyneb yn edrych i mewn i'r tân.

'Idris,' medda fo mewn llais crynedig, 'how are you? Not seen you for a while.'

Am ryw reswm mae llawer o Gymry Cymraeg Amlwch yn siarad Saesneg. 'Chi'n iawn?' medda fi. 'Lle mae pawb?'

'In the wedding!' medda fo.

'Pwy sy'n priodi?' gofynnais innau. Wel, roeddan nhw'n deulu mawr.

'Catherine!' medda fo. 'She's getting married to a sailor in town today!'

Doedd 'na ddim ateb, ond dwi'n cofio bod yn gwrtais, a

dweud, 'Dwedwch wrthi fy mod yn dymuno yn dda iddi, a cofiwch fi at weddill y teulu.' Welais i byth mo Catherine wedyn, ac mi fentra i ddweud, o'r holl ferched dwi wedi'u nabod, hi ydy'r unig un yr hoffwn ei gweld eto, petai dim ond i ddweud sori!

Be ar y ddaear fawr o'n i'n mynd i' neud rŵan? Wel, ailafael yn y byd adloniant, be arall? Cael galwad gan Euryn Ogwen i fynd i lawr i Gaerdydd i'w weld. O leia mi fydda Euryn, yn ei ffordd ddihafal ei hun, yn siŵr o godi 'nghalon, fel y gwnâi bob amser. Mi soniodd fod gynno fo syniad am gyfres gomedi fasa fo'n hoffi ei thrio allan efo fi – gwneud sgetshys byrion, doniol yn arddull Benny Hill. Un fel 'na oedd Euryn.

'Wel sut wyt ti, yr hen foi? Yli, mae gin i syniad, a ti, yli, fasa'r gora i neud yr hen betha sgin i yn fy mhen. Ti'n fodlon?'

A chyn i mi gael cyfle i anadlu, medda fo, 'Mi wnei yn grêt.'

Fe gytunais, ac fe ges hwyl anghyffredin yn ffilmio ar strydoedd Caerdydd, wedi 'ngwisgo mewn pob math o ddillad gwahanol. Dwi'n cofio cael fy ngwisgo mewn arfwisg, a rhedeg i mewn ac allan drwy draffig y ddinas, a rhoi'r argraff wedi peth amser fy mod wedi rhedeg allan o betrol, a mynd i orsaf betrol i lenwi i fyny. Ro'n i'n ffilmio un diwrnod ar lawnt Castell Caerdydd, a phlant yn dod ataf gan weld y camerâu ac yn gofyn pwy oeddwn i: 'Are you famous?' Finnau ar y pryd yn gwisgo dillad oedd wedi cael eu hurio o Lundain, ac enw Benny Hill ar y cap. 'O,' medda fi, 'I'm Benny Hill!' a dangos yr enw ar y cap. Mi sgwennais ryw bymtheg, os nad mwy, o lofnodion yn enw'r digrifwr mawr. Os bydd llofnod Benny Hill ar werth ar eBay, falle mai fi sgwennodd o!

Yr un profiad arall dwi'n ei gofio ydy gwisgo fel dynes, a chael fy ngosod wrth bwll nofio awyr agored yng Nghaerdydd. Fe rybuddiais Euryn nad oeddwn yn gallu nofio.

'Mi fyddi'n iawn, yr hen foi,' medda hwnnw, fel tasa bywyd ei actor nerfus ddim yn bwysig. 'Mi weithith yn grêt, wsdi. Mi fydd dau hogyn ifanc yn dŵad a dy bwsio mewn i'r dŵr, yli.'

'Euryn,' medda fi'n grynedig, 'be ti am neud os gwna i foddi?'

'Ffonio John Ogwen neu Robin Gruffydd i gymryd dy le di,' medda fo, a chwerthin yn braf.

Wn i ddim hyd heddiw sut y des i allan o'r dŵr yn fyw, a fydda i ddim yn gwybod chwaith. Mae holl dapiau'r cyfnod, gan gynnwys *04, 05 Ac Ati,* wedi mynd i fol sbwriel Teledu Harlech.

Roedd pethau'n edrych yn addawol. Pleser mwyaf unrhyw berfformiwr yr adeg honno oedd cael gweithio efo Euryn Ogwen, ond roedd rhywbeth arall yn fy nghadw rhag derbyn ei gynnig i wneud cyfres – rhywbeth na wyddwn i ddim byd amdano. Doedd dim modd i mi dderbyn mwy o waith teledu na radio tra oeddwn yn y cyflwr crefyddol rhyfedd hwnnw. Beth oedd wedi digwydd? Ond, yn fwy pwysig, beth oeddwn i'n mynd i' wneud ynglŷn â'r peth? Fe es draw yn ôl i Lanrhystud i weld Wili 'mrawd, ac eistedd unwaith eto yng Nghapel Rhiwbwys i weld a oedd unrhyw atebion i'w cael.

'Falla,' medda Wili'n ddoeth fel arfar, 'fod y Bod Mawr yn dy alw i'r weinidogaeth, a fod ganddo fo gomisiwn arbennig i ti!'

Wel, os oeddwn yn gymysglyd fy meddwl cynt, ro'n i'n teimlo 'mod i'n mynd yn hollol boncyrs rŵan. Wrth gwrs, ceisiais gysuro fy hun. Doedd Wili ddim yn ymwybodol o 'nghyflwr anfoesol, anghristnogol i. Hogyn da Capel Gad oeddwn i iddo fo o hyd, yntê! Felly, roedd rhaid dweud wrtho, a chyffesu nad oeddwn bellach yn cadw at reolau'r Rhodd Mam, nac yn cadw at lwybr cul Hugh Roberts Talfryn, ddim yn gweddïo fel byddwn i yn y Seiat efo Nain, na chwaith yn cyfrannu at yr achos, na rhoi arian ym mocs y genhadaeth.

Doedd gin i ddim hyd yn oed focs. Sut felly oedd y Bod Mawr, yn ôl Wili, yn fy ngalw fi i'r weinidogaeth?

'Mae angen pobol fatha chdi yn y pulpud. Mae gin ti ddawn i dynnu pobol i mewn, 'sa ti'n gwneud yn dda.'

Ac off â fi i feddwl. Do'n i ddim isio gwybod dim mwy ar y pryd. Duw Hollalluog yn fy ngalw fi i dynnu pobol i'r capel? Wedi methu byw yn fy nghroen oherwydd y rhywbeth yma wnaeth ddigwydd i mi, bu'n rhaid cael gair pellach gyda fy mrawd. Y tro hwn bydda'n rhaid i mi fod yn barod i wrando ar yr hyn oedd ganddo i'w ddweud yn llawn.

Awgrymodd y dylwn edrych ar fywydau pobol oedd wedi gwadu'r ffydd, ac yna wedi troi yn ôl a chreu bywyd newydd iddynt eu hunain, ac i'w crefydd. Wnes i ddim stopio darllen llythyrau Paul at yr eglwysi, a rhyfeddu, nid yn unig at gyflwr rhai o aelodau'r eglwysi, ond at y modd y daeth Paul ei hun i dderbyn y ffydd Gristnogol. Dwi'n cofio meddwl mai pobol ofnadwy oedd aelodau'r eglwys yng Nghorinth, a Paul yn dweud, 'Oni wyddoch chi na chaiff y rhai anghyfiawn etifeddu teyrnas Dduw? Na thwyller chi...'

Wel dyna ni! Dyna'r ateb yn llawn, doedd dim gobaith i mi na nhw! Ond doedd pregeth Paul ddim wedi gorffen. 'A hyn *fu* rhai ohonoch chwi, eithr chwi a olchwyd, chwi a sancteiddiwyd, eithr chwi a gyfiawnhawyd yn enw yr Arglwydd Iesu Grist, a thrwy Ysbryd ein Duw ni.' Doeddwn i ddim yn deall popeth, ond roeddwn yn deall digon i wybod ei bod hi'n bosib fod Duw yn fy ngalw. 'A hyn *fu* rhai ohonoch chwi.' Roedd y gair *bu* yn allweddol iawn yn fy mhenderfyniadau nesaf. Os oeddwn i aros yn fy unfan, mi fyddai'r *bu* yn troi yn *mae,* y gorffennol yn troi'n bresennol, felly fyddai 'na ddim newid.

Ond y cwestiwn mawr oedd, a oeddwn i isio newid? Dyma fi ar begwn uchaf fy ngyrfa fel diddanwr proffesiynol yng Nghymru, popeth roeddwn i wedi breuddwydio amdano yn troi'n wirionedd dan fy nhraed. Roedd gin i yrfa, pres, *sports car* coch, ac roeddwn yn mwynhau bywyd i'r eithaf.

Eto i gyd, doedd dim amdani ond mentro i dir sanctaidd yr Eglwys. Y Parch. Brynmor Jones, a oedd yn weinidog yng Nghapel Gad ar y pryd, a berswadiodd Fwrdd yr Ymgeiswyr am y Weinidogaeth i roi cyfle i mi. Rhaid oedd cyffesu popeth. Y ffaith fod gennyf ferch y tu allan i briodas oedd y rhwystr mwyaf. Nid am ei fod yn fwy o bechod na dim arall, ond os oeddwn yn mynd i fod yn fyfyriwr am bedair blynedd, pwy oedd yn mynd i dalu am gadw'r ferch fach? Fe ddaethpwyd i drefniant, ac yn wyrthiol fe gefais fy nerbyn.

Yr hyn a wnâi bethau'n anodd oedd y ffaith i mi adael yr ysgol yn bymtheg oed, a dyma fi nawr yn dair ar hugain oed yn meddwl ailafael mewn addysg. Rhaid, felly, oedd gwneud dwy flynedd i baratoi cyn cael fy nerbyn i ddilyn cwrs diwinyddol ym Mhrifysgol Cymru, Aberystwyth. Llwyddais yn iawn; doedd dim arall ar fy meddwl. Fe aeth y newyddion fel tân drwy'r wlad, ac fe ddechreuodd y galwadau i mi fynd i bregethu lifo.

Dwi'n cofio'n dda iawn cael gwahoddiad gan Sasiwn Pwllheli i bregethu yn yr awyr agored yn haf 1971. Mi drysorodd Mam y siec o £3 am weddill ei bywyd. Fi a Hogia'r Wyddfa oedd ar lwyfan capeli'r dref a hithau'n noson braf. Finnau yn hynod nerfus, 'nôl yn y dref y cefais gymaint o groeso ynddi fel diddanwr, dim ond ychydig fisoedd ynghynt. Yn ôl yr heddlu roedd ymhell dros fil o bobol ar y sgwâr. Yr annwyl ddiweddar Barchedig Gareth Maelor alwodd arnaf ymlaen i ddweud gair. Roedd o ei hun wedi rhoi pregeth wefreiddiol cyn i mi agor fy ngheg – paratoi'r ffordd, falle? Fe gefais ymateb hynod gan y gynulleidfa; defnyddiais lawer o hiwmor yn fy mhregeth, ac roedd hynny o leiaf yn cael y gynulleidfa i wrando, os nad dim arall.

A doedd dim arall gin i chwaith. Er mor bleserus fu sefyll o flaen y gynulleidfa enfawr, yn siarad yn ddiddorol am y Bugail Da, a 'bod y rhai sy'n ei ddilyn yn adnabod ei lais…' doeddwn i fy hun ddim yn nabod y llais. Ai dyma oedd yn denu cynulleidfaoedd? Ai dim ond bod yn ddiddorol oedd ei angen? Beth oedd y gwahaniaeth rhwng hyn a'r Noson Lawen? Rhaid bod yna reswm amgenach i gael pobol i ddod i'r capel? Dyma'r cwestiynau oedd yn corddi yn fy isymwybod. Ai dim ond denu cynulleidfaoedd fyddai Evan Roberts adeg Diwygiad 1904? Roedd rhaid mynd yn ôl i ddarllen geiriau yr Apostol Paul, ac edrych eto ar y gair *bu*. Yn yr ail bennod o'i Lythyr Cyntaf at y Corinthiaid, mae Paul yn dweud nad drwy nerth a dysgeidiaeth dyn mae o'n pregethu, ond yn ôl yr hyn roedd yn ei dderbyn gan Dduw ei hun. Roedd hyn yn gwneud pethau'n gliriach mewn un ystyr ond yn anoddach mewn ystyr arall.

Un noson yn y Coleg Diwinyddol mi gerddais i mewn i ystafell David Norman Jones. Chwilio roeddwn am lyfr neu nodiadau am Pedr. Roeddwn wrthi'n trio paratoi pregeth ar y gŵr diddorol hwnnw. Cymro di-Gymraeg o Hwlffordd ydy David, ac fe ddaeth yn ffrind agos iawn i mi yn ystod fy nghyfnod yn y coleg. Y noson arbennig honno, mi fentrais ofyn iddo beth oedd Paul yn ei olygu wrth ddeud ei fod yn nabod Iesu Grist. Wedi iddo egluro gwir ystyr y Groes, a bod yr Iesu, drwy'r Ysbryd Glân, yn maddau, yn galw ac yn achub heddiw, fe ddisgynnais ar fy ngliniau ac wylo. Daeth edifeirwch a diolchgarwch ataf yn un! Fu pethau byth yr un fath wedyn. Roedd y Beibl rŵan yn gwneud mwy o synnwyr; roedd yna bwrpas cael pobol i'r capel. Ai dyma'r hyn roedd Wili yn ei olygu?

Fe gefais fy nghyhuddo o droi at yr Efengylwyr a gwadu fy ngwreiddiau Cristnogol. Ond doedd gin i ddim gwreiddiau Cristnogol! Ac os oedd gin i, yng Nghapel Gad, Bodffordd, roedd y rheiny, yn Eglwys y Methodistiaid Calfinaidd. Wedi deall, doedd 'na neb yn fwy efengylaidd na'r Methodistiaid, nac yn sicr yn fwy efengylaidd na John Calvin, y sylfaenydd. Wedi dod i ddeall hyn, dois i sylweddoli mai dyfrhau'r gwreiddiau, a'r rheiny bron yn farw, roeddwn i.

Yn dilyn hyn cefais flas rhyfeddol ar bregethu. Medrwn ddweud, heb fod gin i reswm i amau, mai 'Iesu Grist yw'r

Ffordd, y Bywyd a'r Gwirionedd. Nid yw neb yn dyfod at y Tad ond drwyddo Ef.' Dyma sylfaen gref i bregethu arni, ac mi wnes hynny yn ddigyfaddawd am flynyddoedd. Doedd gin i ddim cywilydd o'r Iesu croeshoeliedig, a drechodd y bedd er fy mwyn. Mi es yn ôl i Bwllheli'r flwyddyn wedyn gyda thân yn fy enaid. Pregethais yn swyddogol yn Sasiwn Pwllheli, ac yn answyddogol yn y farchnad.

Mewn un cyfarfod answyddogol roedd gang o fechgyn ifanc yn gwawdio, yn chwerthin ac yn ceisio rhoi taw arnaf. Roedd hyn yn rhoi mwy o bwysau arnaf i bregethu cariad Crist. Yna sylwais fod un o'r gang yn ddistaw, ac yn trio gwrando. Pwy oedd y gŵr ifanc, golygus hwnnw? Ddois i ddim i wybod tan y flwyddyn 1979, pan gefais wahoddiad gan Undeb Gristnogol Prifysgol Cymru, Aberystwyth, i siarad yn eu cyfarfod 'rôl y cwrdd yn Neuadd Pantycelyn. Fe gefais fy nghroesawu gan lywydd yr Undeb, a ddechreuodd ei groeso gyda'r geiriau, 'Fyddwn i ddim yma fel ymgeisydd i'r weinidogaeth oni bai am ein gŵr gwadd heno.' Aeth ati i adrodd y stori amdanaf yn pregethu ym Mhwllheli, ac yntau'n un o'r gang. Y Parch. Gwyn Rhydderch oedd y gŵr hwnnw, a dwi'n falch o ddweud bod Gwyn a finnau yn cael ambell sgwrs am y dyddiau a fu, ac am ei waith presennol gydag ieuenctid yr Eglwys Bresbyteraidd yn y Bala. Y noson honno ym Mhwllheli, fe gafodd Gwyn ei argyhoeddi o bechod ac o ras Duw, nid gan un oedd am gael pobol i'r capel drwy ddifyrru na chan un a geisiai fod yn ddoniol er mwyn denu sylw, ond gan un llawer mwy pwysig.

Roedd y cyfnod rhwng 1971 ac 1975 yn gyfnod cyffrous iawn. Roedd gin i gyfarfod gweddi ac astudiaeth feiblaidd yn nhŷ Mam ym Modffordd bob nos Wener tra oeddwn yn fyfyriwr. Unwaith eto, fel yn nyddiau'r teledu cyntaf i ddod i'r aelwyd, roedd y tŷ yn llawn, a Mam yn gwneud yn siŵr fod pob plentyn yn cael bisgeden neu sandwej 'rôl pob cyfarfod. Doedd dim golygfa well yn unman na gweld a chlywed y plant a'r bobol ifanc hyn yn canu am Iesu Grist. Doedd y rhan fwyaf ohonyn nhw ddim yn blant Capel Gad na Sardis, nac eglwys y plwyf, ond plant Bodffordd heb unrhyw gefndir crefyddol. Faint o werth oedd hyn yn y diwedd? Wn i ddim, ond fe gafodd y rhai oedd yn bresennol gyfle i glywed, a dyna oedd fy nghyfrifoldeb i.

Fe bregethais yn fy siwt wen ym mhob cwr o'r wlad, weithiau ar wahoddiad, weithiau o reidrwydd wrth i'r Ysbryd fy nghymell. Dwi'n cofio pregethu mewn disgo yn Llanrwst. Disgo'r Ddraig Goch oedd yn cynnal y noson, a finnau ar gais y capel lleol wedi cael gwahoddiad i bregethu i'r bobol ifanc. Doedden nhw ddim yn hapus fod yr idiot yma, a edrychai fel gwerthwr hufen iâ, wedi rhoi stop ar y disgo er mwyn iddo gael pregethu. Fe daflwyd cadair neu dair at y llwyfan mewn protest, ond fe welais un ferch ifanc oedd ar fin mynd i'r coleg yn gwrando'n astud, ac fe bregethais iddi hi, gan obeithio y byddai hi wedyn yn dylanwadu ar y lleill. Wedi'r cyfarfod, fe geisiais gael sgwrs â hi, ond y cyfan ddwedodd hi oedd ei bod yn poeni am adael ei chartref i fynd i'r coleg, ac ofn y temtasiynau. Nid oedd am ddweud mwy na hynny. Wn i ddim pam, ac wn i ddim beth ddigwyddodd iddi chwaith. Wrth edrych yn ôl, falle nad peth doeth oedd pregethu mewn awyrgylch o'r fath.

Mi fu Arfon Wyn a finnau yn efengylu'n ddi-baid am fisoedd lawer, ac yn cael cynulleidfaoedd mawr o bobol ifanc i wrando arnon ni. Roedd gan Arfon ddawn unigryw o sgwennu caneuon crefyddol a'r rheiny'n cyffwrdd â'r enaid.

Yn ystod fy nghyfnod yn y Coleg Diwinyddol rhaid i mi beidio anghofio fod pethau eraill yn digwydd yn fy mywyd hefyd. Roeddwn yn aelod o dîm pêl-droed y coleg oedd yn chwarae yn y Digs League, sef cynghrair llety'r myfyrwyr yn Aberystwyth. Roeddan ni'n ffodus fod llawer o fyfyrwyr y brifysgol yn lletya yn ein coleg ni – pobol fel Mike Thomas y capten, cawr o ddyn, ac yn galed fel gordd, ond yn ddyn addfwyn tu hwnt. Fo oedd y capten pan enillon ni'r gynghrair yn 1972. Yn y tîm hefyd roedd pump a ddaeth yn ffrindiau mawr i mi, sef Trefor Jones, Bob Newbold, Jock (dim ond fel Jock ro'n i'n ei adnabod), Martin Lloyd (Prifathro Ysgol Uwchradd y Preseli erbyn heddiw), a Mei Jones (ddaeth yn awdur y gyfres *C'mon Midffîld*). Felly, dyna fy nhrydydd *claim to fame*, sef bod yn yr un tîm pêl-droed â Wali Thomas!

Roedd Mei yn dipyn gwell pêl-droediwr na'r gweddill ohonom – doedd ryfedd, ac yntau wedi cael cap i Ysgolion Cymru. Er fy mod yn fychan o gorff, yn y gôl roeddwn i – y pengliniau ddim yn ddigon da i chwarae yn unlle arall – a Mei yng nghanol yr amddiffyn. Un gôl ar ddeg yn unig wnaethon ni eu hildio drwy'r tymor. Fi oedd yn cael y clod, ond Mei oedd y 'brens'. Roedd chwarae pêl-droed fel petai'n gyfle i mi edrych ar y byd go iawn. I fod yn bregethwr llwyddiannus, roedd yn rhaid cael fy llygaid yn edrych tua'r nefoedd a chadw fy nhraed ar y ddaear.

Tra oeddwn yn y coleg, es ati hefyd i sefydlu clwb pêl-droed ym Modffordd. Roedd Tommy Lee yn awyddus ers blynyddoedd i gael tîm go iawn fyddai'n rhoi cyfle i hogiau Bodffordd chwarae yn yr Anglesey League. Fe gafwyd cyfarfod yn yr ysgol, a phasiwyd yn unfrydol ein bod yn mynd ati i wneud cais i'r FAW am le yng nghynghrair Môn, ac fe gawson ni ein dymuniad. Fi oedd y rheolwr; wel, a bod yn fanwl gywir, fi fyddai'n gwneud y trefniadau. Cael benthyg cae gan Mr Robert Huw Roberts, Tŷ 'Rallt, a chael benthyg llofft stabl yn Talfryn fel ystafell newid – a honno hanner milltir o'r cae. Yncl Alun, yn ffyddlon drwy'r tymhorau, fyddai'n paratoi'r cae, nid yn unig trwy farcio'r llinellau yn hollol syth, ond clirio'r baw defaid a'r gwartheg cyn y gêm ar y Sadwrn hefyd. Os gwnes i rywbeth o werth i bêl-droed, efallai mai bod y cyntaf erioed i alw clwb yn y gynghrair yn CPD yn hytrach na'r FC oedd hynny.

Fe gawson ni lot fawr o hwyl, ond dim llawer iawn o lwyddiant. Un profiad i'w gofio oedd trefnu i fynd â llond bŷs i Anfield, cartref tîm pêl-droed Lerpwl. Roedd John Toshack ac Emlyn Hughes yn nhîm Lerpwl ar y pryd, ac roedd y ddau newydd agor siop gwerthu nwyddau chwaraeon ychydig y tu allan i'r ddinas. Fe drefnais gyda John Toshack ein bod yn ymweld â'r siop, a holi a allai o fod yn bresennol, er mwyn sicrhau mwy o werthiant. Allwch chi ddychmygu wyneb yr hanner cant yn cerdded i mewn i'r siop a chael eu croesawu gan ddau o chwaraewyr enwocaf y cyfnod?

Wedi cyrraedd y flwyddyn olaf yn y coleg, pedair blynedd a hanner o waith caled, roedd rhaid gwneud un o benderfyniadau mwyaf fy mywyd. Roeddwn wedi cael llwyddiant ar y pregethu, ac wedi gwneud yn ddigon da yn yr arholiadau. Oeddwn i am fynd i'r weinidogaeth yn llawn amser? Neu a oeddwn am fynd yn ôl i weithio a cheisio pregethu yn y gweithle? Y broblem fawr oedd gin i oedd diwinyddiaeth ryddfrydol y coleg. Os oedd y Beibl yn air Duw, ac os oedd Duw yn Hollalluog, ac os oedd Iesu yr un ddoe, heddiw ac yn dragywydd, sut, felly, fod yna amheuon am wirionedd y Gair? Os oedd Duw wedi creu y nefoedd a'r ddaear, pam nad oedd o'n gallu porthi pum mil o bobol efo pum torth a dau bysgodyn? Yn sicr roedd hynny'n llai o wyrth. Ac os oedd Duw wedi creu'r moroedd mawr, pam nad oedd o wedi agor y Môr Coch i Moses? Ac os dywedodd Iesu mai fo ydy'r unig ffordd at y Tad, pam felly bod gwirionedd mewn crefyddau eraill yn ogystal?

Doedd yr 'Iawn' a gwaed Mab Duw ddim mor bwysig â gweithredoedd da! Felly, beth oedd gan y ffydd Gristnogol i'w gynnig yn amgenach na chrefyddau eraill? Fedrwn i ddim cyfaddawdu. Fy nghred i oedd fod y Beibl yn wir o'r dechrau i'r diwedd, ac mai Iesu Grist a chroes Calfaria yw unig ateb dyn. Ond a oeddwn yn iawn? Ai wedi cael fy nylanwadu gan yr Efengylwyr oeddwn i? Cyn gwneud y penderfyniad terfynol, rhaid fyddai ymchwilio'n ddyfnach i hanes fy nghred. Pwy yw mawrion crefyddol ein cenedl a beth oedd eu cred nhw? – dyna'r cwestiynau cyntaf i'w hateb. Daniel

Rowlands a Howell Harris, y Tadau Methodistaidd, roddodd Gymru a Chymry ar dân drwy bregethu Gair Duw. William Williams Pantycelyn, y Pêr Ganiedydd, ac Ann Griffiths roddodd i ni emynau mawr a'r rheiny wedi'u seilio'n ddwfn yng ngwirionedd efengylaidd y Beibl. Yna Thomas Charles o'r Bala, hanner can mlynedd yn ddiweddarach, a sefydlodd Gymdeithas y Beibl. At y gŵr ysbrydol hwn y cerddodd Mari Jones i nôl Beibl. Ddechrau'r ugeinfed ganrif fe gododd gŵr ifanc ar ei draed i ysgwyd y Cymry oedd erbyn hynny mewn trwmgwsg ysbrydol. Fe bregethodd Evan Roberts, ac yntau'n llawn o'r Ysbryd Glân, mor angerddol nes i dros gan mil o eneidiau gyflwyno eu hunain o'r newydd i Deyrnas Dduw. Beth oedd gan y bobol yma'n gyffredin?

Heb os, roeddan nhw'n credu yng ngair sanctaidd Duw, a hynny fel y câi ei gyflwyno yn yr ysgrythur lân. Mi sylweddolais nad rhywbeth newydd oedd bod yn ffwndamentalydd, nid cred newydd gan ddyn oedd Efengyliaeth, ac nid rhyw deimladau gwantan, dros dro, oedd tröedigaeth. Felly, penderfynais na allwn fod yn onest â mi fy hun, na chwaith ag efengyl Iesu Grist drwy ymuno â'r enwad.

Fe dreuliais flwyddyn gyda'r Eglwys Efengylaidd, yn gyntaf oll ym Mhen-y-bont ar Ogwr gyda'r diweddar Barchedig Elwyn Davies. Fe allaf ddweud hyd y dydd heddiw na fûm mewn cwmni mwy ysbrydol na chwmni Mr Davies. I mi, roedd popeth a wyddwn am yr Iesu yn goleuo trwyddo. Roedd ei gariad tuag ataf a'i ddylanwad arnaf yn fawr iawn. Roedd Mrs Davies, fel fy mam, yn wraig a fyddai'n mynd allan o'i ffordd i roddi, a rhoddi oedd ei gweinidogaeth – rhoddi mewn cariad i bawb a alwai heibio. Roedd ganddi wên a fyddai'n denu pawb tuag ati, gan wybod fod y cyfan yn dod o ffynnon ddofn ei chariad at y Gwaredwr.

Wedyn, cefais gyfnod o dri mis ym Maesteg gyda'r Dr Eryl Davies. Os oedd gin i amheuon am wirionedd y Beibl cyn hynny, fe ddiflannodd drwy nerth pregethau'r Dr Davies. Roedd yn agor yr ysgrythurau o'n blaen, ac fe ellid clywed y

Tad Nefol yn 'amenio' ei bregethau, bron. Doedd dim yn fwy gwir ar wyneb daear na Gair Duw yn y Beibl, a'r cyfan oll mor syml ac eto mor ddwfn. Wedi'r cyfnod hwn, mi gredwn yn sicr fod pethau gwell i ddod i grefydd Cymru. Doedd dim rhaid aros llawer mwy; mi fyddai holl ffenestri'r nefoedd yn agor unwaith eto, dyfroedd Iachawdwriaeth yn tywallt i lawr, ac emynau William Williams ac Ann Griffiths yn cael eu canu heb 'run arweinydd, ond arweinydd côr mawr y nef.

Roedd hwn yn gyfnod gwahanol eto i mi, a'r pregethu'n bleser ac yn fraint. Cawn fy ngwefreiddio drwy wrando ar bregethau. Cofio gwrando unwaith ar y Parch. Vernon Higham, Mynydd Bychan, Caerdydd, yn pregethu ar fawredd Crist, a'i bod yn hanfodol i ni sylweddoli ei bwysigrwydd. Rhoddodd eglureb i'w bregeth drwy gyfeirio at emyn mawr Ann Griffiths, 'Wele'n sefyll rhwng y myrtwydd / wrthrych teilwng o'm holl fryd'. Aeth ati i ddangos profiadau'r emynydd yn yr emyn ardderchog hwn.

'Edrychwch,' meddai, 'ar y ffordd mae Ann Griffiths yn dod i adnabod ei gwaredwr fwyfwy yn mhob pennill.'

Ac yn wir mae hynny mor glir yn y pennill cyntaf – 'Er mai o ran yr wy'n adnabod / ei fod uwchlaw gwrthrychau'r byd'. Erbyn yr ail bennill, fe ddaw'r geiriau i ddweud ei bod yn ei adnabod yn well – 'Ar ddeng mil y mae'n rhagori / o wrthrychau penna'r byd'. Ond erbyn y pennill olaf, nid yn unig mae hi'n adnabod yr Iesu, ond mae'r Iesu yn fwy hyd yn oed na deng mil 'o wrthrychau penna'r byd':

> Beth sydd i mi mwy a wnelwyf,
> ag eilunod gwael y llawr?

Yna'r ddwy linell sy'n crynhoi'r cyfan:

> Tystio rwyf nad yw eu cwmni
> i'w gystadlu â'm Iesu mawr.

Yn ôl Ann, o'r holl bethau sydd yn y byd doedd dim i'w gymharu â'r Iesu. Oedd Ann yn iawn? Os nad oedd, yna pam ydan ni'n dal i ganu ei hemynau?

Wedi cyfnod ym Maesteg, symud i Gasnewydd, a gweinidogaeth wahanol y Parch. Graham Harrison. Wnes i ddim mwynhau fy nghyfnod yno, falle oherwydd na chawn y cyfle i fynegi fy hun fel cynt. Dwi ddim yn siŵr beth oedd Mr Harrison yn ei feddwl ohonof, a dweud y gwir. Wn i ddim oedd ei eglwys wedi gweld rhywun efo gwallt hir yn ei phulpud cyn hynny, chwaith.

Yn waeth byth iddo fo, ac i aelodau'r eglwys, fe syrthiais mewn cariad ag un o'r aelodau. Poen mawr i'w theulu – y rebel yma o'r Gogledd a fu unwaith yn cynnal nosweithiau llawen ar y Sul, ac a oedd yn dad i ferch y tu allan i briodas, ac wedi canlyn sawl merch cyn hynny, yn meiddio mentro i mewn i eglwys lân Efengylaidd, a dwyn un o'i merched. Doedd dim dyfodol i'r fath garwriaeth. Y ferch o dan sylw oedd Ceridwen Ruth Knight, hithau ar y pryd yn nyrs yn Ysbyty Llandochau. I mi roedd Ceri yn bopeth roedd ei angen ar ddyn i fod yn ffyddlon i Dduw. Roedd hi'n grefyddol, ond roedd ganddi synnwyr digrifwch iach. Do, yn erbyn ewyllys ei rhieni a chyngor ei gweinidog, bu Ceri a finnau yn gariadon am ddwy flynedd gron. Ond daeth bod yn gariadon i ben ar 5 Tachwedd 1977. Dyna'r diwrnod y daethom yn ŵr a gwraig. Ddeg mlynedd ar hugain yn ddiweddarach, 'dan ni dal efo'n gilydd, hithau'n fam i Iwan ac Owain, a'i chwmni yn dal yr un mor felys heddiw â chynt.

A minnau'n dal i garu efo Ceri, symudais i Aberystwyth i dreulio tri mis yn Eglwys Efengylaidd Gymraeg y dref er mwyn parhau â'm hyfforddiant. Dyma gyfnod gwerth ei gofnodi. Mae gin i atgofion melys tu hwnt am yr eglwys hon, a fyddai'n cyfarfod yn adeilad yr Urdd. Y Gweinidog oedd y Parch. Gordon Macdonald. Roedd o a Mrs Macdonald mor groesawgar a chariadus fel y gellid meddwl mai fi oedd y mab afradlon oedd wedi dod adref – falle bod hynny'n wir i raddau! Roedd Mr Macdonald yn hoff iawn o weddïo, a threuliais lawer orig fendithiol ar fy ngliniau wrth ei ochor, yn gwrando arno'n erfyn ar y Tad i ddod yn ei nerth i lawr.

Yn yr eglwys hon y cwrddais â Keith a Rhiain Lewis a'u plant – y teulu hapusaf welais i erioed. Mi gefais lawer o hwyl ar yr aelwyd, ac mi fydda i'n cofio Keith fel dyn yn llawn gras, a roddodd i mi gynghorion doeth lawer gwaith. Cefais fy nghynnal yn ariannol gan yr eglwys, a rhoddodd sawl aelod roddion ychwanegol i mi heb unrhyw ffws na ffwdan. Mae fy niolch yn fawr iawn i bob un ohonynt.

Fe gefais gartref dros dro hyfryd yno. Roedd Gwyn a Glenys Davies yn bâr delfrydol i wneud yn siŵr fy mod yn cael y gofal gorau posib, yn eu cartref cysurus ym Mhenparcau. Dyma ddau a gâi bleser yn croesawu myfyrwyr a dieithriaid ar eu haelwyd. Felly roeddwn yn cael bod yn rhan o fwrlwm ysbrydol aelwyd oedd wastad yn ceisio plesio Iesu Grist. Hawdd iawn mewn hunangofiant fel hyn yw gorliwio sefyllfa i wneud darlun gwell, ond yn yr achos hwn, does dim angen paent. Roeddwn yn ymwybodol o bresenoldeb yr Iesu drwy'r amser. Pe bawn am ddianc, doedd dim modd. Roedd yr awyrgylch o gwmpas y bwrdd bwyd mor fendithiol, y seiat nosweithiol a chael bod ar aelwyd heb deledu yn goron ar ôl diwrnod o waith – does gen i mo'r geiriau i gyfleu'r darlun cyflawn. Ma'r hiraeth am y cyfnod hwn yn gwneud i mi floeddio, 'Mae'r Haleliwia yn fy enaid i' ar adegau, ond... a ydy o? Wn i ddim.

PENNOD 13

Be nesa?

ROEDD Y FLWYDDYN YN un llwyddiannus a bendithiol. Ond daeth y cyfan i ben. Be nesa? Rhaid oedd chwilio am swydd. Fi, yr un oedd mor llwyddiannus fel diddanwr bum mlynedd ynghynt, wedi gwireddu fy uchelgais, a rŵan yn gorfod chwilio am waith. Be oedd yna i mi? Mi gefais gynnig swydd fel rheolwr siop lyfrau Gristnogol yn Wrecsam, a byw gyda'r Parch. Gwilym Roberts a'r teulu yng Nghaergwrle. Doedd dim dewis, ac yno y bûm am rai misoedd. Aelwyd braf iawn i fyw ynddi oedd honno, a Mrs Roberts yn fy atgoffa o Mrs Roberts Bryn Hyfryd gyda'i choginio ardderchog.

Doedd dim teledu ar yr aelwyd, gan fod y rhieni'n teimlo y byddai'n amharu ar addysg a chrefydd y plant. Tra bûm yno mi gefais sawl gwahoddiad i bregethu yng Ngwersyllt, y pentra agosa, a chan fod tŷ'r gweinidog yn wag, mi gefais gynnig byw ynddo yn ddi-rent am fy ngwasanaeth. Roedd hynny'n apelio ac mi wnes i waith mawr gydag ieuenctid y pentra. Fe ddechreuais glwb ar nos Wener, ac o fewn tri mis roedd festri'r capel yn llawn dop. Y broblem fawr wedyn oedd sicrhau rhieni plant y capel fod eu plant yn ddiogel yn cymysgu â phlant o gefndir digrefydd. Dwi wastad wedi cael y broblem honno, fel petai ar bobol grefyddol ofn y bobol o'r tu allan. Pam? Dwi erioed wedi cael trafferth gyda'r cyfryw rai.

Mi gawson ni dîm pêl-droed ac fe aethon ni ar deithiau, er nad oedd rhai o bwysigion y capel ddim yn teimlo y gallent fy helpu. Mi gefais gynnig bod yn weinidog ar y capel, wel a bod yn fanwl gywir, roedd rhai o'r aelodau am i mi fod yn weinidog arnynt. Fe ymddiswyddodd un gŵr pwysig fel cadeirydd y cyfarfod er mwyn iddo gael fy ngwrthwynebu, ac roedd Jeff Wyatt yn ddyn a chanddo ddylanwad mawr. Pan gynhaliwyd y bleidlais roeddwn i mewn cyfarfod yng Ngholeg y Bala. Ond fe gefais wybod mai Jeff a orfu wrth i'r bleidlais fynd yn fy erbyn. Doeddwn i ddim dicach, ac erbyn meddwl efallai mai Jeff oedd yn iawn.

Dyma pryd y dois i sylweddoli bod yn rhaid i mi fod yn amyneddgar iawn wrth chwilio am waith, er fy mod yn dal i gael fy nghyflogi fel rheolwr y siop lyfrau. Trio am waith yma ac acw fu fy hanes. Un ffactor a fu'n rhwystr mawr i mi bryd hynny, a hyd heddiw, oedd llenwi ffurflenni wrth wneud cais am swydd gan fod fy record addysgol yn ddigon rhyfedd ac anffafriol. Roeddwn yn 23 blwydd oed cyn llwyddo i gael 5 Safon 'O', yna yn 24 oed yn ennill un Safon 'A', ac yn 27 oed pan ges i ddiploma mewn diwinyddiaeth. Yna byddai'n rhaid i mi restru'r holl swyddi gwahanol, a'r rheiny mor amrywiol â Liquorice Allsorts Mr Bassett.

Wrth lenwi ffurflenni i wneud cais am swydd, neu wrth ateb cwestiynau gan y wasg, dwi'n teimlo dipyn o embaras ar adegau oherwydd i mi ymwneud â chymaint o swyddi ar hyd y blynyddoedd. Dwi'n falch o ddweud, fodd bynnag, mai unwaith erioed y bûm i allan o waith, a hynny pan oeddwn yn fy arddegau. Mae gwahanol resymau pam fy mod wedi gwneud cymaint o swyddi er mwyn ennill fy mywoliaeth, ac un ohonyn nhw oedd y busnes o fod yn berffeithydd. Pan fyddwn yn teimlo na allwn wella ar yr hyn roeddwn yn ei wneud, neu hyd yn oed gynnal y safon ro'n i wedi'i gosod i mi fy hun, yna byddwn i'n gadael. Os o'n i'n teimlo fy mod yn disgyn yn fyr o'r hyn roedd fy nghyflogwr yn ei ddisgwyl gennyf, mi fyddai'n rhaid i mi chwilio am rywbeth arall i'w wneud.

Erbyn i mi gyrraedd Wrecsam roeddwn i'n barod wedi gweithio, nid yn unig ar y fferm ieir gythreulig yna, ond mewn dwy siop hefyd; wedi gweithio yn achlysurol tu ôl i'r bar, wedi gwneud llu o raglenni radio a theledu, wedi gwerthu hufen iâ, trefnu nosweithiau o adloniant a pherfformio ar lwyfan. Pwy fydda am gyflogi un â'r fath gefndir? Neb!

Pan oeddwn yn Wrecsam fe gwrddais â Mr Davies a redai gwmni bysiau Williams a Davies. Prif waith y cwmni oedd cario plant i'r ysgol, a mynd ar ambell drip yma ac acw. Roedd Mr Davies yn aelod ffyddlon yng Nghapel Efengylaidd Caergwrle, lle roedd Gwilym Roberts yn weinidog, felly gwyddai amdanaf yn dda. Mi wyddai hefyd fy mod yn awyddus i briodi Ceri, ond fy mod angen swydd efo mwy o bres, a sicrwydd.

'I understand you're looking for a job, young man,' medda fo wrtha i ryw fora Sul 'rol y bregeth. 'Maybe I can help you, but I can't promise. Would you fancy driving a bus?'

'Driving a bus?' medda fi. 'Well, I've driven an ice cream van, and a tractor and trailer – on a field.'

Wnes i ddim dweud am faint na 'mod i 'di bod yn styc dair gwaith yn y giât, ac wedi achosi problemau mawr ar lôn Rhostrehwfa.

'It will only be part time,' medda fo, 'but what I can give you will at least help with your money situation.'

Do'n i ddim yn mynd i ddadlau.

'My son Wynn will teach you. You'll get on well with Wynn, he's a good lad.'

Ac mae'n rhaid cytuno mai *good lad* oedd, ac a fuodd Wynn hefyd. Fe fuon ni'n ffrindiau da am flynyddoedd. Dwi ddim wedi'i weld ers rhai blynyddoedd bellach. Gyda llaw, 'tydi'r byd 'ma'n fychan, 'dwch? Mae Terwyn, yr un oedd yn arfar bod ar Radio Cymru (Steve a Terwyn), wedi priodi Ceri Davies o Wrecsam, sef merch Wynn!

Wynn felly yn fy nysgu i yrru bỳs. Pasio'r prawf y tro cyntaf, ac off â fi i gario plant ysgol yn y bore cyn gwaith, ac yn y prynhawn 'rôl gwaith. Ambell i benwythnos roedd 'na drip i'w wneud, mwy o bres eto, efo'r tips ro'n i'n eu cael.

Roeddwn i'n mwynhau dreifio bysus yn fawr iawn, ac mi gefais gymaint o flas arni, pan welais hysbyseb yn yr *Evening Leader* am yrrwr bysus llawn amser, fe es amdani, a chael swydd gyda T Williams and Sons, Ponciau, Rhosllannerchrugog. Dreifio i fyny ac i lawr o'r Rhos i Wrecsam a Rhostyllen bob dydd o'r wythnos – grêt, cael cyfarfod â chymeriadau'r Rhos a Wrecsam, a hynny'n ffisig.

Er bod dreifio bŷs i fyny ac i lawr o Rosllannerchrugog i Wrecsam, siwrnai o ryw bum milltir go dda, bob hanner awr, bum niwrnod yr wythnos yn swnio'n eithriadol o *boring,* toedd o ddim, achos dydy pobol Rhos ddim yn bobol *boring*! Mi ddois i nabod cymeriadau hynod iawn wrth fod yn ddreifar bŷs i T Williams and Sons, Ponciau – rhai'n grefyddol ac yn hoffi dadlau beth yw gwir Gristion. Meddyliwch fod rhai isio trafod etholedigaeth y saint a'r Iawn ar Galfaria, mewn bŷs, a finnau'n dreifio. Rhai'n ymfalchïo eu bod yn aelodau o'r Capel Mawr, a bod Capel Mawr Rhos yn un o'r capeli oedd yn barod i wynebu sialens yr efengyl gymdeithasol. Eraill yn dadlau bod crefydd wedi marw, a bod dim lle i edrych 'nôl ar y gorffennol, gan anghofio mai yn y Ponciau, sy'n rhan o'r Rhos, y cafwyd cyfarfodydd mwyaf gwresog diwygiad 1904–05.

Yn y cyfnod rhyfeddol hwnnw rhoddwyd y gorau i redeg clwb pêl-droed y pentre a byddai emynau William Williams yn atseinio wrth i lowyr yr Hafod ganu i lawr yn y pwll wrth deimlo grym y nefoedd. Roedd, ac mae'n dal i fod felly, am wn i, mwy o enwadau crefyddol yn y Rhos nag mewn unrhyw le arall yng Nghymru. Nid yn unig roedd y Bedyddwyr a'r Methodistiaid, y Presbyteriaid, yr Annibynwyr a'r Wesleaid yno, ond hefyd roedd y Scotch Baptist o bawb, a'r Cambeliaid hwythau wedi cartrefu yno. O ble y daethon nhw, 'dwch?

Ond nid crefydd oedd unig destun sgwrs y bobol unigryw yma sy'n byw ym mhentref mwyaf Cymru. Roedd canu, a dysgu canu yn rhan naturiol o fagwraeth pawb, am wn i. Roedd y sol-ffa mor naturiol ag anadlu i'r plant ar un adeg. Roedd corau ym mhob capel, tafarn a chymdeithas, ac roedd pobol y Rhos yn ymfalchïo yn llwyddiant talentau'r fro, ac yn leicio siarad am hynny. Hawdd y gallen nhw hefyd, gan fod rhestr faith o unigolion a chorau o'r pentref wedi dod yn fyd-enwog.

Ond nid diwylliant o'r math yna oedd unig ddiléit y bobol yma, o na. Roeddan nhw'n gallu sgwrsio'n ddifyr ac yn awdurdodol am chwaraeon, boed hynny am glwb pêl-droed Wrecsam neu am y byd snwcer, darts neu *draughts*. A deud y gwir, mi fedra pobol y Rhos wneud i ddiferion glaw yn araf lithro lawr y ffenest swnio'n ddiddorol. Mae gan bobol y Rhos iaith a goslef hollol unigryw, a ffordd ryfedd o ofyn am rywbeth neu'i gilydd hefyd. Ambell dro mi fyddai dynes yn dod ar y bỳs, ac wrth dalu mi fyddai'n gofyn i mi, 'Ydy *fo* wedi mynd i dre?' Wel, y broblem oedd gin i, o'r holl bobol oedd 'di mynd i'r dre, pwy yn y byd mawr oedd '*fo*'? Felly dim ond un ateb oedd: 'Wel, dwi ddim 'di weld o.' Taswn i wedi gofyn pwy, fel ro'n i'n arfer neud ar y dechrau, yr un ateb gawn, ond gyda mwy o bwyslais ar 'y *fo*'. Wedyn mi fyddai rhywun ar y bỳs yn deud, 'roedd *fo* ar y bỳs cynt.' Wedyn roeddwn i'n cael tafod, 'Wel, be sy bod... ma hi'n deud bod *fo* ar bỳs cynt. Ti ddim yn gweld bore 'ma ne be?' Beth oedd yn od i mi oedd sut oedd pobol yn gwybod pwy oedd y '*fo*' neu '*hi*' dan sylw, oherwydd doedd o ddim yn dilyn bob tro eu bod yn cyfeirio at y gŵr neu'r wraig. Rhyfedd o fyd!

Dew annwyl, 'na chi brofiad ges i unwaith – gorfod dreifio bỳs yn llawn o gefnogwyr gwaetha tîm pêl-droed Wrecsam i Gillingham bell o bob man. Doedd yr M25, sy'n osgoi Llundain, ddim wedi'i hadeiladu, felly roedd rhaid mynd drwy ganol y ddinas. Ro'n i wedi cael cyfarwyddiadau ac wedi gwneud nodiadau, ond eto i gyd wedi cymryd oes a hanner i fynd drwy ganol y ddinas fawr, a thraffig a phobol fel cynhadledd morgrug – pawb fel petaen nhw ar yr un diwrnod ac ar yr un pryd yn union wedi penderfynu mynd i Sgwâr Trafalgar i fwydo'r colomennod. Welais i ddim ffasiwn bobol a cheir a bysus a loris yn fy nydd erioed. Ydy hi'n ddiwrnod marchnad 'dwch? medda fi wrth fy hun.

Y peth gwaethaf oedd fod rhai o'r hogia yng nghefn y bŷs yn eu helfen yn galw enwau a gwawdio pobol Llundain drwy'r ffenestri. Wedi mynd dros bont Waterloo, fe ddaeth galwad am y *loo*, a hynny ar bob un wan Jac o'r hogia, pawb efo'i gilydd fatha côr adrodd yn cyhoeddi eu bod nhw isio pi-pi yr un pryd. Wel 'na i chi job, trio perswadio'r dynion gwallgof hyn y byddai'n well iddyn nhw ddal eu dŵr nes y byddan ni'n nes at Gillingham.

'Mi bisa i ar dy seti di os ti ddim yn stopio, Ffati,' medda'r boi mwyaf un oedd ar y bŷs, a'i datŵs *home-made* yn fy atgoffa fod y boi yma dair *sandwich* yn brin o bicnic, a'i wallt coch yn fy atgoffa o'r athrawes maths yn Ysgol Llangefni. 'Satan Goch' oeddan ni'n galw honno; oedd hwn yn perthyn, 'dwch? Rhaid oedd cytuno i stopio yn y diwedd, ond doedd dim tŷ bach, na thŷ mawr, yn unman.

'Stopia yn fan'ma, Ffati,' medda Lucifer dros fy ysgwydd, a'i boer gwyn yn ffrothio rownd ei geg fawr hyll.

'Fedra i ddim,' medda fi. 'Dal arni am ryw filltir, ac mi fyddwn ni allan yn y wlad; mi ffeindia i gae i ti wedyn.' Dew, roedd y filltir yna'n hir, ac mi ges wbod hynny 'fyd gan y cawr coch, wrth iddo fytheirio. Fel tasa isio pi-pi yn effeithio ar bob modfedd o'i fodolaeth.

O'r diwedd, stopio ar ochor y ffordd mewn *lay-by*, pawb allan fel defaid o lori Glyn 'y mrawd slawer dydd, ond bod y defaid yn gallach! Fe gyrhaeddon ni Gillingham bum munud cyn y gic gyntaf. Wnes i ddim mynd i'r gêm, jyst aros ar y bŷs fy hunan bach. Na, peidiwch â theimlo drosta i – roedd hynny'n nefoedd 'rôl profi uffern ar ei waethaf. Mi wnes i addo i'r Hollalluog y byddwn yn hogyn da iawn am yn hir wedyn, jyst rhag ofn fod tragwyddoldeb yn uffern debyg. Wel, fedar o ddim bod yn ddim gwaeth.

Ond, os oedd y siwrnai i Gillingham yn ofnadwy, roedd y siwrnai adra fel dôs ddwbl am fy mhechodau. Dau beth achosodd i'r anifeiliaid rheibus yn y bỳs fynd dros ben llestri – Wrecsam yn colli, a *carburettor* y bỳs yn llenwi efo aer bob hyn a hyn a'r bỳs yn gwrthod mynd, felly byddai'n rhaid stopio ac ailgychwyn yn aml iawn. Fe gymerodd y siwrnai bum awr wyth awr a hanner i ni. Fi oedd i lanhau'r bỳs bore wedyn, neu a bod yn fanwl gywir, yn yr achos yma, carthu! Roedd fel bod yn ôl yn carthu cytiau ieir Ephraim – cefnau'r seddi wedi'u rhwygo, y ffenestri wedi'u peintio efo sôs coch a mwstard, ac ambell un wedi sgwennu neges i'r dreifar mewn coch a melyn del. Ond bod y sillafu'n warthus. Roedd y llawr yn un gyflafan o gymysgedd aflan – cwrw, nionod a sosejys cŵn poeth, a moron. O ble yn y byd y daeth y moron? Roedd digon o friwsion a chrystiau rhwng y seddi i fwydo'r pum mil oedd yn y gêm. Diwrnod cyfa o lanhau, a hynny ar y Sul!

Cefais brofiad arall cofiadwy wrth ddreifio bỳs hefyd. Gweithio'r tro yma i Wrights Pen-y-cae. Ro'n i 'di ffansïo gweithio iddyn nhw ers sbel, achos roedd ganddyn nhw fysus newydd sbon posh, ac roedden nhw'n gwneud tripiau i'r Cyfandir. Ar un o'r tripiau hynny y bu bron i mi lewygu wrth yr olwyn, a 45 o blant ysgol ac athrawon ar y bỳs. Mynd â phlant ysgol o Ellesmere Port i Reutlingen yn ne-ddwyrain yr Almaen, rhyw hanner can milltir o Stuttgart, oedden ni. Dau ddreifar yn rhannu'r gyrru i'r Almaen, un dreifar i aros yn yr Almaen am wythnos, a'r llall i hedfan adra. Fi arhosodd. Tra oeddwn yno mi ges amser da iawn a lot fawr o chwerthin. Gan fod ambell air Cymraeg yn debyg i eiriau Almaeneg, mi gefais lot o hwyl yn gwneud synau ieithyddol oedd yn debyg i'r Almaeneg. Roedd rhai o'r plant yn meddwl fy mod yn rhugl yn yr iaith, cystal oedd y dynwarediad!

Cawsom swper croesawu ar y drydedd noson, rhyw 70 ohonom, yn Saeson ac Almaenwyr a fi, llond byrddau o fwyd o bob lliw, llun a maint – bwyd nad oeddwn wedi clywed amdano, heb sôn am ei flasu, a'r gwin yn llifo fel dŵr mewn *car wash*. Dau neu dri o bobol bwysig yn dweud gair o groeso, yna dau neu dri'n derbyn y diolch am y gwahoddiad a'r croeso. Gan nad oes gin i fawr o ddiddordeb mewn cwrw na gwin, fi oedd yr unig un o'r oedolion oedd yn sobor, a dyma un o'r athrawon meddw'n cerddad ataf, fatha jeli Anti Lisi Cerrig Duon, a chyhoeddi rhywbeth a fu bron â rhoi'r farwol i mi.

'Our driver, this man here standing with me now,' meddai, 'would like to say a few words of thanks in German, as he is fluent in your language.'

O da iawn, medda fi wrth fy hun, cyn sylweddoli mai fi oedd y *driver* dan sylw. Cymeradwyaeth fyddarol – yr Almaenwyr wrth eu bodd a'r Saeson yn meddwl eu bod yn mynd i gael sbort am ben y Cymro bach. Wel, be o'n i'n mynd i' wneud 'te? Dyma fi'n codi ar fy nhraed a siarad sbwriel llwyr, mwy nag arfer. Sefyll ar ben bwrdd, a wel, 'A job worth doing is worth doing well', ac mewn acen oedd yn gymysgedd o acen Rhosllannerchrugog a Stuttgart, fe siaradais heb wên ar fy wyneb, am y trafferthion o'n i wedi'u cael gydag *exhaust* y bỳs, a fy mod wedi gorfod llithro o dan y cerbyd i geisio ei drwsio. Roedd pawb yn chwerthin – y Saeson am fy mod yn swnio mor gredadwy, a'r Almaenwyr am fod ambell i air yn swnio'n debyg iawn i eiriau Almaeneg. Fe ddois i ddeall wedyn fod y gair am fỳs yn debyg iawn i'r gair am byst. Felly roedd bod o dan y bỳs yn ddoniol iawn, a'r ystumiau'n ychwanegu at y ffars... ddweda i ddim mwy!

Tra oeddwn i yn yr Almaen, daeth neges i mi gan John Wright, un o gyfarwyddwyr cwmni Wrights, yn gofyn i mi ddreifio o Reutlingen i Zeebrugge yng Ngwlad Belg, siwrnai o bum awr. Croesi ar fferi o fanno i Dover am bedair awr, a byddai dreifar yn fan'no yn disgwyl amdanaf i ddreifio 'nôl i Ellesmere Port. Tipyn o siwrnai i mi, ond doedd dim dewis. O Reutlingen i Zeebrugge yn iawn, a minnau'n gwybod bod fy job i drosodd, gan y byddai dreifar arall yn Dover. Ond fi ydy fi, yn hytrach na chysgu ar y fferi, mi fûm yn siarad a chwerthin a jocian efo'r plant a'r athrawon am y pedair awr.

Cyrraedd Dover – ia, 'na chi, doedd y dreifar ddim yno. Disgwyl am oddeutu awr, yna penderfynu nad oedd dim amdani ond neidio i'r cab a ffwrdd â fi. O edrych yn ôl, dyna'r peth mwyaf gwirion wnes i erioed yn fy mywyd. Pan gyrhaeddais Ellesmere Port ro'n i'n swp sâl, yn wyn fel yr eira, a'm llygaid yn binc. Diolch byth nad aeth dim byd o'i le, a diolch hefyd fod y Llywodraeth bellach wedi gweld synnwyr i gyfyngu ar oriau dreifio bysus a lorïau. Un peth bach o ddiddordeb, wel na, peth mawr a deud y gwir. Yng Ngwlad Belg, ac wedyn yn yr Almaen, roedd yr arwyddion ffyrdd i gyd, pob un wan jac, yn iaith frodorol y wlad. Od 'te?

Pennod 14

Priodi Ceri a 'L' o job

Dydy petha byth yn hawdd, yn enwedig pan dach chi'n brysur, a dim digon o amser i ganolbwyntio'n iawn, ond er hyn daeth dau yn un. Priodi Ceri ar ddiwrnod oer yn y gaeaf, a diwrnod arbennig oedd hwnnw. Gwasanaeth hyfryd yn y capal, Ceri yn edrych ar ei gorau, y gynulleidfa yn morio canu. Mynd allan o'r capal a chlywed y fath sŵn, tân gwyllt yn hedfan i bob cyfeiriad drwy'r ffurfafen, welsoch chi erioed y fath olygfa! Ffantastig – wel, dyna be sy i' gael pan dach chi'n priodi ar 5 Tachwedd, siŵr gin i 'te! Ia, 1977 oedd hi, ac ma un peth yn sicr – wna i ddim anghofio'r dyddiad. Mynd ar ein mis mêl i Stratford-upon-Avon, lle braf a distaw.

Yn y cyfnod hwnnw roedden ni'n byw ym Mhen-y-cae, ger Rhos. Fe anwyd Iwan, y mab hynaf, yn Ysbyty Wrecsam yn 1979, ac roedd y diwrnod yn un hunllefus, a dweud y lleiaf. Roedd Ceri ac Iwan yn holliach, ond y noson honno roeddwn i wedi addo siarad â Chymdeithas Gristnogol Gymraeg Prifysgol Cymru, Aberystwyth. Gan fod pob dim yn ardderchog 'rôl yr enedigaeth, ac wedi i mi sicrhau fod fy mab a'i fam yn iawn, i ffwrdd â fi i Aberystwyth. Pregethu a gweddïo am yn ail ar y ffordd yn y car; roedd rhaid i mi fod ar fy ngorau am fod rhai o'r myfyrwyr yn bobol glyfar, ac yn gallu gofyn cwestiynau anodd. Roedd disgwyl i'r Dr Geraint Gruffydd, Dr Bobi Jones a'r Dr Gwyn Davies fod yn bresennol hefyd. Dwi'n gallu delio'n iawn efo pobol sy'n *meddwl* eu bod nhw'n glyfar, ond mae tri sydd *yn* glyfar yn fater arall!

Ta waeth, roeddwn i'n eithaf ffyddiog y byddai fy mharatoi trylwyr yn ddigon. Pe baen nhw'n anghytuno efo fi, mi fyddan nhw'n gorfod anghytuno efo Dr Martyn Lloyd Jones a C H Spurgeon, oherwydd cymysgedd o'u pregethau nhw oedd fy narlith i, beth bynnag. Ond, trychineb. Ar y pryd mi fyddwn i wedi bod yn ddiolchgar petai'r ddaear yn Aberystwyth wedi fy llyncu a fy chwydu 'nôl i fyny ym Mhen-y-cae. Stopio'r car ar ochor y ffordd cyn mynd i lawr i'r dref, teimlo'n nerfus ond yn hyderus yr un pryd ac estyn fy mraich yn ôl i sedd y car ble roedd fy nodiadau gwerthfawr.

Roeddwn i wedi treulio oriau'n lliwio'r prif bwyntiau efo beiros coch, glas a du, a phob lliw yn golygu rhywbeth gwahanol. Ond doedd 'na ddim lliwiau, doedd 'na ddim nodiadau, doedd 'na ddim Beibl. Dim byd o gwbwl. Biti mawr na fyddwn i wedi mynd â'r bwrdd coffi roedd Mam wedi'i roi i ni'n anrheg priodas efo fi, oherwydd ar y bwrdd coffi hwnnw roedd y nodiadau a'r Beibl. Ia, gormod o frys, ac anghofio eu rhoi yn y car. Wel, fasa ddim ots taswn i'n cyflwyno noson lawen, achos doedd ots be oedd rhywun yn ei ddweud yn y fan honno. Ond tri doctor, llond stafell o fyfyrwyr yn awchu am gael eu bwydo â rhywbeth fyddai'n cryfhau eu ffydd? Pwy a ŵyr, falla y byddai yn y gynulleidfa rywun oedd wedi cael gwahoddiad gan un o'r myfyrwyr i ddod i'r cyfarfod am y tro cyntaf.

Dyma gael fy nghyflwyno gan Gwyn Rhydderch y soniais amdano eisoes, a gafodd dröedigaeth ar y stryd ym Mhwllheli. Wedi i Gwyn ddweud pethau caredig amdanaf, fy nhro i oedd dechrau siarad. Sgwrs hanner awr, a hanner awr wedyn i ateb cwestiynau, dyna drefnwyd. Heb air o gelwydd, wedi'r gair i ddiolch am y gwahoddiad, doedd gin i ddim syniad yn y byd beth oedd fy mrawddeg gyntaf yn mynd i fod. Y peth mawr a phwysig o'm plaid oedd y ffaith fy mod yn nabod fy Meibl yn dda iawn, gan fy mod yn treulio oriau bob wythnos yn ei ddarllen a'i astudio. Felly dyma agor fy ngheg, a dyma'r geiriau'n dechrau llifo yn ddi-stop. Ddeugain munud yn ddiweddarach, roedd rhaid rhoi taw arni.

Dwi ddim yn cofio ateb cwestiynau; dwi ddim yn meddwl fod 'na gwestiynau, ond mi gofiaf ddiolchiadau'r Dr Geraint Gruffydd, ac yntau'n dweud eu bod wedi cael enghraifft berffaith o sut i bregethu neges fawr yr efengyl mewn ffordd syml a dealladwy. 'Ewch,' medda fo wrth y myfyrwyr, 'a chyhoeddwch neges Iesu Grist!' Fe fyddwn yn hoffi meddwl fod yr Ysbryd Glân wedi dod a gweld fy sefyllfa, ac wedi cymryd y cyfarfod drosodd. Mae cyfarfodydd fel yna yn llawer iawn rhy brin.

Fe ddaeth Iwan a Ceri adra o fewn dau ddiwrnod, yn llawn bywyd. Dyma pryd y cododd yr awydd arnaf i bregethu unwaith eto. Dydy hynny erioed wedi fy ngadael mewn gwirionedd, dim ond ei fod yn gryfach ar adegau. Ac ar un o'r adegau yma y teimlais fod yr alwad yn rhy gryf i'w hanwybyddu.

Yr adeg honno roedd un o'm cyd-fyfyrwyr yn y Coleg Diwinyddol yn Aberystwyth bellach yn weinidog yng Nglannau Dyfrdwy, ac yn ôl y sôn yn denu cynulleidfaoedd da iawn i'w eglwys. Dyma benderfynu mynd draw i'r eglwys un bore Sul, a chael y lle'n llawn dop. Pobol garedig yn y drws yn ein croesawu, ac yn estyn cadeiriau i ni. Awyrgylch hyfryd, a phregeth o awr. Ma'r Parch. Peter Milsom yn un o'r bobol hynny sy'n gallu pregethu'n ddifyr ac yn ddwfn, gan wneud i'r athrawiaethau cymhleth wneud synnwyr. Roedd cwestiynau mawr a dyrys, megis yr Iawn, Etholedigaeth, y Drindod Sanctaidd a'r pethau pwysig fel cariad, amynedd a gras Duw, y cyfan oll yn swnio mor naturiol o wir yn ei bregeth. Biti na fasa fo efo fi ar y bŷs o'r Rhos! Roedd proffwydi'r Hen Destament yn gymeriadau go iawn, nid cymeriadau mewn nofel neu ffuglen. Roedd disgyblion Iesu Grist yn bobol normal oedd yn gwneud camgymeriadau fatha fi. Dawn a ffyddlondeb Peter a'm denodd i Lannau Dyfrdwy. Prynu tŷ yn Mancot, a dod yn aelod yn Eglwys

Efengylaidd Glannau Dyfrdwy.

Ond roedd angen gwaith arnaf, felly wrth chwilio am dŷ, a gwerthu'r tŷ ym Mhen-y-cae, dyma fi'n darllen hysbyseb yn y *Wrexham Leader* bod y Supreme School of Motoring yn chwilio am hyfforddwyr gyrru – 'training will be given'. A bod yn hollol onest, doeddwn i ddim yn meddwl bod angen y 'training' arnaf fi; wedi'r cyfan roeddwn i wedi dreifio bysus deugain llath o hyd o amgylch strydoedd culion y Rhos, heb sôn am ddreifio bŷs Volvo newydd sbon danlli i'r Almaen, a dod â hi 'nôl heb strach.

O diar, doedd dim byd ymhellach o'r gwir! Roeddwn i fel pob gyrrwr arall, am wn i, wedi codi arferion drwg o bob math. Doedd croesi dwylo ar yr olwyn na dreifio efo un llaw ar yr olwyn tra bo'r llall ar y gêr ddim yn dderbyniol, mwy nag oedd torri corneli a chroesi llinellau gwyn yng nghanol y ffordd. A phan ddaeth yn amser i ateb cwestiynau yr Highway Code, rheolau'r ffordd fawr, fe sylweddolais fod angen llawer iawn o 'training' arnaf.

Swydd fel *trainee driving instructor* ges i i ddechrau a chael trwydded hyfforddwr dan hyfforddiant am gyfnod. Roedd hyn yn golygu cael gwersi yn y dosbarth, yn ogystal â mynd ar y ffordd i hyfforddi, a chael fy asesu bob mis. Ar ôl hyfforddiant o bedwar mis fe ddaeth diwrnod y prawf! Mynd i Gaer i gyfarfod â'r arholwr, a hwnnw'n hen foi iawn, a deud y gwir. Awr o ddreifio o gwmpas Caer i ddechrau – rhaid oedd bod yn hynod o ofalus oherwydd y strydoedd unffordd a newidiadau yng nghyflymder y ffyrdd. Roedd yr arwyddion fel hunllef yn neidio o 'mlaen i – 30, 50, 30, 40, 50, 70, 40, 30. 'Daria, be 'di'r cyflymder yn fama rŵan?' oedd y geiriau a atseiniai yn fy mhen drwy'r awr gyfan. Wedi'r dreifio, awr arall i brofi fy ngallu i hyfforddi. Fo, yr arholwr, yn cymryd 'rôl y disgybl – i ddechrau yn yrrwr a gawsai hanner dwsin o wersi gan ysgol yrru arall cyn dod ataf fi; yna, yn ail, fel un oedd wedi sefyll ei brawf gyrru ac wedi methu; ac yn olaf, fel hogyn ifanc oedd yn gwybod y cwbwl ac wedi cael ei hyfforddi gan ei dad, oedd erioed wedi pasio prawf gyrru!

Methu'r prawf wnes i er mawr siom i bennaeth y Supreme Driving School. Fi oedd y cyntaf erioed i fethu o'r ysgol honno. Be ddigwyddodd oedd fod yr arholwr wedi mynd i ista yn sedd y gyrrwr a chymryd arno ei fod wedi bod efo ysgol arall am gyfnod.

'Right,' medda fi yn llawn hyder, 'the best thing for me to do is to assess you. Please move off when you're ready.'

'Are you sure you're ready for me to go?' gofynnodd o, gan actio yn anarferol o nerfus.

Cyfle da, felly, i mi ddangos fy awdurdod a manteisio ar y cyfle i sicrhau'r gyrrwr nerfus fy mod yn gwybod yn iawn beth oeddwn yn ei wneud, ac y gallai ymddiried yn llwyr ynof. 'Yes, everything is fine. Just make sure that you check your mirrors before you move out.' Ew, o'n i'n falch i mi ddeud hynna.

Yn grynedig eto, medda'r dyn (o'n i 'di anghofio bron mai fo oedd yr arholwr, cystal oedd ei actio!), 'Are you very sure I can drive off now, Mr Williams?'

'Yes,' medda fi yn awdurdodol. 'Move, or the lesson will be over – ha ha ha!' Dipyn o hiwmor yn ddim drwg, 'swn i'n meddwl.

Ar hynny dyma fi'n cael fy nharo gan ei eiriau, nes o'n i'n plygu mewn cywilydd. 'Well, you see,' medda fo, yn dal yn y cymeriad nerfus crynedig, 'my last driving instuctor made sure I had my safety belt on first. Would you like me to put it on?'

Doedd dim ateb, a chafodd o 'run. Ond fe es am brawf yr ail dro, a llwyddo.

Wedyn roedd y syrcas yn dechrau, wrth i mi fynd allan i hyfforddi go iawn. Ro'n i'n chwerthin nes 'mod i'n sâl yr wythnos gyntaf; wel, roedd yr holl brofiad mor ddoniol: 'Trowch i'r chwith, os gwelwch yn dda' – yr *indicator* yn fflachio i'r chwith, a'r car yn troi i'r dde. 'Rhowch eich troed reit i lawr ar y *clutch*... wps, naci, y brêc oedd hwnna...' 'Dach chi 'di clywed y record *The Driving Instructor,* gan Bob Newhart? Wel, dyna fy mhrofiad i, ac os ca i wahoddiad i fynd ar un o raglenni Radio Cymru i ddewis fy hoff recordiau eto, mi fydda i'n gofyn am honno.

Oes, ma 'na lawer i stori ddoniol am fod yn hyfforddwr gyrru. Mrs R. o Fwcle yn dod i'm cof yn syth. Roedd gŵr Mrs R. wedi cael *redundancy pay* o'r gwaith dur yn Shotton, ac mi feddyliodd Mrs R. y byddai tipyn o'r arian yn cael ei fuddsoddi mewn gwersi gyrru iddi hi. Gall rhai pobol ddreifio'n syth heb fod angen fawr o gymorth, ond mae angen amynedd a disgyblaeth ar eraill. Ond Mrs R.? Mi fyddai Job ei hun wedi cael llond bol ac wedi mynd adra i sylcio! Wedi pymtheg gwers roedd yn rhaid ei hatgoffa o hyd, druan bach, sut i gychwyn yr injan.

'Do I turn the key down towards the floor, Mr Williams?'

'Yes, Mrs R.'

'Like this?'

'Yes.'

'Did I do alright? Has it started now, Mr Williams? I think I can hear it, can you?'

'Yes.'

'Did I do alright, Mr Williams?'

'Yes, Mrs R.'

Roedd hyn yn digwydd gyda phob tasg: gwasgu'r *clutch* i mewn, rhoi'r car mewn gêr, gollwng y brêc llaw, a chodi'r *clutch* – a hynny ym mhob gwers am wythnosau.

'Mrs R.,' medda fi ryw ddiwrnod, 'I'll write everything down for you, so that you can learn it, and next week you'll remember everything.'

'Thank you, Mr Williams. You will write everything down for me on a piece of paper, yes?'

'Yes.'

'And then I will learn it.'

'Yes.'

Fe ddaeth yr wythnos wedyn, ac fe ddaeth Mrs R. yn ôl ei harfer am ei gwers. Dyma'r peth mwyaf rhyfeddol welais i yn fy mywyd yn digwydd. Roedd Mrs R. wedi cael rhywun i deipio fy nodiadau'n fras iddi ar ddarn o bapur A4, ac o amgylch y papur roedd Mrs R. wedi rhoi selotêp trwchus. Dyma hi'n mynd ati i sticio'r papur ar ffenest flaen y car, ia, ar y *windscreen.*

'What are you doing, Mrs R.?' gofynnais.

'Well, you see, Mr Williams, by having the paper in front of me I can read it, and then you won't have to tell me what to do!'

Mrs R. oedd yr unig berson erioed i mi fethu â'i dysgu. Tasa hi wedi gwario pob punt o bres *redundancy* ei gŵr, fydda hi'n dal i ddysgu hyd heddiw.

Roedd y cyfnod yma'n gyfnod hapus iawn. Fe anwyd Owain, brawd i Iwan, yn Ysbyty Mancot yn 1981. Mynd yn ffyddlon i'r Eglwys Efengylaidd ar y Sul, a dysgu pobol i ddreifio erbyn hynny i gwmni fy hun y chwe diwrnod arall. Ia, chwe diwrnod, doeddwn i byth yn gweithio ar y Sul. Wel, a bod yn hollol onest, doeddwn i ddim hyd yn oed yn derbyn galwadau i gael busnes ar y Sul. I mi y pryd hynny, roedd y Sul yn perthyn i Dduw, a dim ond y Fo oedd yn cael fy amser: dim teledu, dim dyn llefrith, dim mynd i'r siop, a dim teganau i'r plant gael chwarae. Pum mlynedd go dda y parhaodd hynny.

PENNOD 15

Colli Mam

MA GEIRIAU CÂN TONY 'Wedi Colli Rhywun sy'n Annwyl' yn golygu cymaint i lawer o bobol, a dyna'n wir sydd gyfrifol am ei llwyddiant. Ma Tony yn canu o brofiad gan iddo golli ei fam yn ifanc iawn, a daw'r profiad hwnnw i wynebu'r rhan fwyaf ohonom ar ryw adeg yn ein bywydau. Roedd Mam yn wraig go arbennig, yn llawn hiwmor a chariad, dwy elfen hanfodol i fod yn fam ar aelwyd Charles. I bob pwrpas, dod i weld Dad fyddai'r ymwelwyr i'n tŷ ni; anaml iawn y byddai Mam yn cael y sylw ar stepan y drws. 'Ydy Charles i mewn?' neu 'Ydy dy dad i mewn?' fyddai'r cyfarchiad bob tro.

Wrth edrych 'nôl ar fy mywyd, dwi'n gweld llaw Mam arnaf o'r dechrau tan ei marwolaeth yn 1982. Roedd bod yn fam dda pan oedden ni'n blant yn rhywbeth digon naturiol, fe wyddai beth oedd ei dyletswyddau yn well na neb. Ond wrth i mi dyfu'n hŷn, fe ddylai ei chyfrifoldebau fod wedi lleihau, ond ymateb i bob cais yn bositif fyddai Mam. Pan anwyd Iwan ac Owain, gallwn dyngu ei bod yn nain am y tro cynta, ac mai dim ond Iwan ac Owain oedd yn bwysig iddi, ond roedd yn nain i chwech arall cyn hynny, a phob un o'r lleill hefyd wedi cael yr un sylw. Roedd bod yn fam ac yn nain yn rhywbeth oedd wrth ei bodd.

Dwi'n cofio bod adra yn Bodffordd yn cael swpar efo Mam nos Fawrth, 28 Medi 1982. Fe gawsom amser anarferol o hapus efo'n gilydd, a minnau'n teithio 'nôl i Lannau Dyfrdwy yn ddyn bodlon fy myd. Y noson wedyn, Glenys fy chwaer yn fy ffonio i ddweud bod Mam yn wael iawn, ond doedd hyn ddim yn rhywbeth diarth i ni gan fod Mam yn cael trafferthion gydag ymosodiadau creulon o'r fogfa. 'Ma Dr Jones yma rŵan. Aros, mae o'n dŵad i lawr y grisia,' yna saib oedd yn ymddangos fel oes – ac yna clywed y geiriau mwyaf ofnadwy glywswn erioed, geiriau na ddychymgais eu clywed am y person oedd yn fam ryfeddol. 'Ma Dr Jones yn dweud fod Mam 'di marw.'

Mam 'di marw. Roedd hynny'n golygu na welwn byth eto ei gwên siriol, mewn storm neu hindda, na chlywn eto ei geiriau o ganmoliaeth pan fyddai pawb arall yn beirniadu, na theimlwn eto'r llaw dyner yn rhoi deg punt a mwy i dalu petrol pan oedd fy waled yn wag. Mi fasa rhywun wedi medru fy nharo i lawr efo pluan... doedd Mam ddim i fod i farw! Doedd y peth ddim yn rhan o'm cynlluniau – roedd Mam i fod yno am byth. Mi wn i bobol geisio fy nghysuro drwy ddweud y byddai Mam yn dal i edrych ar fy ôl.

Rhuthro i Sir Fôn i weld y teulu. Pawb o dan gwmwl, nid jyst y teulu, ond pentre Bodffordd gyfan. Ma Anti Jini wedi marw oedd ar wefusau'r plant a'r bobol ifanc. Roedd gan bawb eu hatgofion, am wraig ddistaw ddi-ffws a roddodd y cyfan i eraill, ac yn arbennig i Nhad.

Bum mlynedd wedyn fe ailbriododd Nhad, a hynny gyda'r wraig oedd wedi dod i fyw drws nesa iddo. Does dim amheuaeth na wnaeth hyn fy nhad yn hapus, yn hapus iawn a dweud y gwir, mor hapus nes ei bod hi'n cael mynd efo fo i bob man. Fe ddaeth Maggie Rowlands yn un o ffyddloniaid cast *Pobol y Cwm*, er na welwyd hi erioed ar y teledu, wrth reswm. Ble bynnag byddai Nhad, yno y byddai hithau hefyd; wel iawn, am a wn i – roedd yn mynd i dipyn o oed ac roedd arno angen cwmni.

Ond ma'n rhaid dweud i Nhad newid ei agwedd yn fawr tuag aton ni fel plant, a ninnau bellach wedi tyfu ac wedi priodi. Nid dweud hyn mewn ffordd gas, feirniadol ydw i, ond mynegi ffaith, gan fod rhywun arall rŵan yn mynd â'i fryd. Dim ond tair blynedd gwta y bu'n briod â Maggie

– bu farw'n sydyn ar 19 Ionawr 1990. Roedd wedi cwtogi ar y gwaith a wnâi, a fyddai o ddim yn ymddangos ar *Pobol y Cwm* – wn i ddim beth ddigwyddodd i Harri Parri. Fe gawson ni awgrym nad oedd pethau'n dda iawn pan aeth yn sâl mewn cyngerdd roedd o i fod i'w arwain yn ardal Pwllheli efo Hogia Llandegai. Gwneud ffafr i'w gyfaill, Gwilym Griffiths, Llwyndyrys, oedd o ar yr achlysur hwnnw. Roedd ganddo feddwl y byd o Gwilym – y ddau yn rhannu'r un synnwyr digrifwch. Mi gofiaf i Gwilym gysylltu yn syth wedyn i ofyn sut roedd Nhad, a ninnau'n gwybod fawr ddim am ei salwch.

Yn ôl yr arbenigwyr roedd yn dioddef o ganser yn ei wddf, ac fe gawsom ein rhybuddio y byddai diwrnod yn dod pan na fyddai'n gallu siarad o gwbwl, heb sôn am fedru actio. Mi fyddai hynny wedi bod yn greulon iawn i un oedd wedi dibynnu cymaint ar ei lais. Ond nid yr aflwydd yna ddaeth â thaith ei fywyd i ben, fodd bynnag. Dwi'n cofio ei ffonio fo amser cinio, a chael ei fod yn ei wely efo cur yn ei ben. Erbyn y noson honno roedd wedi marw; gwaed wedi ceulo yn yr ymennydd oedd y broblem, meddai'r meddyg.

Mi wn nad oes ffordd hawdd o farw, ond wrth edrych 'nôl falle mai dyna oedd orau, yn hytrach na'i fod wedi dioddef y canser. Mi fyddai wedi bod yn anodd dygymod â'r ffaith fod Charles Williams, yr actor a'r dyn ffraeth, yn methu siarad. Dwi ddim yn gwybod faint o arian oedd yn ei stad pan fu farw, gan na ddaeth yr un geiniog i ni fel teulu. Maggie a'i theulu hi etifeddodd y cyfan. Fe newidiodd ei ewyllys bum mis ar ôl priodi. Os mai dyna ei ddymuniad, yna rhaid parchu hynny – roedd ganddo'r hawl i wneud fel y dymunai â'i arian. Erbyn hyn ma Maggie hithau wedi marw, a rhaid cyfaddef 'mod i'n ffeindio pethau yn ddigon anghyfforddus y dyddiau hyn, a'r BBC neu S4C yn cysylltu efo fi pan fydd ailddarllediad o raglen a Nhad wedi cyfrannu iddi. Caiff yr arian mawr ei roi i feibion Maggie. Rhyfedd o fyd!

PENNOD 15

Ponciau Rhos

TRA OEDDWN YN YR eglwys yng Nglannau Dyfrdwy roeddwn i'n cael cyfle i bregethu unwaith y mis, a hynny yn Saesneg. Wrth reswm, fel un a gawsai ei fagu ar y Beibl Cymraeg ac emynau William Williams ac Ann Griffiths, doedd pregethu yn yr iaith fain ddim yn hawdd, a doedd darllen y Beibl yn yr iaith honno ddim yn hawdd chwaith. Yn aml iawn, yr hyn byddwn i'n ei wneud oedd cyfieithu fy mhregethau Cymraeg i'r Saesneg, gan nad oedd amser i baratoi pregethau newydd. Cofio unwaith ddechrau cyfieithu pregeth ro'n i wedi'i chyflwyno sawl gwaith yn Gymraeg ar Shadrach, Mesach ac Abednego yn y ffwrn. Er i mi ei chyfieithu ar bapur, wnes i erioed ei phregethu yn Saesneg. Wel, sut oedd hogyn o Bodffordd yn medru deud Shadrach, Mesach ac Abednego yn Saesneg?

Roeddwn yn gweld eisiau sŵn yr efengyl yn y Gymraeg yn fawr iawn, ac fe soniais wrth y gweinidog am hyn. Cytunodd y byddai'n syniad da i mi gynorthwyo'r enwadau Cymraeg ar ambell i Sul. Fel ma pethau'n digwydd, trefn Rhagluniaeth neu gyd-ddigwyddiad rhyfedd, 'mhen pythefnos o gael y sgwrs gyda'r gweinidog, bu'n rhaid i mi fynd ag un o'r bobol ro'n i'n rhoi gwersi gyrru iddyn nhw o'r Hob i gael ei phrawf yn Wrecsam. Do'n i erioed 'di bod yno â rhywun i gael prawf cyn hynny. Wrth i mi ddisgwyl am y disgybl mi godais sgwrs â hyfforddwr arall.

'Chi'n siarad Cymraeg, yn dydych?' medda fo. 'Roeddech chi'n arfer dreifio bysus yn Rhos, yn doeddech?' medda fo wedyn. 'Ydych chi'n dal i bregethu?' gofynnodd ar yr un gwynt. 'Fedrwch chi roi Sul i ni yn Seion, Ponciau?' meddai gan estyn ei lyfr cyhoeddiadau o boced ei gôt. ''Di ddim yn hawdd llenwi Suliau dyddiau yma.'

Yr hyfforddwr gyrru hwnnw oedd – y diweddar erbyn hyn – Noel Williams, blaenor ffyddlon yn Seion, Ponciau. Fe gytunais i fynd yno i bregethu o fewn y mis. Galwch fi yn be fynnoch, ond mi greda i'n gydwybodol fod dylanwad Diwygiad 1904–05 yn parhau yn Seion. Yn yr adeilad hwnnw cafwyd ymweliadau pwerus gan yr Ysbryd Glân ac yn yr union adeilad daeth llu o drigolion yr ardal o dan rym tosturi Duw. Roedd hyn flynyddoedd cyn yr heip efengylaidd sy'n dod o'r Unol Daleithiau ar y teledu heddiw.

Pobol gyffredin yn plygu glin i werthfawrogi cariad a gras yr Hollalluog, pobol gyffredin yn cyffesu eu pechodau, a phobol gyffredin yn dod yn saint dros nos. Fe gyffelybir y diwygiad yn Seion i'r hyn a ddigwyddodd ar ddiwrnod y Pentecost cyntaf yn Llyfr yr Actau. Mae'r hyn oedd yn wir bryd hynny yn wir heddiw – dim ond drwy ddawn a nerth yr Ysbryd Glân y gallwn wir werthfawrogi Duw. Gallwn fod gyda'r pregethwyr mwya grymus, fe allwn ddod o hyd i'r syniadau gorau sut i ddenu pobol 'nôl i'r cwrdd, ond yr Ysbryd Glân sy'n dangos y gwirionedd, yn dangos ein pechod, ac yn dangos maddeuant Duw yn ei fab Iesu Grist. Fe ddywedwyd am bobol yr ardal, 'Beibl a rhaw i bobol y Rhos'.

Gwyddwn wrth gerdded i fyny i'r pulpud fod rhywbeth go arbennig am y lle hwnnw ac fe gefais wahoddiad sawl gwaith wedyn i fynd yn ôl i Seion i bregethu, a mawr oedd fy mraint o gael cyhoeddi'r efengyl yno. Dwi'n cofio Noel Williams yn gofyn i mi tybed a fyddai gennyf ddiddordeb mewn bod yn weinidog rhan-amser ar Seion. Fe wyddai fy mod yn gymwys i gymryd y cyfrifoldeb; fe wyddai hefyd fy mod wrth fy modd yn pregethu yn Seion. Fe ddywedais, pe byddai gweddill yr aelodau'n hapus, y baswn yn fwy na bodlon cymryd y cyfrifoldeb.

Fe gafwyd pwyllgor, ac fe'm derbyniwyd â breichiau

agored i bregethu'n rheolaidd, i weinyddu'r cymun, y priodasau a'r angladdau. Cyfnod gwirioneddol wych. Wna i ddim enwi neb yn benodol, ond fe gefais gymaint o flas ar y cyfrifoldeb o'u gwasanaethu. Fe dyfodd y gynulleidfa, ac fe ymwelais â llawer o'r aelodau hynny na fyddai'n mynychu'r addoliad. Ond roeddwn yn teimlo straen wrth wneud y gwaith yn iawn â'r perffeithydd ynof yn fy llethu. Be wnawn i? Ychydig iawn o gyflog y gallai aelodau Seion ei gynnig i mi, costau yn fwy na dim arall. Ond pan sylweddolais fod y dasg o wasanaethu yn un go fawr, rhaid oedd gwneud llai o hyfforddi gyrru, ac achosai hynny broblemau yn y banc.

Doedd Ceri ddim am fynd i weithio ar y pryd, gan ein bod ni'n dau o'r farn mai ei chyfrifoldeb cyntaf hi oedd magu Iwan ac Owain, a bod gartref gyda'r plant. Roedd galw mawr am fy ngwasanaeth yn y Ponciau a'r Rhos i wasanaethu mewn angladdau yn y gwahanol gapeli. Os dwi'n cofio'n iawn, doedd dim gweinidog llawn amser yn y Rhos ar y pryd. Doedd dim gweinidog ym Mhenuel, capel Bedyddwyr y Rhos, nac ym Methania, un arall o gapeli'r Bedyddwyr yn y Rhos, na chwaith ar gapel y Bedyddwyr yn Wrecsam. Dyma fi'n meddwl, petai'r capeli hyn yn dod o dan yr un gweinidog, y byddwn yn gwneud cais i'r enwad fel ymgeisydd.

Bu trafod yma ac acw, a rhai o aelodau'r capeli o blaid, ac eraill yn erbyn. Ond fe benderfynodd Noel Williams gysylltu â'r enwad i weld beth fyddai'r ymateb. Derbyniwyd y cynnig mewn egwyddor, ond byddai'n rhaid i mi wneud cwrs dwy flynedd gyda'r Bedyddwyr cyn y byddwn yn cael fy nerbyn fel gweinidog cydnabyddedig. Felly dyna ddod â hynny i ben. Ac fe ddaeth fy nghyfnod yn y Ponciau hefyd i ben gan nad oedd hi'n bosib gwneud gwaith llawn amser, mewn oriau rhan-amser. Fe wnes fy ngorau i gynnal cyfarfodydd gweddi, astudiaethau beiblaidd, cyfarfodydd plant a phobol ifanc, yn ogystal â'r cyfrifoldebau eraill oedd yn rhan o fod yn weinidog, tra bûm i yno.

PENNOD 16

HTV yn galw eto

WEDYN, YN GAM NEU yn gymwys, mynd yn ôl i'r byd adloniant fu fy hanes a minnau'n teimlo'n chwerw iawn. Fe gefais wahoddiad gan Michael Bayley Hughes, oedd yn cynhyrchu rhaglen gylchgrawn o'r enw *Arolwg* i HTV ar gyfer S4C, i fynd i'w gyfarfod. Rhaglenni yn edrych yn ôl ar ddarlledu Cymraeg ac ar ein sianel newydd, ymysg pethau eraill, oedd y syniad. Yr Athro Derec Llwyd Morgan oedd yn cyflwyno, a byddai gwesteion amrywiol yn dod i mewn i roi eu barn.

'Ti ffansi dod i mewn i roi dy farn ar raglenni adloniant y sianel?' gofynnodd Meic. 'Mi fedri fod yn hollol ddiduedd gan nad wyt ti bellach yn ymwneud â'r byd adloniant na'r cyfryngau.'

Wnes i ddim meiddio deud nad oeddwn i chwaith yn gwylio llawer iawn o deledu gan fy mod yn gweithio'n hwyr. Mae llawer o bobol sydd isio dysgu dreifio yn gweithio yn ystod y dydd, a phan nad oeddwn wrth yr olwyn mi fyddwn mewn cyfarfod yn y capel.

'Mi 'na i anfon fideo i ti o'r rhaglenni dwi am i ti eu hadolygu!'

'Sgin i ddim chwaraewr fideo, Meic,' medda fi.

'Gei di ddŵad i mewn i'r stiwdio'n gynt 'ta, ac mi gei eu gwylio yn fy swyddfa i.'

Cyn i mi lyncu 'mhoer, roeddwn wedi cytuno. Cael croeso gwresog gan Derec, gŵr bonheddig oedd yn siarad fel un o'r werin bobol efo fi. Dyma fynd ati i edrych ar y rhaglen o'n i i fod i roi sylw iddi. *Talent Iau* oedd y rhaglen gyntaf, cyfle i bobol ifanc arddangos eu dawn, drwy ganu, adrodd a dawnsio. Cynhyrchwyd y gyfres gan Paul Jones i HTV. O ran safon, pwy oeddwn i i feirniadu'r plant hynny oedd wedi ennill mewn rhai o'n prif eisteddfodau ni? Fe roddais fy marn yn ddiflewyn-ar-dafod, gyda'r pwyslais fod gwahaniaeth rhwng cystadlu ar lwyfan steddfod a pherfformio i greu adloniant. Awgrymais yn gryf iawn fod angen llawer mwy o ryddid, llawer mwy o egni a mwynhad wrth berfformio.

Fe fu tipyn o feirniadu ar fy sylwadau, ond roedd Meic yn awyddus iawn i mi ddod yn un o feirniaid swyddogol wythnosol y gyfres. A dyna ailgynnau'r awydd i berfformio neu i fod yn rhan o'r byd adloniant unwaith yn rhagor. Roedd oglau'r stiwdio yn fy ffroenau; doedd dim dewis. Oedd o'n gam doeth? Weithiau dwi'n meddwl mai ffôl iawn oedd mynd yn ôl; fe gollais afael ar y peth pwysicaf yn fy mywyd, ac fe ddaeth y cyfaddawd i'm llethu. 'Dyro drachefn i mi orfoledd dy Iachawdwriaeth' oedd fy nghri a'm gweddi yn ddyddiol. Er i mi geisio cysuro fy hun fy mod yn tystio i'r efengyl yn fy ngwaith, doeddwn i ddim. Cyfaddawd gwael oedd y cyfan.

Fel beirniad teledu ar y gyfres *Arolwg*, roeddwn wedi creu rhyw fath o chwilfrydedd yn Paul Jones, a weithiai fel cynhyrchydd rhaglenni adloniant gyda HTV yng Nghaerdydd. Mi ffoniodd fi ryw ddiwrnod a rhoi gwahoddiad i mi fynd i'w gyfarfod. Mi es, a dyna'r tro cyntaf i mi fynd i mewn i Groes Cwrlwys – stiwdios newydd, posh HTV. Fe anfonodd Paul ryw ferch ifanc i fy nôl, ac ma Rowena Jones Thomas a finnau'n dal i sôn am hynny hyd heddiw. Pan gerddais i mewn i swyddfa Paul Jones, 'Croeso i ti, ym ym ym...' medda fo, ac edrych i lawr i chwilio am fy enw ar ddarn o bapur ar ei ddesg, 'Idris,' fel tasa fo'n fy nabod i erioed.

Mi ddois i ddeall drwy brofiad wedyn nad oedd Paul yn cofio enwau neb, ac ma hynny'n wir hyd heddiw!

'Ishte... ti'n moyn paned?'

'Ia plîs,' medda fi, 'llefrith a dim siwgr, os gwelwch yn dda.' Dydy hynny ddim o bwys mawr, meddach chi. Wel i mi mae o, oherwydd fe anfonodd Paul ei ymchwilydd i nôl panad i mi. Hogyn ifanc golygus o'r enw Huw Chiswell oedd yr ymchwilydd ifanc hwnnw, felly mae'n werth nodi yn y fan hyn fod un o arwyr mawr y byd pop Cymraeg wedi gwneud panad i mi – *claim to fame* arall. Wedi trafod ambell beth o'n i wedi'i ddweud ar y gyfres *Arolwg*, gofynnodd Paul, ''Sgen ti syniadau am raglenni teledu, 'te?'

'Wel, ma gin i ambell un,' atebais, 'ond dwi ddim 'di meddwl llawer am y peth.'

'Fyse ti'n lico meddwl am y peth? Ry'n ni angen rhywbeth i lenwi slot awr yn eithaf buan.'

Ac yn fan'na y gadewais Paul, neu a bod yn fanwl gywir, fan honno y gadawodd Paul fi. Roedd ganddo gyfarfod arall, medda fo, ond doedd dim rhaid i mi frysio, roedd croeso i mi aros i siarad gyda'r ymchwilwyr eraill – Rowena, Emyr Afan, Marc Evans, a'm mêt newydd, Huw Chis. Ond yn od iawn, mi adawon nhw'r ystafell fesul un hefyd, oherwydd fod gynnon nhwytha lot o waith, meddan nhw. Ac mi gefais fy ngadael yno ar 'mhen fy hun. Doedd dim amdani, felly, ond mynd adra.

Pwy welais ar y ffordd allan ond y dyn ei hun – Peter Elias Jones, Pennaeth Adran Adloniant HTV.

'Wel wel, drychwch pwy sy fama!' medda fo wrth goridor gwag a fi. 'Idris Charles myn diawl, sut wyt ti, boi?'

Roedd Peter yn Ysgol Llangefni yr un pryd â fi, ond ei fod bedair blynedd o 'mlaen i.

'Ti 'di gweld Paul?' holodd. 'Paul yn hogyn da, lot o syniadau neis, a dwi'n meddwl 'sa chi'ch dau'n gweithio'n dda efo'ch gilydd. Gwranda, pan ti lawr 'ma eto, mi gawn banad, sgwrs a Jammie Dodger. Sut ma dy dad? Cofia fi ato fo.'

Meddyliwch mewn difri, Pennaeth Adloniant HTV

yn meddwl y gallwn i weithio ar raglenni adloniant efo'r cynhyrchydd adloniant gorau oedd yn yr adeilad! Fel roedd hi'n digwydd nid fo oedd y gorau, ond stori arall 'di honno. Jôc, Paul! Os ti 'di dysgu darllen erbyn hyn i ddeall hwn...!

Mynd adra a meddwl am syniadau... Dew annwyl, wyddoch chi be? Roedd llwyth o syniadau yn dod i 'mhen – ble bynnag ro'n i'n mynd, ro'n i'n gweld rhywbeth y gallwn ei addasu'n rhaglen deledu. Syniad am gomedi am ddysgu dreifio wrth gwrs, syniad am sut oedd gweinidog yn byw gyda rhai o'i aelodau doniol ac yn y blaen. Ond roedd ceisio'u rhoi nhw ar bapur yn llawer mwy anodd, gan 'mod i'n methu cyfleu'r syniad mewn print. Ta waeth, mi benderfynais ar syniad eithaf hawdd. Mynd 'nôl i ddyddiau *Sêr y Siroedd* am ysbrydoliaeth wnes i, syniad syml ac effeithiol. Y tro hwn, yn hytrach na chael siroedd i gystadlu yn erbyn ei gilydd, broydd yn cystadlu.

Fe anfonais y syniad at Paul, gan feddwl y bydda fo'n fy ffonio'n syth bin, gan mor dda oedd y syniad! Ond dim byd, dim gair – dim hyd yn oed cydnabyddiaeth ei fod o wedi derbyn y blwmin peth. Mae'n siŵr gin i fod 'na o leia chwech wsnos wedi mynd heibio, os nad mwy. Ffôn yn canu rhyw ddiwrnod – Paul Jones isio i fi fynd i Gaerdydd i drafod y syniad, ac am i mi fynd â chopi o'r syniad efo fi. Gorfod ffeindio fy ffordd fy hun y tro yma i swyddfa Paul a cherddad i mewn i'r swyddfa.

'Idris 'di'r enw,' medda fi, cyn iddo orfod chwilio ymysg y papurau i weld fy enw.

'Reit,' medda Paul, 'aros i mi gael y criw i mewn.'

A dyma nhw'n dod – yn ymchwilwyr, yn ysgrifenyddion, yn PAs ac yn gynllunwyr, yn un haid o gwmpas Paul fatha 'sa fo 'di sgorio gôl i Lerpwl mewn cup ffeinal!

'Idris,' medda fo, 'darllen dy syniad i ni i gyd gael clywed be sydd gyda ti.'

'Iawn,' medda finna, 'lle ma dy gopi di, Paul?'

'Yn y bin,' medda fo. Pawb yn chwerthin. 'Do'n i ddim yn meddwl ei fod e'n syniad da, felly fe aeth fel gweddill y sbwriel i'r bin.'

'Ond...' medda fi, a chyn i mi orffen y frawddeg

'... dwi 'di newid fy meddwl,' medda fo. 'A beth bynnag, 'sdim syniad arall 'da ni!'

Mwy o chwerthin. Ma pobol y cyfryngau yn dda am chwerthin, pan ma'r bòs yn deud jôc. Gwnes yn fawr o'r cyfle. Roedd gin i gynulleidfa, ac roeddwn yn barod i berfformio fy syniad. Fel dwi wedi deud erioed, ma be sy'n dŵad allan o 'ngheg i'n well na be dwi'n ei roi ar bapur. Roedd pawb yn meddwl fod y syniad yn werth gweithio arno, ond byddai rhaid newid ambell beth, ac ychwanegu rhai pethau eraill. Un o'r pethau gafodd eu newid oedd enw'r gyfres newydd yma, o *Sêr y Broydd* – fy awgrym i – i *Bwrlwm Bro* – awgrym Paul.

Fe welodd fy syniad olau dydd, ac fe gafwyd tair cyfres hynod o lwyddiannus. Pobol gyffredin ac anghyffredin yn cael cyfle i ddod i mewn i stiwdio foethus, fodern HTV i berfformio. Sôn heddiw am boblogrwydd *Britain's Got Talent* a syniad unigryw Simon Cowell! Roedd S4C wedi gweld fod gan Gymru dalent ddeng mlynedd ar hugain ynghynt, a chyn hynny hefyd efo *Sêr y Siroedd* ar y BBC. Gresyn na fyddan ni'n gallu gweld y dalent sydd gennym heddiw ar ein sianel yn amlach.

Beirniad oeddwn i yn y gyfres gyntaf, gyda Meredydd Evans a Meinir Lloyd, dau oedd yn dallt be oedd be. Emyr Wyn oedd y cyflwynydd; pleser oedd gweithio efo Emyr, dyn a oedd yn sylweddoli fod paratoi'n bwysig. Ond am ryw reswm doedd Emyr ddim yn gallu cyflwyno'r ail gyfres. Tydi o'n rhyfedd fel ma rhai pethau yn aros yn y cof? Fel y diwrnod y gofynnodd Paul Jones i mi gyflwyno'r gyfres nesa o *Bwrlwm Bro*.

'Dwi'n gwbod dy fod yn torri dy fol i gael cyflwyno *Bwrlwm Bro,*' medda fo, 'felly os gwnei di dorri dy fol a cholli pwysau, mi gei di'r job!'

Doedd Paul ddim yn ei feddwl yn gas o gwbwl; fel 'na roeddan ni'n siarad efo'n gilydd. Beth bynnag, fe gollais ddwy stôn a hanner. Erbyn diwrnod cyntaf y ffilmio, roeddwn i'n rhedeg bum milltir y dydd. Ma'r lluniau ohonof yn y cyfnod hwnnw yn werth eu gweld. Ma pobol hyd heddiw yn dweud fod ganddyn nhw fideo o'r rhaglenni – *slimline version* o Idris Charles!

Ar gyfer y tair cyfres, mi gefais chwe mis o gytundeb gan HTV i weithio fel ymgynghorydd, yn ogystal â'r dyletswyddau ar y sgrin. Ond er mai chwe mis y flwyddyn roeddwn ar gytundeb, mi gefais aros yno i weithio fel trefnydd cynulleidfaoedd i'r rhaglenni eraill a ddeuai'n rheolaidd o fol mawr HTV ar y pryd. Cefais y cyfrifoldeb o sicrhau cynulleidfa i'r stiwdio, eu croesawu ac yna'u cynhesu cyn y recordiad. Hwyl fawr yn paratoi'r tri chant a mwy ar gyfer y sêr fyddai'n eu diddanu, a minna wrth fy modd. I bob pwrpas roeddwn i 'nôl yn perfformio ac yn gwneud i bobol chwerthin. Yr un jôcs, yr un stynts bron bob wythnos, a hynny yn Gymraeg a Saesneg. Pleser a braint oedd cael gweithio efo ambell un, er bod rhai yn casáu bob modfedd ohonof, yn arbennig y digrifwyr Saesneg, am 'mod i'n cael mwy o sylw na'r sêr eu hunain.

Pe bai gin i restr o'r perfformwyr gorau i mi weithio gyda nhw erioed, mi fyddai enw Elinor Jones ar ben y rhestr heb os. Prin oedd angen i Elinor ddeud gair wrtha i pan fyddai'n hapus gan y byddai ei gwên siriol ar ôl i mi orffen yn ddigon i ddangos ei bod yn fodlon. Mi fydda hi'n chwerthin yn yr esgyll cyn dod ymlaen, bob wythnos yn gwrando'n ddi-ffael yn yr un lle. Mi fyddai Elinor yn dod i nabod ei chynulleidfa yn ôl eu hymateb i'm jôcs a'm ffwlbri i. Yn ddiweddarach, mi ges i gyfle i fod yn is-gynhyrchydd ar gyfres o *Traed dan Bwrdd* efo Elinor a Dai Jones, Llanilar. Chwerthin, mwynhau, tynnu coes, a gweithio'n galed. I mi, Elinor Jones oedd brenhines y cyfresi sgwrsio – ei gwaith ymchwil bob amser yn drwyadl ac wrth wneud hynny byddai'n dangos parch tuag at ei gwesteion. Roedd hi hyd yn oed yn gwybod sut oeddan nhw'n anadlu! I Elinor, nhw oedd yn bwysig, a neb arall. O'i chorun i fawd ei throed, ma Elinor Jones yn adlewyrchiad perffaith o beth yw gwir gyflwynwraig teledu, a dwi'n falch ei bod yn parhau'n union yr un fath heddiw.

Gan fod cymaint o waith yn dod i'm rhan yn HTV Caerdydd, doeddwn i ddim gartref o gwbwl yn ystod yr wythnos, a dim ond am ychydig oriau dros y penwythnos. Gan ein bod yn byw yn Mancot, Glannau Dyfrdwy, yr ysgol Gymraeg agosaf i'r plant oedd Ysgol Glanrafon, Yr Wyddgrug, ddeng milltir i ffwrdd. A chan nad oedd Ceri'n gallu dreifio (o ia, 'nes i fethu ei dysgu hi hefyd!) ac nad oedd bysus yn mynd heibio'n tŷ ni, doedd dim amdani ond rhoi'r tŷ ar werth a symud i'r Wyddgrug. Erbyn hyn roedd Iwan yn chwech ac Owain yn bedair. Fe gawsom dipyn o hwyl yn gwerthu'r tŷ yn Mancot. Fi fy hun oedd yn gwerthu yn hytrach na chael asiant, a rhoddais arwydd mawr yn yr ardd ffrynt: 'AR WERTH / FOR SALE'. Fyddech chi ddim yn credu faint o bobol ddaeth i'r drws a gofyn, 'What's this "ar werth" you've got for sale?' Fe werthodd y tŷ yn eitha cyflym, felly roedd brys arnom i ddod o hyd i dŷ addas, yn agos i'r ysgolion Cymraeg yn nhref Daniel Owen. Yr unig dŷ oedd heb gadwyn, ac y gallem symud i mewn yn syth iddo oedd 25 Alexandra Road. Dros y ffordd i Ysgol Maes Garmon, a dwy gornel o Ysgol Glanrafon, meddai'r gwerthwyr, Thomas Adams and Co. 'Ardderchog,' medda Ceri a fi, fe awn draw i'w weld.

Lleoliad gyda'r gorau posib, fel y dywedodd yr asiant, yn agos at y ddwy ysgol, a lleoliad da i Ceri siopa hefyd. Tesco dri chan llath i'r dde, Gateway dri chan llath i'r chwith, a *Chinese take-away* yn y stryd nesa. Be arall oedd ei angen, yntê? Un o res o dai teras wedi'u hadeiladu ar hen domen lo oedd y tŷ dan sylw, ac wrth edrych o'r tu allan fe fyddech yn meddwl y byddai'n disgyn efo chwythiad go lew. 'You may notice it has a bit of subsidence,' medda gwas bach Thomas Adams.

'Oh yes,' medda finna, 'is that what it is? Is it safe?'

'Safe as a rock,' medda'r dyn, yn meddwl am ei gomisiwn.

Roedd y tŷ wedi bod yn wag ers tair blynedd, ac ar werth am £21,000. Mi ffoniais George, adeiladwr o Mancot, am gyngor. Hogyn o Berffro, Ynys Môn, ydy George, ond ei fod wedi symud i fyw i Mancot.

'Cadw'n glir,' medda hwnnw, 'mi gostith ddeng mil i ti roi'r tŷ mewn cyflwr diogel i ti fyw ynddo fo.'

Wel, be o'n i'n mynd i wneud? Fe es yn hyderus i swyddfa'r asiant a chynnig £14,000. O'n i'n gwybod oddi wrth y ffordd roedd y boi'n ysgwyd fy llaw ei fod o'n falch o gael gwared ar y tŷ. Ond yn wir i chi, wedi mis o lanhau, sgrwbio a pheintio, rhoi carpedi a dodrefn newydd yn y tŷ, roedd Ceri 'di gwneud y lle'n ddigon dymunol i fyw ynddo fo, chwarae teg iddi.

Mi fûm i'n ddigon ffodus i weithio yn HTV am oddeutu wyth mlynedd i gyd, â Peter Elias Jones yn dweud ar ôl i bob cytundeb ddod i ben, 'Wel rŵan, be arall fedrwn ni 'i roi i ti, dŵad?'

Meddyliwch pa mor wych oedd hi i rywun fel fi oedd 'di gwirioni ei ben efo adloniant, a chael gweithio yn yr union fan ble roedd yr adloniant hwnnw'n cael ei greu. Wedi *Bwrlwm Bro* fe ddaeth *Cyfle Byw* a *Bwrw'r Sul*. Fel is-gynhyrchydd y cyfresi yma, gyda Paul Jones yn gynhyrchydd ar y naill a Ronw Protheroe ar y llall, cefais y cyfrifoldeb o gynllunio'r rhaglenni, dewis gwesteion, sgwennu'r sgriptiau a chynllunio'r cystadlaethau. Oedd, roedd yn waith caled, ond gwaith hynod o bleserus. Mi gefais y llysenw 'Y Blackpool Kid' gan y tîm cynhyrchu, a hynny am fy mod wedi dod ag elfen newydd i'r cyfresi. Yn hytrach na chael canu a sgetshys, am yn ail â chystadlaethau, mi ges y syniad o logi'r hyn a elwir yn *Speciality Acts,* o safon uchel iawn, rhai wedi ymddangos ar sioeau mawr teledu Prydeinig. Mi ddaethon nhw i gyd yn un haid, efo'u peli, eu beics un olwyn, eu tân a'u bocsys. Fe dalodd yn dda iawn i mi, oherwydd roedden nhw'n gweithio ar sioeau haf glan y môr (a dyna ble daw'r enw 'Blackpool Kid'), a chawn docynnau am ddim i fynd i weld y sioeau hynny. Drwy artistiaid fel Donimo, Sonny Hayes and Co, a Richard De Vere y dois i nabod enwogion megis Freddie Starr, Cannon and Ball, Ken Dodd, Jimmy Cricket, Bobby Davro ac eraill.

Ia, *Cyfle Byw* a *Bwrw'r Sul* ddaeth â'r gwobrau 'na i'r gwylwyr bob wythnos. Llwythi ar lwythi ohonynt, yn dod mewn parseli yn wythnosol i fy swyddfa.

Caem gymaint o alwadau ffôn bob wythnos ar y rhaglenni fel y bu'n rhaid sicrhau 25 o bobol i ateb y ffonau mewn un tŷ gwydr enfawr ar lawr y stiwdio, a phob llinell yn brysur am yr awr gyfan. Mewn rhaglenni byw roedd yn hanfodol fod gynnon ni dîm da, dibynadwy, ac roedd gynnon ni un. Elin Rhys oedd yn cyflwyno yn y ddwy gyfres gyntaf, gyda Gareth Roberts ac yna Nia Ceidiog yn y cyfresi canlynol. Roedd gan y tri'r gallu i newid cwrs ar amrantiad pan fyddai galw. Fyddwn i ddim yn gweld lygad yn llygad â'r cyflwynwyr bob tro, a bu ambell i ffrae rhyngddon ni pan na fyddai pethau'n barod mewn pryd a 'nghyfrifoldeb i oedd hynny, felly roedd y bai arnaf fi. Wel, fi fyddai'n cael y bai o leia!

Ar ddiwedd pob cyfres byddai enwau pawb a gafodd yr atebion yn gywir yn mynd i mewn i giosg ffôn gwag yng nghanol y stiwdio. Dyma oedd uchafbwynt y gyfres. Peipen wynt drwchus wedyn yn chwythu'r darnau papur gyda'r enwau arnynt o amgylch y ciosg, un o westeion y rhaglen yn mynd i mewn i geisio dal darn o bapur, a'r papur hwnnw'n cael ei roi'n ofalus yn llaw y cyflwynydd. Yna y ddrama fawr, a'r tensiwn mwyaf ofnadwy – pawb yn disgwyl am y cyhoeddiad, a neb yn gwybod pwy oedd wedi ennill, heblaw am y cyflwynydd a'r darn papur yn ei law. Wel am gyffro, y cyflwynydd yn deialu rhif y person lwcus. Dwi ddim yn amau nad oedd pob Cymro Cymraeg yn dal ei wynt ac yn gobeithio y byddai'r ffôn yn canu yn eu tŷ nhw, ac y byddai prif wobr y gyfres, sef car newydd sbon, yn dod i'w cartref. Y fath floeddio a sgrechian wrth i'r person yr ochor arall sylweddoli eu bod wedi ennill car! Rhywun yn hapus!

Roedd cymaint yn digwydd yn HTV ar y pryd, a Peter Elias Jones yn gapten rhagorol ar y cyfan. Oedd, roedd 'na ambell i storm, wrth i ambell beth fynd o'i le, ond dal ati fydden ni. Dyma rai o'r cyfresi y bues i'n gweithio arnyn nhw, â phob cyfres yn cynnwys o leiaf 12 rhaglen, rhai cymaint â 21 rhaglen:

3 cyfres: *Bwrlwm Bro, Cyfle Byw, Bwrw'r Sul, Sonamdani*;

2 gyfres: *Pâr Mewn Picil, Llwyfan, Gweld Sêr, Mike Doyle, Gwely Blodau*;

1 gyfres: *Cyfle*.

Yn ogystal, gweithiais ar raglenni eraill, megis *Sblat, Ffalabalam, Elinor Jones, Traed dan Bwrdd, Road Safety, Hywel Gwynfryn* (do, mi wnaeth gyfresi i HTV), *Tony ac Aloma, Eisteddfod yr Urdd, Stid, Heno Heno*, a llu o raglenni eraill i bobol ifanc. Roedd HTV yn cynhyrchu cyfresi eraill ar y pryd hefyd, megis *Trebor Edwards, Rosalind a Myrddin, Caryl Parry Jones, Torri Gwynt, Y Brodyr Gregory* ac yn ddiweddarach *Y Ddau Frank*. Dyna'r rhaglenni dwi'n eu cofio, mae'n siŵr fod 'na fwy.

Mae 'na un gyfres dwi'n fwriadol heb ei chynnwys uchod, sef y gyfres y cefais hwyl ryfeddol yn ei chyflwyno. Doedd hi ddim yn hawdd dilyn yr anfarwol Gari Williams, a gyflwynodd y cyfresi cyntaf o *Stumiau*. Rhoddodd Gari, yn ei ffordd arbennig ei hun, ei stamp arni, ac roedd o'n rhyfeddol o boblogaidd o Fôn i Fynwy. Ond roedd HTV am wneud dwy gyfres arall, 42 o raglenni dros ddeunaw mis, a doedd Gari ddim ar gael i'w recordio.

Wna i byth anghofio'r diwrnod y galwodd Peter Elias Jones fi i'w swyddfa, er doedd fy ngalw i'w swyddfa ddim yn beth diarth.

''Se ti'n hoffi cyflwyno *Stumiau*?' gofynnodd.

'Pardon?' medda fi. 'D'wad eto, ond y tro yma d'wad o'n arafach.'

Chwerthin nath Peter. Wnaeth o ddim gofyn wedyn, dim ond deud, 'Dydy Gari ddim ar gael. Ti'n dechrau recordio mewn pythefnos; dos i weld y cynhyrchydd, Rhisiart Arwel, a deud 'mod i wedi dy anfon.'

Mi es! Dwi'n meddwl i mi wneud tair cyfres. Y gyfres gyntaf efo Sara Harris Davies a Geraint Griffiths fel capteiniaid, ac yn yr ail a'r drydedd gyfres fe ddaeth yr anhygoel Gillian Elisa fel capten i wrthwynebu Geraint. Roedd Geraint, fel ym mhopeth mae o'n ei wneud, yn gwneud ei waith gydag arddeliad, ond does gin i ddim cof i Gill druan ennill erioed. Lot o hwyl, ia. Y drefn oedd fod dau dîm a dau gapten, ac ym mhob tîm yr oedd person adnabyddus ac un aelod o'r cyhoedd. Y gamp oedd i aelod ym mhob tîm geisio dyfalu beth oedd y gair ar y sgrin drwy i'r ddau arall wneud stumiau i gyfleu'r gair arbennig hwnnw. Chwerthin? Na, nid y gynulleidfa ond ni'r perfformwyr, a neb yn fwy na fi! Doedd dim dal beth fyddai Gillian yn ei wneud. Bobol y ddaear, ma Gill mor ddoniol! Mor naturiol ddoniol, ro'n i'n methu edrych arni, na chanolbwyntio! Dyna i chi hogan ddawnus ydy hi, yn gantores, yn ddawnswraig ac yn actores gyda'r gorau. Pan ma hi yn hi ei hun, heb fod ar lwyfan neu deledu, ma hi'n hollol boncyrs – a dwi'n dueddol o leicio pobol felly.

Yn ystod cyfresi *Stumiau*, gan fod cymaint yn digwydd, doedd Peter Elias Jones ddim yn gallu dod i lawr i'r stiwdio mor aml ag y bydda fo'n hoffi, felly roedd ganddo fo fonitor teledu yn ei swyddfa, yn ei alluogi fo i weld beth fyddai'n digwydd yn yr ymarferion. Pan fyddai am ddweud rhywbeth, byddai'n cysylltu'n uniongyrchol gyda'r cynhyrchydd yn galeri'r cyfarwyddwr. Un diwrnod daeth Rhisiart Arwel i lawr o'r galeri i'r stiwdio a 'ngalw ato.

'Gwranda,' medda fo, 'ma Peter 'di bod yn gwrando, ac ma ganddo fo air o gyngor i ti. Mae o'n gofyn i ti wylio dy "esys".'

'Be ti'n feddwl, fy "esys"?' medda fi. 'Afiechyd o ryw fath ydy "esys"?'

'Wn i ddim,' medda Rhisiart. 'Dwi ddim yn siŵr be mae o'n feddwl chwaith, ond ma pobol Sir Fôn yn cael trafferth dweud y llythyren "s" yn iawn, medda Peter. Felly os medri di, tria beidio â deud y llythyren "s" mor aml.'

'Iawn,' medda finnau.

Yn yr ymarfer nesa, a finnau'n gwbod fod Peter yn gwylio ac yn gwrando'n ofalus.

'Pawb yn barod?' gofynnodd y rheolwr llawr, a dyma lais Huw Chiswell oddi ar y tâp yn dweud, 'A dyma fe, y dyn ei hun, rhowch groeso i Idris Charles!'

A'm llinell gyntaf i oedd, 'Nowaith dda a chroeo i... *umiau*.'

Disgyn dan y bwrdd yn chwerthin wnaeth Peter yn ôl ei gyffesiad ei hun wedyn, a phawb arall a wyddai am y cyngor yn eu dyblau. Hyd y dydd heddiw, pan fydd Rhisiart Arwel yn fy ngweld neu yn fy ffonio, yr un ydy'r cyfarchiad: 'Ut ma *umiau* heddiw?'

Ma pawb sy'n fy nabod yn gwybod fod gin i gof fel gogor. Os ydy cof Paul Jones am enwau'n wael, ma fy un i saithgwaith yn waeth. Hyd yn oed wrth sgwennu'r gyfrol yma ma'r cyfrifiadur yn mynd fel mellten, ac un bys yn neidio o un llythyren i'r llall fel Colin Jackson yn neidio dros y clwydi. Ond pan mae'n rhaid cofio enw... Wel, dwi'n gorfod mynd trwy lythrennau'r wyddor sawl gwaith i drio cael llythyren gyntaf yr enw cyntaf, yna'r un broses i gael y cyfenw. Felly wrth gyflwyno *Stumiau*, meddyliwch y broblem oedd gin i: dau gapten, dau berson adnabyddus, a dau o'r cyhoedd, ac angen cyflwyno'r chwech ar ddechrau pob rhaglen, a ninnau'n recordio tair rhaglen y dydd.

Aelodau'r cyhoedd fyddai'n achosi'r broblem fwyaf. Wel chwarae teg, do'n i erioed wedi'u gweld nhw o'r blaen! Ac er bod ganddyn nhw fathodyn gyda'u henwau arno, fedrwn i ddim gweld y bathodynnau lliwgar wrth edrych ar y camera i'w cyflwyno. Cafodd Rhisiart Arwel syniad un diwrnod, a rhaid oedd cael parti mawr, pawb yn y stiwdio'n dathlu, poteli siampên yn cael eu hagor, baneri'n cael eu chwifio. Wel, doedd Rhisiart Arwel ddim yn cael syniad newydd yn aml! Ond y diwrnod yma, fe gafodd un a oedd yn mynd i fod o gymorth mawr i mi a newid fy mywyd fel cyflwynydd am byth.

'*Idiot board*,' medda fo.

'Be ti'n feddwl, "*idiot board*"?' medda fi. 'Ti'n meddwl 'mod i'n *board*?'

'Nag ydw,' medda fo. 'Jyst *idiot*, ha ha ha!'

Mwy o siampên, ma Rhisiart Arwel 'di gwneud jôc! Dydy hynny ddim yn digwydd yn aml chwaith! Yr *idiot board* oedd darn o gerdyn mawr tu ôl i'r camera ac arno enwau'r cystadleuwyr o blith y cyhoedd wedi'u sgwennu'n fras. Ardderchog! Cyflwyno'r ddau dîm yn hawdd am unwaith, dim rhaid poeni am gofio enwau'r bobol ddiarth. Hip hip hwrê, roedd yr enwau ar yr *idiot board* o 'mlaen i.

Ond be ddigwyddodd? Wedi darllen yr *idiot board*, a chael pob enw'n hollol berffaith ar y cyfle cyntaf, troi wedyn yn llanc i gyd i gyflwyno'r gwesteion adnabyddus ma pawb trwy Gymru gyfan yn eu hadnabod. A dyma fi'n dechrau cyflwyno fy ngwestai cyntaf yn hollol hyderus, yn falch ei bod hi'n gallu bod gyda ni yng nghanol ei phrysurdeb, merch dalentog amryddawn, 'dan ni i gyd yn ffans mawr ohoni … a wyddoch chi, fedrwn yn fy myw gofio enw – Caryl Parry Jones. Diolch byth mai Caryl oedd hi, mi fasa ambell un wedi fy nhagu am anghofio'u henw nhw o bawb. Gwlychu ei hun yn chwerthin wnaeth Caryl.

Os bu llysgennad dros adloniant Cymraeg erioed, yna Caryl yn sicr yw honno. Ma rhai'n sôn am y gystadleuaeth ma S4C yn ei hwynebu oddi wrth y sianeli Prydeinig, ac weithiau mae pobol yn dadlau na fedrwn ni gystadlu efo mawrion adloniant Lloegr, ond pan mae Caryl ar sgrin y teledu does dim cystadleuaeth. Ma gin i feddwl mawr iawn o ddawn Caryl, ac yn fwy na hynny ma hi'n hen hogan iawn.

Dwi wedi bod yn hynod ffodus o gael rhannu stiwdio efo rhai o gewri'r byd adloniant Cymraeg, ac mi fedra i gyfri ar ddau fys y bobol hynny y methais weithio efo nhw. Roedd yn gyfnod pan oedden ni'n parchu ein gilydd, a phawb yn sylweddoli fod gan bawb ei gryfder ei hun. Dwi ddim yn cofio cenfigen, a dim ond dau wnaeth sticio cyllell yn fy nghefn, ond diolch byth roedd yna ddigon o ffrindiau da a ffyddlon i'w tynnu allan, heb iddyn nhw wneud gormod o niwed. Pwy oedd y bobol hynny? Ia, wel, dwi'n gwybod, a ma nhw'n gwybod!

PENNOD 17

Cannon and Ball ac eraill

O WEITHIO AR AMRYWIOL raglenni adloniant i HTV, fe gefais gyfle i droi fy llaw at amrywiol dasgau o fewn y diwydiant. Mae'r gyfres *Traed dan Bwrdd* gydag Elinor Jones a Dai Jones yn enghraifft dda o'r amrywiaeth gwaith hwnnw. Cyfres debyg o ran arddull i *Siôn a Siân* oedd hon, ond mai ar fin priodi roedd y cyplau hyn. Roedd y rhieni yng nghyfraith hefyd yn rhan o'r cwis, a dyna wrth gwrs esbonio'r teitl *Traed dan Bwrdd*.

Byddwn i'n sgwennu'r sgript a'r cwestiynau, yn mynd allan i chwilio am gystadleuwyr a rhoi gwrandawiadau iddyn nhw ac yn sicrhau bod trefn y rhaglen yn rhedeg yn esmwyth. Ar *Bwrlwm Bro*, byddwn yn mynd allan i'r broydd i weld y timau, yn cynnig awgrym neu ddau ac yn ailsgwennu ambell i sgets. Y profiad pwysicaf oedd sgwennu sgetshys doniol i *Bwrw'r Sul* a *Cyfle Byw*, ac roedd angen o leia dair ym mhob rhaglen. O'r sgetshys hyn y byddai rhai o'r cystadlaethau i'r gwylwyr gartref yn codi.

Wedi i mi gael y profiadau hyn, fe ofynnodd Paul Jones i mi sgwennu ambell sgets i'r gyfres *Sblat* ar gyfer pobol ifanc. Gofynnai Paul weithiau am dair sgets erbyn amser te a byddai'n rhaid i mi roi popeth heibio, a sgwennu. Yr hyn oedd yn galondid i mi oedd y byddai'r rhan fwyaf o'r deunydd ro'n i'n ei sgwennu'n cyrraedd y sgrin. Yn y cyfnod hwnnw roedd llu o raglenni adloniant ysgafn ar y teledu yn Saesneg, a phob un ohonyn nhw'n llawn o sgetshys byrion. Canol y 1980au oedd oes aur y byd adloniant, gyda chyfresi fel Cannon and Ball, Little and Large, Russ Abbott, Freddie Starr, Jimmy Cricket, Les Dennis, Paul Daniels, y Grumbleweeds, Les Dawson, Bobby Davro a llawer mwy yn ein diddanu'n rheolaidd. A dyma fi'n meddwl, os oedd fy sgriptiau doniol yn cael eu derbyn yn Gymraeg, tybed fydden nhw'n cael eu derbyn yn Saesneg? Jôc ydy jôc, a does 'na ddim iaith i chwerthin, ac mi wyddwn yn dda na fyddai Paul yn cynnwys fy neunydd yn ei raglenni oni bai ei fod yn ddoniol.

Ar y pryd fy hoff ddigrifwyr, ac yn wir fy arwyr, oedd Tommy Cannon a Bobby Ball. Mi fydden ni fel teulu'n darganfod ble roedd y ddau'n perfformio yn ystod yr haf, ac yn y fan honno wedyn y bydden ni'n treulio ein gwyliau. Ma gan Bobby Ball y ddawn brin honno o wneud i bobol chwerthin heb agor ei geg, dim ond sefyll ar y llwyfan a chwarae efo'i fresys. Roedd yr un ddawn gan Now o Hogia Llandegai hefyd, ac Arwel Hogia'r Wyddfa mewn sgets efo'r hogia. Cyd-ddigwyddiad ddaeth â Cannon and Ball a fi at ein gilydd. Y *Speciality Acts* ar y gyfres *Bwrw'r Sul* oedd y cysylltiad gan fod Johnny Martin, sef asiant i'r diddanwyr arbennig hynny, bellach yn cael ei gyflogi gan Internationl Artistes ym Manceinion. Y stabl honno oedd yn gyfrifol am yr enwau mawr yn y byd adloniant, yr enwau y cyfeiriais atynt uchod. Fe ddaeth Johnny a finnau yn dipyn o ffrindiau, a fo sy'n cael tocynnau am ddim i mi i'r sioeau.

Fe awgrymais yn grynedig wrth Johnny tybed a fyddai'n gofyn i Tommy a Bobby a fydden nhw'n fodlon darllen deunydd ro'n i wedi'i sgwennu ar eu cyfer. Fe gytunodd, ac er syndod, o fewn diwrnod neu ddau roedd Johnny ar y ffôn yn dweud fod Bobby wedi darllen y deunydd, wedi chwerthin, a'i fod isio fy nghyfarfod. Do'n i ddim yn credu y byddai'r fath beth yn bosib! Fi yn cael cyfarfod â fy arwyr a hwythau am drafod y deunydd ro'n i 'di sgwennu ar gyfer y ddeuawd enwog? Dyma ddau oedd wedi torri pob record yn y London Palladium yn 1988, yn sêr yn y cyfresi mwyaf poblogaidd ar y teledu am gyfnod o ddeuddeg mlynedd rhwng 1980 a 1992, ac wedi ymddangos yn y *Royal Command Performance* sawl gwaith. A rŵan, dyma'u cyfle nhw i gyfarfod un a berfformiodd yn wych yn festri Capel Gad yn 1959, a ddaeth yn drydydd yn Eisteddfod Llanddeusant yn 1961, ac a lwyddodd i lenwi neuadd y Parc, ger Llannerch-y-medd, efo 73 o bobol yn 1967. Braint i bwy oedd hi, felly? Nhw 'ta fi?

Trefnodd Johnny fod Bobby yn fy nghodi wrth y North Pier, Blackpool. Wel dychmygwch sut ro'n i'n teimlo, yn sefyll o flaen y pier enwog yn disgwyl am un oedd yr un mor enwog â'r pier ei hun. Fe gyrhaeddodd yn ei Range Rover du. Mi godais fy llaw'n ofnus, agorodd yntau ffenast y Rover, a gweiddi. 'Alright, cock? Jump in!' Fedrwn i ddeud yr un gair – ro'n i'n crynu fel jeli Mrs Roberts Brynhyfryd wrth ddim ond edrych ar y dyn bach doniol yma yn edrych yn union fel roedd o ar y teledu! Y wên gellweirus yn gwneud i mi feddwl, 'Ma'r boi yma'n ocê, ond byddai'n well i fi fod yn ofalus be dwi'n ddeud wrtho.'

Wedi treulio ychydig yn unig o amser yn ei gwmni, fe wnaeth i mi deimlo y bydden ni'n ffrindiau da am gyfnod hir iawn, ond wedyn sylweddoli wrth dreulio amser yn ei gwmni mai fel yna fyddai Bobby efo pawb – rhoi'r argraff mai'r person yn ei gwmni ydy'r person pwysicaf sydd wedi siarad efo fo'r diwrnod hwnnw! Cyrraedd y tŷ, ac Yvonne ei wraig yn groesawgar dros ben. 'Make him a cup of tea, Vonne,' medda Bobby. Roedd ganddo sioe i'w gwneud y noson honno yn y North Pier, ond fe dreulion ni ein hamser gyda'n gilydd yn trafod comedi – a chrefydd.

Ia, crefydd. Roeddwn wedi darllen yn rhywle fod Bobby Ball wedi cael tröedigaeth, a'i fod yn Gristion glân gloyw. Roedd y ffydd Gristnogol mor bwysig iddo, fedra fo ddim peidio â siarad a rhannu ei brofiadau. Pan ddwedais wrtho i minnau hefyd gael tröedigaeth flynyddoedd ynghynt, roedd o wrth ei fodd. A deud y gwir, roedd ganddo fwy o ddiddordeb yn fy mywyd fel Cristion nag yn fy mywyd fel sgriptiwr comedi. Yn naturiol roeddwn am gael gwybod sut y gallai fyw yn y byd adloniant, actio'r clown ar lwyfannau'r wlad ac ar y teledu, a bod yn Gristion ar yr un pryd. I mi, roedd yn rhaid bod yn un neu'r llall! Doeddwn i ddim yn gallu arddel fy ffydd fel yr hoffwn tra oeddwn yn rhan o'r byd adloniant. O, mi allwn fynd i'r capal, ond dydy hynny ddim yn anodd, na chwaith yn dystiolaeth 'mod i hyd yn oed yn credu. Fe berswadiodd Bobby fi i ailafael yn fy mhregethu, a dal i sgwennu comedi iddo fo a Tommy.

Y noson honno fe gefais wahoddiad i fynd gyda Bobby i'r sioe, cyfarfod â Tommy ac aelodau eraill o'r cast, a Bobby yn fy nghyflwyno i bawb fel 'my brother in the Lord, and our new scriptwriter'. Ro'n i'n meddwl y gwnawn i ddeffro mewn munud! Ond na, dyna'r gwir, a dyna ddechrau ar gyfeillgarwch sydd wedi parhau hyd y dydd heddiw. Dwi wedi cael y fraint o fod mewn cynulleidfa, a hwythau'n chwerthin ar ddoniolwch Cannon a Ball, yn gwybod mai fi sgrifennodd y deunydd. Dwi hefyd wedi bod mewn sawl cyfarfod Cristnogol yn rhannu pulpud gyda Bobby. Mae gras Duw yn rhyfeddol!

Yn sgil sgwennu i'r ddau hwn y dois i nabod ac i sgwennu i Jimmy Cricket a Billy Pearce, ac yna yn ddiweddarach i Joe Pasquale ac amryw o ddigrifwyr sydd heb fod mor enwog, ond sy'n gweithio gyda'r sêr mawr.

Doedd sgwennu i gymeriadau poblogaidd fel Jimmy, Joe a Bobby ddim yn anodd; y cyfan roedd yn rhaid i mi ei wneud oedd meddwl am sefyllfa, ac wedyn gwrando yn fy meddwl ar y ffordd y bydden nhw'n dweud y llinellau – dydy'r un jôc neu sefyllfa ddim yn siwtio pawb. Dwi'n cofio cael y profiad unwaith o sgriptio rhaglen deledu gyfan i BBC1. Y rhaglen oedd *Songs of Praise,* gyda rhai o enwogion y byd adloniant. Fe awgrymodd Bobby mai fi ddylai sgwennu'r sgript; fe gytunodd y cynhyrchydd, a gosod y syniad a'r sefyllfa o 'mlaen i. Roedd angen dwy sgets mewn arddull pantomeim, ambell i linc, ac un sbot i Cannon and Ball.

Wna i byth anghofio'r profiad o wrando ar y darlleniad cyntaf. Tommy a Bobby, wrth gwrs, a dau westai arbennig, sef Dana, y gantores wych o Iwerddon, a'r digrifwr Don Maclean, sydd yn cyflwyno rhaglen i Radio 2 bob bore Sul. Fe aeth yn iawn ar y cyfan, ond pan na fyddai neb yn chwerthin a'r darn hwnnw i fod yn ddoniol, roedd rhaid i mi ymyrryd.

'Stop! Can we read that again, please? Now, the punchline is this, but if you don't emphasise this word here, then nobody will get the joke.'

Roedd Dana'n hyfryd tu hwnt, ac mi fydda hi'n gofyn i mi'n swil, 'What does this mean, Idris?' neu 'Do you mind if I change this to say…'

Newid pethau i'w siwtio ei hun fyddai Don heb ofyn na thrafod, er falla bod y newidiadau a wnâi yn swnio'n well na be o'n i 'di sgwennu. Fe aeth y cyfan yn dda iawn, ac mae'r sgript honno gin i o hyd. Dro arall, diolch i Bobby Ball unwaith eto, fe gefais wahoddiad i sgwennu comedi i *Cannon and Ball* ar gyfer Radio 2, a gâi ei recordio o flaen cynulleidfa yn Blackpool. Roedd rhai o sêr *Coronation Street* yn y cast, yn ogystal â Dana, Ken Dodd a Gloria Hunniford.

Yn y cyfnod hwn, yn niwedd y 1980au, roeddwn i'n dal i weithio yn HTV, er bod pethau wedi tawelu ychydig yno erbyn hynny gan fod y cwmnïau annibynnol wedi cael eu traed danynt, ac yn sefydlu cwmnïau cynhyrchu rhaglenni i S4C. Ond fe fûm i'n ddigon ffodus o ran gwaith ac un o'r syniadau y ces gytundeb i'w baratoi oedd *Ball on Paul.* Gan fod gan Bobby Ball gymaint o ddiddordeb yn hanes y Beibl, ac yntau heb ei fagu mewn capel nag eglwys, fe ges y syniad o gael Bobby, fel fo ei hun, yn cerdded y daith a gerddodd yr Apostol Paul, yn holi ar y ffordd, ail-greu ambell i sefyllfa, a rhoi Bobby fel petai yn esgidiau Paul. Wedi hir drafod a chael cymorth pobol megis y Parch. Cynwil Williams, Caerdydd, fe ddaeth y sgript yn un ddigon derbyniol.

Fe benderfynodd y cynhyrchydd, David Hammond Williams, y byddai'n hoffi trafod y syniad gyda'r rhwydwaith, hynny yw ITV Lloegr. Fe aethpwyd ati i sgriptio'n fanylach; gwneud trefniadau teithio, trefnu pwy fyddai'r ymchwilwyr yn Israel, y *fixers,* sawl camera, nifer y criw, trefn y saethu, hawliau, beth fyddai'r gyllideb, a llond gwlad a môr o fanion eraill. Disgwyl am gryn amser wedyn i gael ateb, Bobby a finnau'n gyffrous fod y peth yma ar ddigwydd, a David y cynhyrchydd hefyd yn optimistaidd. Fe ddaeth y newyddion gan ITV i ddweud ein bod wedi llwyddo i ennyn diddordeb, a'n bod gam yn nes iddo gael ei dderbyn. Ond – oes, mae yna ond – yn anffodus, aeth y syniad ddim pellach. Y cwestiwn ofynnwyd yn ITV oedd pam Bobby Ball? Oni fyddai'n well petai rhywun gyda mwy o hygrededd fel Cristion yn cyflwyno? Collwyd golwg ar y ffaith y byddai'r cynhyrchiad yn cael mwy o wylwyr wrth i ddigrifwr enwog holi am un o seintiau'r Testament Newydd, ac y byddai'n gallu gofyn cwestiynau perthnasol i'r lleygwr.

O nabod Cannon a Ball, ac o gael y sylw y byddai Bobby yn ei roi i mi, fe ddois i nabod digrifwyr eraill. Dwi eisoes wedi crybwyll Jimmy Cricket; mi fûm i lawer tro yn nhŷ Jimmy yn Rochdale, a chael croeso mawr gan ei wraig May a'r plant, Dale, Frank, Jammie a Kate bob amser. Rhaid cofio iddo yntau hefyd fod yn un o sêr y byd comedi ar y teledu am gyfnod hir iawn, gyda thair cyfres i Central Television rhwng 1986 ac 1989 a phum mlynedd ar y radio efo *Jimmy's Cricket Team,* 1991–1995. Falla fod ei *catchphrase,* 'Come here, there's more', yn fwy adnabyddus na fo ei hun. Ond fe greodd Jimmy gymeriad hoffus, diniwed, oedd yn dweud a gwneud y pethau rhyfeddaf. Ychwanegwch y *wellingtons* a'r het fach ddu, a dyna i chi Jimmy Cricket y digrifwr. Fe ddaeth ei lythyr 'from my mammy' yn boblogaidd iawn, ac fe gyhoeddwyd pedwar llyfr ohonynt.

Dyn annwyl iawn ydy Jimmy, ac mae'n edrych yn hollol wahanol oddi ar y llwyfan. Ei broblem fawr, pan gwrddais ag o, oedd ei fod yn awyddus i drio rhywbeth newydd, sef comedi weledol, tebyg i *slapstick*. Er cynnig sawl syniad iddo, ofn mentro roedd yr hen gyfaill. Fe wyddai'n dda fod y syniadau'n ddoniol, ond fe wyddai hefyd y byddai'n rhaid talu am y syniad, a thalu am y props i fynd gyda'r syniad. Dwi'n cofio aros yn ei gartref am dair noson un tro, ac fe feddyliais am y syniad o gael prawf gyrru car ar y llwyfan. Mi fyddai'r car wedi'i adeiladu'n debyg i gar clown mewn syrcas, ac yn dod yn ddarnau wrth iddo fynd drwy'r prawf. Er bod Jimmy wedi gwirioni efo'r syniad, ni chafodd ei ddefnyddio. Pan oeddwn yn nhŷ Jimmy, fe wnaeth alwad ffôn un amser cinio a chlywn ef yn dweud:

'I got this Welsh comedy writer with me, going through some ideas. Do you wanna come over?'

Saib.

'Oh, dat's OK. Oi'll see you soon... Would you like to 'ave a word with Idris? ... Yes, dat's his name... Good. Oi'll get him for you.'

A dyma fo'n gweiddi arnaf, 'He'd loike to speak to you.'

'Who is it?' gofynnais.

'Raymond Allen,' medda fo, a dyma fi'n sibrwd, 'Who is Raymond Allen?'

'He wrote *Some Mothers Do 'Ave 'Em*,' medda Jimmy. Braint fawr arall yn dod i'm rhan – cael siarad efo'r dyn a ddaeth â'r cymeriad Frank Spencer i ni. Dyn, fodd bynnag, gafodd un *hit* enfawr, ond bod ei holl syniadau eraill wedi cael eu gwrthod, ar wahân i ambell sgets i Jimmy Cricket. Gresyn na fyddwn wedi cael ei gyfarfod wyneb yn wyneb hefyd. Ma Jimmy a finnau'n dal i gadw mewn cysylltiad, ac mae ei fab, Frank, wedi mynd i'r weinidogaeth.

Un arall o'r digrifwyr oedd am gael deunydd comedi gin i oedd Billy Pearce. Ma Billy yn un o'r digrifwyr 'ma dach chi'n nabod ei wyneb, ond efallai nid yr enw; ond fe allaf eich sicrhau fod Billy yn un o'r digrifwyr doniolaf sy'n gweithio yn y byd comedi. Enillodd dlws Digrifwr y Flwyddyn y British Comedy Awards ddwy waith, ymddangosodd ar y *Royal Command Performance* bedair gwaith, ac mae o wedi bod yn westai ar lu o raglenni teledu. Fe ddaeth Billy a finnau'n ffrindiau da, mi gawson ni lot fawr o hwyl, ac roedd Iwan ac Owain wrth eu bodd yn ei gwmni. Pan gafodd Billy wahoddiad i ymuno â thîm y gyfres gomedi *You Gotta Be Jokin'*, cyfres newydd ar gyfer BBC1, fe gefais innau wahoddiad gan Billy i sgwennu'n arbennig iddo fo ar gyfer y gyfres.

Fûm i erioed o dan gymaint o bwysau. Charlie Adams oedd golygydd y sgriptiau; fo oedd yn deud beth oedd o 'i angen, a'r hyn nad oedd yn dderbyniol. Ar y pryd, Charlie oedd prif olygydd sgriptiau cyfresi comedi BBC1 a sioeau amrywiaeth o unigolion, ac roedd o'n gwybod be 'di be mewn comedi. Y broblem oedd ei fod yn meddwl fod pawb yn gweld comedi yn union yr un fath â fo. Wel do'n i ddim, a doedd Billy ddim chwaith, felly roedd yn frwydr fawr i'w gael i dderbyn ein syniadau. Ond wedi perfformio rhai o'n sgetshys o flaen cynulleidfa fyw, fe fu'n rhaid i Charlie dderbyn fod Billy a'r deunydd yn ddoniol. Falle ddim ar bapur, ond pan oedd Billy yn perfformio, mi ro'n i'n chwerthin, a fi oedd 'di sgwennu'r rhan helaeth o'r deunydd.

Wrth weithio ar y gyfres hon yn Llundain y dois i weithio gyda Shane Richie. Mae'n debyg mai'r syniad oedd rhoi llwyfan i Shane. Y pedwar arall oedd Maddie Cryer, Annette Law, George Marshall a Billy Pearce, felly Shane oedd y seren, ac efo fo roedd Charlie Adams yn treulio'r rhan fwyaf o'i amser. Yno yn cynorthwyo Billy roeddwn i, ond mi fyddai Shane yn dod ataf bob hyn a hyn a gofyn am linell neu ddwy. Hogyn dymunol iawn ydy Shane, yn union fel mae o ar y teledu – yn annwyl, yn garedig, bob amser a gwên ar ei wyneb, ac yn llawn bywyd. Bob dydd mi fydda fo'n tynnu llun o dŷ haf oedd ganddo fo yn Florida, ac yn holi, 'Idris, would you like to go for a break in my house? Have a look at this, mate. There you are, take your family there.'

Fe benderfynodd Charlie Adams fod yn rhaid i mi wneud mwy na helpu Billy, a bod yn rhaid i mi helpu'r lleill hefyd. Roedd hynny'n broblem gan nad oeddwn i'n deall hiwmor y dynwaredwr George Marshall, doedd dim talent gan Annette Law, ac roedd gormod o waith cynhyrchu ar Maddie Cryer. Ond mi gefais sialens i sgwennu sgetshys i Shane a Billy, ac fe gafwyd ymateb da iawn. Doedd hi ddim yn dasg ry anodd gan fod Billy a Shane yn actorion ac yn gymeriadau mor gryf. Fe ges freuddwyd un noson a'i throi i fod y sgets orau i mi ei sgwennu i'r ddau. Y sefyllfa oedd fod Billy, y cymeriad diniwed, yn priodi, Shane oedd y ficer, a'r ddau o flaen yr allor mewn eglwys.

'Dach chi'n cofio Alice yn priodi yn *The Vicar of Dibley*? A'r briodferch druan yn camddeall beth oedd hi i fod i' wneud? Yn hytrach na dilyn yr hyn roedd y ficer yn ei ddweud, roedd hi'n dweud y llinell nesaf bob tro. Gwych! Doniol ryfeddol! Ond ewch 'nôl i 1991, ac roeddwn i wedi sgwennu sgets debyg iawn. Os medra i gofio, rhywbeth fel hyn oedd y sgets:

Set – allor yr eglwys
Priodferch/priodfab yn sefyll o flaen y ficer
Organ yn gorffen chwarae
Priodfab (Billy) yn gwenu ar y briodferch (Maggie)
Y ficer (Shane) o'u blaen yn barod i ddechrau

Shane: Please say, after me...

Pause

Billy: After me.

Shane: I haven't started with you yet!

Billy: (*turning to bride, big smile*) I haven't started with you yet.

Shane: (*losing control*) You must listen to me!

Billy: (*turning to bride, big smile*) You must listen to me.

Shane: (*very angry*) If you don't shut up, I will walk out on you.

Billy: (*big, big smile*) If you don't shut up, I will walk out on you.

Shane: (*very angry*) I don't know why I agreed to marry you in the first place.

Billy: (*still smiling*) I don't know why I agreed to marry you in the first place.

Bride smacks groom hard and runs away.

Groom looks surprised, and turns to vicar.

Billy: When do I give her the ring?

Dwi'n siŵr y gallwch ddychmygu'r gweddill. Dwi newydd sylweddoli pam nad ydy sgetshys yn gweithio ar bapur, ond credwch fi, gyda Shane Richie a Billy Pearce yn actio, roedd y sefyllfa yna'n ddoniol iawn.

Mae'n rhaid cyfadda bod gweithio gyda'r sêr enwog hyn yn rhoi gwefr i mi. Roedd cyfarfod Cannon a Ball yn debyg iawn i gyfarfod y Co Bach, Wil Cwac Cwac, Triawd y Coleg a Sam Jones am y tro cyntaf yn Neuadd y Penrhyn, Bangor, yn y dyddiau cynnar. Roedd cyfarfod â Joe Pasquale am y tro cyntaf yn brofiad hynod o od. Roedd Joe yn cymryd rhan yn un o sioeau Billy Pearce yn Bournemouth ar y pryd, ac fe gefais fy nghyflwyno iddo fel ffrind i Billy. Sylwi bod Joe yn siarad yn union yr un fath oddi ar y llwyfan ag mae o ar y llwyfan – y llais gwichlyd yna a'i gwnaeth o mor enwog.

Fe arhosais yn Bournemouth am yr wythnos, oherwydd mewn sioe arall yn y dref roedd Freddie Starr, a digrifwr o'r enw Donimo a ddefnyddiai feim yn ei gefnogi yn y sioe. Fe ddois i nabod Donimo yn dda iawn 'rôl iddo ymddangos ar *Bwrw'r Sul* a chael cyfle i weithio efo fo ar ei act. Fe wnaethon ffilmio peilot gyda Donimo yng Nghaerdydd – Paul Jones yn cynhyrchu a chyfarwyddo, a finna wedi sgwennu'r sgript.

Dwi'n meiddio dweud i S4C wneud camgymeriad mawr yn gwrthod y syniad, oherwydd mewn ychydig fisoedd wedyn fe anwyd Mr Bean, ac yn yr arddull honno y ffilmiwyd Donimo. Mae'n bosib i chi ei weld, a chael copi o'r peilot ar ei wefan: www.silentclown.com/donimo-show.htm. Teitl y ffilm oedd *Another Day Short Silent Film*.

Mae'n rhaid fod Billy Pearce wedi dweud pethau da amdanaf wrth Joe Pasquale, oherwydd roedd o isio lot fawr o sylw gin i, a buon ni'n siarad am oriau, finna'n awgrymu syniadau iddo fo, ac ambell jôc weledol. Heb i mi sylweddoli, roedd ymennydd Joe yn llyncu'r cyfan. Doedd dim ar bapur, felly fe gafodd Joe fy syniadau'n rhad ac am ddim. Dwi'n cofio cael galwad ffôn gan Joe unwaith, a wyddoch chi beth oedd ei eiriau cyntaf yn y llais gwichlyd hwnnw? 'Da du da... Hi Idris my old mate, guess who's here? Come on, you have no idea, have you? Do you wanna clue?' Chwarae teg i Joe, rhoi gwahoddiad oedd o i mi i fynd i noson agoriadol y sioe haf gyntaf iddo fo ei chael fel prif berfformiwr yn y Grand Theatre, Blackpool. Fe gefais wahoddiad i'r parti wedyn hefyd, a Joe yn fy nghyflwyno i bawb yno.

O ganlyniad i gymysgu efo'r sêr, cafodd Ceri a finna wahoddiad i ail briodas Tommy Cannon, â'r digrifwyr mawr enwog yno i gyd. Doedd fawr o neb yn fy adnabod i, ac yna fe gerddodd Laurie Mansfield, un o ddynion pwysicaf cynhyrchu adloniant ar y teledu a'r llwyfan i mewn. (Laurie fydd yn tywys y Frenhines i gyfarfod â'r perfformwyr ar ôl y Royal Command.) Pan gerddodd o i mewn i'r eglwys, dyma fo'n sefyll wrth fy sedd i, a siarad efo fi a Ceri! Sioc i bawb, ac i fi, a ches gyfle i siarad efo llawer o'r gwesteion wedyn – meddwl 'mod i'n bwysig, siŵr gin i! Roeddwn i wedi cyfarfod Laurie sawl gwaith cyn hyn; mi fydda fo'n dod i HTV yn aml i weld Mike Doyle, gan mai fo oedd ei asiant, ac roedd o'n awyddus i weld y gyfres HTV yn cael ei dangos ar ITV. Fi fyddai'n cynhesu'r gynulleidfa, felly fe gawsom aml i sgwrs.

Pennod 18

Mam Twm Sion Cati

Dwi ddim wedi sôn llawer, os o gwbwl, amdanaf fel actor; wel, rydw i wedi gwneud llawer o actio. Do – cawn ran fach rŵan ac y man ar *Pobol y Cwm*, dim byd digon mawr i 'nghadw fi yno, diolch byth – ma angen cof da i fod yn actor rheolaidd ar opera sebon. Ma 'na ambell i ran dwi wedi'i mwynhau hefyd, fel y rhan yn y gyfres *Gwely Blodau* efo Meirion Davies, un o'r Ddau Frank. Cymeriadau od iawn yn byw ar blaned arall oedd cymeriadau *Gwely Blodau*, a dwi ddim yn ama nad oedd Meirion ar blaned arall pan sgwennodd o'r gyfres! Roedd y cymeriadau od 'ma ryw ffordd wedi glanio ar y blaned. Cyflwynydd cwisiau teledu oedd fy nghymeriad i – methiant llwyr ar y ddaear, gan ei fod yn llefaru pob brawddeg fel petai'n gofyn cwestiynau mewn cwis:

'Helo, sut ydach chi heddiw? Un) Iawn; Dau) Da iawn; Tri) Gwael iawn,' ac felly ymlaen.

Dwi'n cofio cael galwad ffôn gan Dafydd Hywel un diwrnod.

'Shwmai, Idris? D.H. yma, ti'n ffansïo gneud panto i fi? *Twm Siôn Cati* ni'n neud eleni – wedi'i sgrifennu 'da Hywel Gwynfryn a Caryl Parry Jones. Ma 'da fi ran ffantastic i ti!'

'Y gŵr golygus efo'r merchaid i gyd yn sgrechian arno fo?' gofynnais yn obeithiol.

'Jiw, ti'n ffyni,' medda D.H. 'Na, na, ti fydd mam Twm.'

'Be?' ebychais, mewn sioc braidd. 'Ti isio i fi chwarae rhan y *dame*?'

'Odw,' medda fo. 'Ma 'da ti'r corff a'r siâp iawn! Be amdani?'

'Faint ti'n dalu, D.H.?' gofynnais.

'Jiw jiw, achan, nid fi sy'n edrych ar ôl yr arian, ond fe wna i'n siŵr dy fod ti'n cael dy dalu'n iawn.'

Be arall o'n i am wneud ond derbyn? Mi fyddai'n dipyn o hwyl, os dim byd arall. Roedd gin i dair problem cyn cychwyn ar y daith: yn gyntaf, roedd rhaid i mi siafio; yn ail, roedd rhaid i mi ddysgu'r sgript; ac yn drydydd, am y tro cyntaf erioed roeddwn wedi bwcio gwyliau i fi a'r teulu, a hynny yn Disneyworld, Florida, am dair wythnos. Y gwyliau oedd y broblem fwyaf, oherwydd roedd yr ymarferion yn dechrau tra bydden ni ar ein gwyliau. Ond fe gafwyd cyfaddawd, fy mod i'n colli un wythnos o'r ymarfer ac un wythnos o'r gwyliau.

Cyfle i ymlacio oedd holl bwrpas y gwyliau wrth gwrs, ond fe drodd yn waith, gan fod yn rhaid i mi ddysgu'r sgript tra oedden ni i ffwrdd. Felly pan fyddai Ceri a'r hogiau wrth y pwll nofio, boddi yng ngeiriau Hywel a Caryl oeddwn i. Fodd bynnag, fe gawson ni amser da yn Florida, er y basan ni 'di gwario mwy, ac wedi cael mwy o anrhegion a memorabilia tasa'r cerdyn credyd mewn credyd! Embaras, hwnna ydy o. Cyrraedd un o'r siopau yn Disneyworld, mynd at y til efo llond trol fawr o nwyddau, digon i gadw sawl aelod o'r teulu efo anrhegion am sawl Nadolig a phen-blwydd. Dyma roi fy ngherdyn Access glân, del i'r ferch ifanc y tu ôl i'r cownter, ac fe wenodd yn siriol fel ma merchaid America yn gallu neud! Dim ond i mi weld y wên yn diflannu yr un mor gyflym ag y daeth i'w hwyneb serchus, 'Sorry, sir, your credit card has been rejected.'

Do'n i ddim yn credu'r peth, trio eto, a mwyaf yn y byd roedd hi'n trio, hira yn y byd roedd y ciw y tu ôl yn tyfu. Ro'n i'n teimlo 'mod i'n cael mwy o sylw yn Disneyworld na

Mickey Mouse ei hun! Ffonio'r banc wedyn i weld beth oedd y broblem – mi gymerodd ddau ddiwrnod i wneud hynny – dim ond i glywed nad oeddwn wedi talu dim byd ar y cerdyn credyd ers deufis. Ddudis i fod gin i gof gwael, yn do! Felly bu'n rhaid byw a mwynhau ein gwyliau ar arian parod yn unig – od 'te?

Wedi dychwelyd o'r gwyliau, gadael y teulu bach adra yn yr Wyddgrug a mynd yn syth i'r ymarferion yn Llandeilo. Yno, cyfarfod â'r actorion oedd wedi bod yn ymarfer yn galed ac yn gwybod y sgript tu ôl ymlaen (a deud y gwir, roedd jôcs Hywel Gwynfryn yn swnio'n well tu ôl ymlaen!). Criw ardderchog oeddan nhw hefyd – Catrin Fychan, Owain Gwilym, Huw Tudur, Y Brodyr Gregory, Toni Caroll, ac Arwyn Davies fel un rhan o Talbot y ceffyl, pump o ddawnswyr, a phedwar cerddor. Y profiadol a'r amryddawn Johnny Tudor oedd yn cyfarwyddo. Roeddwn yn methu'n deg ag ymgodymu â chyflymder yr ymarfer am dipyn, ac yn dal y cynhyrchiad yn ôl braidd. Anghofio 'ngeiriau, methu'r ciw, a methu'n gyfan gwbwl â dod i nabod Mrs Cati – fe fu bron iawn i mi fynd adra.

Diolch byth, roedd pawb yn amyneddgar iawn efo fi. Ond fe wellodd pethau pan ddaeth y gwisgoedd dri diwrnod cyn y perfformiad cyntaf. Unwaith ro'n i 'di gwisgo'r ffrog, y bronnau anferth, yr het a'r sgidiau, fe anwyd Mrs Cati yn yr ystafell newid. Mi es i mewn i'r ystafell honno fel Idris Charles dihyder, ofnus a digalon, a dod allan fel Mrs Cati fawr gegog hyderus. Fe newidiodd y llais, fe newidiodd y cerddediad, ac yn fwy na dim arall ro'n i'n teimlo am y tro cyntaf mai fi oedd mam Twm Sion Cati.

Mi ddois i fwynhau'r sgript, dallt y jôcs, ac roedd yn hawdd iawn gwybod pa rai oedd jôcs Hywel a pha jôcs oedd rhai Caryl. Fyddai Caryl dalentog byth wedi meiddio sgwennu hyn: 'Wel shwd y'ch chi 'te? Mrs Cati ydw i. Odi pawb yn iawn? Sori, be wedoch chi? Na, sai'n clywed yn dda, o'n i ddim yn gallu fforddio *hearing aid*, so es i i'r siop

ADLONIANT

Tım Mon fydd yn cystadlu yn y rhaglen Ser y Siroedd a deledir y Sul nesaf, Mawrth 3. Cymer
Gwalchmai; Pat Williams, Llangefni (unawd); Owen Hugh Roberts, Bodorgan (step y glocs
Fodfforedd; Gwilym Evans, Niwbwrch, yn dangos gwaith llaw; Elizabeth a Norah Jones, Lland
liams a Dick Pritchard, Bodffordd (deialog); grwp ymarfer corff o Gaergybi; Clarence Jones a
(canu penillion).

IDRIS A DIC

Sêr y Siroedd efo Dic Graig.

Drama deledu efo Guto Roberts a Nhad.

Ennill yng Ngŵyl Ddrama Ieuenctid Cymru: Aloma, Gwilym Williams, Audrey Mechell (y cynhyrchydd), fi, a Linda Margaret.

Cyflwyno *04-05 Ac-Ati,* 1967.

Cyflwyno *Tren o Gân,* 1968.

Y Perlau, Dafydd Iwan a fi.

Y crys efo ffrils a'r trowsus amryliw.

Be dach chi'n feddwl o'r cap? Holi ar y stryd i *Arolwg,* HTV.

Cabare Idris.

Stumiau: Geraint Griffiths, fi, a Gillian Elisa.

Mwy o *Stumiau:* Emyr Bell, fi, Gill, a Gareth Roberts.

Joe yn cofio fy
mhen-blwydd

Cannon and Ball
yn cofio fy
mhen-blwydd.

To Ioris.
a Belated
60th Birthday
From
Jimmy Cricket

...SO I IMMEDIATELY
JUMPED SHIP

Jimmy Cricket bron ag anghofio fy mhen-blwydd!

Recordio i Radio 2: Dana, Bobby Ball, fi, Tommy Cannon, ? a Brian Mosley (*Coronation Street*) yn y cefn.

Trafod sgript efo Bobby.

Owain,
Bobby Ball,
a Iwan.

Billy Pearce

9th January 2007

Dear Owain,

Please find enclosed photo as requested. I hope it's not too late but I've been so busy with Panto and ill at the same time and pulled a hamstring and been fed up!!
Also I've been waiting for some new photos but they haven't arrived as yet.

About Idris

He is a genuine, kind, generous, sensitive person.
He has helped me when I needed help.
He wrote lots of comedy routines for me when I had no one else to help me at the time.
He was there when I needed a friend.
Although I don't see Idris these days because our lives have taken different courses I still regard him as a dear friend.
As you pass through life you meet only a handful of really wonderful people. Idris is one of those people and I am honoured and proud to know him.
I wish him and his lovely family love and happiness, and I hope he has a brilliant birthday the old sod!!

Love to you all,

Billy.

Nodyn i Owain gan Billy Pearce, *You Gotta Be Joking*, BBC1.

Iwan, Billy, a Owain.

Bum yn sgwennu i Maddi Cryer. Dyma hi yn y London Palladium efo Bob Hope.

Donimo yn ein tŷ ni. Bum yn sgwennu iddo yntau hefyd, yr act fud orau yn y byd!

Yn fyw ar Radio Cymru...

a bron â marw ar Radio Cymru!

Lydia ar lwyfan Penffordd.

Stiwdios Penffordd.

Criw *Wedi 7*.

Ysgol Sul Gad, 1958.

Coleg Diwinyddol Aberystwyth, 1970 (Pa un 'di prifathro Ysgol y Preseli?).

Tîm pêl-droed y coleg, 1972.

Tu allan i Kings Casnewydd.

Gweinidog Kings,
yr Wyddgrug.

Fi a Crimson,
band Kings, yr Wyddgrug.

Crimson efo Cannon and Ball.

Plant y stryd yn Manila wedi ffendio cartref o'r diwedd.

Efo Peter Jenkins, a Jeepney llawn yn y Philippines.

Capel ar Siarago, un o ynysoedd y Philippines.

Cerdded drwy'r goedwig ar un o ynysoedd y Philippines.

Yr Angyles fach yn addoli mewn capel yn y goedwig.

Mewn cartref i'r amddifad yn Sison.

i gal *lemonaid*!'

Pan ddechreuodd y daith roeddwn yn fy elfen – y gynulleidfa'n chwerthin, y plant yn sgrechian, be arall ma digrifwr ei angen? Ond ar ôl y perfformiad cyntaf ym Maesteg, fe brofais dafod gwyllt D.H., a fo oedd yn iawn. Yr hyn ddigwyddodd oedd 'mod i wedi ymateb yn ormodol i chwerthin y gynulleidfa, ac yn hytrach na glynu wrth y sgript, mi es ar gyfeiliorn, a dechrau adlibio, ymateb i'r heclo, ac fe aeth y pedwar munud o sgript Mrs Cati yn wyth munud o sioe Idris Charles. Wnaeth hynny ddim digwydd wedyn. Pan mae D.H. yn dweud rhywbeth, 'sneb yn meiddio peidio gwrando!

Cant a phedwar o berfformiadau, a miloedd o blant Cymru wrth eu bodd. Gwaith caled iawn oedd bod yn Mrs Cati, coeliwch chi fi – gyda thair sioe y dydd ambell waith. Roeddwn i'n gorfod disgyn a rowlio bedair gwaith yn sgets yr ysbrydion, cael fy nhaflu dros ben corff mawr tew Talbot y ceffyl ym mhob sioe a reidio Talbot y ceffyl ar ddiwedd pob sioe. Roeddwn i'n gwybod yn dda sut i ddisgyn, ac roedd Johnny Tudor wedi rhoi cyfarwyddiadau manwl i Owain Gwilym a Huw Tudur sut i 'nhaflu i'n ddiogel. Yn ddiogel? Sut yn y byd roedd dau o hogiau ifanc yn mynd i daflu dyn yn ei oed a'i amser, a hwnnw dros ei bymtheg stôn, dros geffyl mawr pantomeim yn ddiogel? Mi aeth pethau'n weddol dda ar y dechrau a finnau yn rhyfedd iawn yn mwynhau'r profiad. Ond fe welodd yr hogia 'mod i'n mwynhau yn fwy nag y dylwn, felly credwch chi fi, roedd y tafliad yn codi'n uwch ac yn uwch o berfformiad i berfformiad, ac ar y noson olaf un, ro'n i'n meddwl y byddwn i'n glanio yng nghanol y gynulleidfa!

Fyddwn i ddim wedi colli'r profiad o fod mewn panto am bris yn y byd, ac os fydd D.H. rywbryd yn y dyfodol yn chwilio am fam i Twm Sion Cati, neu fam i rywun arall yn ei bantomeim... ma rhifau ffôn Emyr Wyn a Huw Ceredig gin i iddo fo! Wrth fynd ar daith o'r fath, ma cael cwmni da'n hollbwysig, ac fe gawsom lot fawr o hwyl yn teithio mewn mini-bŷs o amgylch y wlad. Lot fawr o dynnu coes, a Toni Caroll a minnau fel rhieni maeth i'r criw gwallgof. Fel ym mhob peth arall dwi wedi ceisio ei wneud, mi roddais o 'ngorau, a'r gorau hwnnw weithiau ddim yn ddigon da, yn fy marn i, felly mi godai'r iselder ei ben. Ar y pryd doeddwn i ddim yn siŵr beth oedd o, ac felly byddwn yn brysio i wneud rhywbeth arall, er mwyn anghofio fy methiant. Rhaid cofio fy mod yn arddel fy ffydd y pryd hwn, ac yn mynychu gwasanaethau'r capel yn ffyddlon, er nad oeddwn yn pregethu.

Fe ymddangosodd llun o Mrs Cati ar glawr *Golwg*! Wel, pan welodd rhai o bobol y ffydd fi efo'r bronnau mawr ffug a'r lipstic coch cocha welsoch erioed wedi'i daenu'n flêr o gwmpas fy ngheg, fe fu holi mawr a dwys a oedd Idris Charles yn wir Gristion. Fe gefais alwadau ffôn caredig, yn gofyn i mi ystyried mewn gwirionedd a oedd yr hyn a wnawn yn dystiolaeth dda i efengyl Iesu Grist, ac a oedd hyn yn clodfori enw'r Duw Sanctaidd. Mi wyddwn nad oedd o ddim! Ond yr hyn oedd yn od, a dwi ddim yn dweud hyn fel unrhyw fath o feirniadaeth ar neb, byddai rhai aelodau, ac ambell i weinidog beirniadol ohonof, yn eistedd yn y gynulleidfa ac yn chwerthin yn braf am ben antics a jôcs twp Mrs Cati! Nid bod hynny'n cyfiawnhau na chondemnio yr hyn a wnawn. Felly, pan ddaeth y daith i ben, rhaid oedd meddwl o ddifrif am fy nyfodol. Doedd y ffaith fod pobol yn dal i ddweud na fyddwn i byth cystal â Nhad ddim yn help, chwaith.

PENNOD 19

Efengylu

ANODD BYW MEWN DAU fyd. Doedd ceisio byw fel Cristion, a byw yn y byd adloniant ddim yn hawdd. Y broblem fwyaf oedd ceisio rhoi fy ngorau i'r ddau fyd, felly canlyniad hynny oedd nad oeddwn i ddim cweit yn dderbyniol yn y cyfryngau a'r byd adloniant am fy mod yn rhy grefyddol, a doeddwn i ddim yn hollol dderbyniol chwaith efo'r crefyddwyr. Pan fyddai parti neu ddathliad neu fynd allan 'rôl sioe am beint neu saith, fyddwn i byth yn mynd, felly doeddwn i ddim yn un o'r criw go iawn. I rai felly roeddwn yn sychdduwiol, yn henffasiwn, a Phiwritanaidd, er y byddai popeth yn iawn yn y gwaith.

Yna dychmygwch fynd i'r cyfarfod gweddi, 'rôl bod ar y llwyfan yn malu awyr, a theimlwn fod y gweddïau fel petaent i gyd yn pwyntio bys ataf fi, am i ni, bechaduriaid gwael y llawr, gael maddeuant am garu pethau'r byd hwn. Doedd emynau Ann Griffiths ddim yn help, chwaith:

> Beth sydd imi mwy a wnelwyf
> ag eilunod gwael y llawr?
> Tystio rwyf nad yw eu cwmni
> i'w gystadlu â'm Iesu mawr:
> O! am aros
> yn ei gwmni ddyddiau f'oes.

Wrth gwrs, doedd y bysedd na'r emynau ddim yn cael eu pwyntio ataf i'n fwriadol, ond fi oedd yn sensitif. Byddai mynd yn ôl i weithio ar ôl ambell i bregeth felly'n anodd tu hwnt.

Fe ddaeth yr haf unwaith eto – haf 1989 a Cannon and Ball yn Great Yarmouth. Cael gwahoddiad gan Bobby i'r pedwar ohonom fynd draw i aros am benwythnos efo fo. Cyrraedd i groeso cynnes Yvonne a Bobby, a llond gwlad o tsips yn nofio ar y bwrdd cinio. Roedd Bobby isio syniad am sgets ar gyfer pantomeim y Nadolig wedyn. Wedi cynnig sawl syniad, a lot o chwerthin, doedd dim byd wedi'i benderfynu. Fe aeth Yvonne, Ceri, Iwan ac Owain i'r ffair bnawn Sadwrn, gan adael Bobby a finna yn y tŷ. Fe fanteisiais ar y cyfle i holi Bobby am ei brofiadau fel Cristion a diddanwr, a sut y gallai o fyw yn y ddau fyd, a hynny'n ymddangos yn hawdd iddo.

Er iddo geisio fy mherswadio ei bod hi'n bosib, mi wyddwn yn ôl goslef ei lais a'r deigryn yn ei lygad nad oedd yntau chwaith yn cael y bywyd deublyg hwnnw'n hawdd o bell ffordd. Doedd dim cefndir crefyddol gan Bobby, ond fe wyddai'n fuan 'rôl ei dröedigaeth na fyddai bywyd byth yr un fath wedyn. O fyw bywyd anfoesol i'r eithaf, bywyd aflan a budur, yn ôl ei eiriau fo yn ei lyfr, bu newid syfrdanol ond araf ym mywyd y dyn bach doniol. Fe gymhellodd fi i fynd i siarad efo Ray Bevan, gweinidog yng Nghasnewydd. Fo, yn ôl Bobbby, oedd y dyn wnaeth ei helpu fo.

Gan fod Ceri fy ngwraig yn dod o Gasnewydd, a'i thad yn dal i fyw yno, doedd mynd ar ymweliad ag eglwys efengylaidd garismataidd King's, Casnewydd, ddim yn broblem. Cofio cyrraedd y cyfeiriad yn Lower Dock Sreet, Casnewydd yn gynnar, a methu gweld capel nac eglwys yn unman; eto'n gweld llwythi o bobol yn cerdded i mewn i adeilad oedd yn fwy tebyg i storfa fawr nag eglwys. Holi a chanfod mai yno roedd Eglwys King's. Mynd i mewn, a rhyfeddu. Dim pulpud na seddau caled, dim organ, dim sedd fawr na llyfrau emynau. Roedd yn llawer mwy tebyg i theatr nag i eglwys – llwyfan enfawr, band a meicroffonau. Dros fil o bobol yn addoli, drwy ganu i sŵn byddarol gitarau trydan, allweddellau a drymiau. Od ryfeddol oedd popeth i mi a Ceri, ond roedd Iwan ac Owain wrth eu boddau.

'Rôl awr o ganu a llafarganu, ac ambell i weddi o'r llwyfan ac o'r gynulleidfa, heb rybudd, fe dawelodd pethau. Fe wnaethpwyd y cyhoeddiadau, fe weddïwyd dros y cleifion, ac fe gafwyd y casgliad. Awr a chwarter, a dim pregeth. Wel, os na fyddai pregeth, fyddwn i ddim yn dod 'nôl, er mor frwdfrydig oedd y gynulleidfa am eu Gwaredwr. Ro'n i ar fy ffordd allan pan eisteddodd pawb, ac estyn eu Beiblau. Rŵan roedd y bregeth yn dechrau. 'Nôl â ni fel teulu bach i eistedd. A dyma bregethu!

Wel yn wir, ro'n i wedi clywed gwahanol arddulliau o bregethu ar fy nhaith ysbrydol, o'r Dr Martyn Lloyd-Jones yn ddwfn ac yn effeithiol i'r saint cadwedig, i Arfon Wyn ysgafn, yr un mor effeithiol efo pobol ifanc ddi-ffydd. Ond roedd Ray Bevan yn rhywbeth arall. Wn i ddim sut i ddisgrifio'r person a gredai fod Iesu Grist yr un ddoe, heddiw, ac yn dragywydd. Doedd dim dewis gin i ond gwrando, doedd dim dewis gin i ond ymateb. Hwn oedd y peth agosaf i'r disgrifiad a ddarllenais am ddiwygiad 1904–05. Un funud fe fyddai'n ein tywys i edrych ar y groes, ac i werthfawrogi'r hwn a archollwyd er mwyn maddau ein camweddau ni. Y funud nesaf mi fyddai'n rhoi darlun hynod o ddoniol o sut y gwnaeth y disgyblion ymateb i'r atgyfodiad. Fe aeth yr awr y bu'n pregethu mor gyflym nes i mi anghofio'n llwyr fod modryb Ceri yn ein disgwyl ni yno am ginio!

Ymhen amser fe ddois i nabod Ray yn dda, ac fe gefais lawer cyngor fu'n help mawr i mi ar y pryd. Erbyn heddiw, fodd bynnag, dwi ddim yn hollol siŵr a oeddan nhw'n gynghorion doeth. Fe fûm yn selog iawn yn Eglwys King's, mor fawr oedd ein gwerthfawrogiad ohono. Fe deithion ni fel teulu o'r Wyddgrug bob Sul am ddeunaw mis er mwyn bod yn bresennol yn ei eglwys. Wedi setlo yn yr eglwys, a gweld faint o waith elusennol roeddan nhw'n ei wneud, mi ddois i'r casgliad yn fuan iawn nad Cristnogion ar y Sul yn unig oedd y bobol hyn. Roedd ganddynt wasanaeth o'r enw Caring Hands yn bwydo'r trueiniaid digartref a fyddai'n cysgu yn nrysau siopau'r dref – gwasanaeth arbennig i ddioddefwyr cyffuriau, dillad ar gyfer tlodion y dref, heb sôn fod deg y cant o'r casgliad yn mynd i dlodion y byd. Cristnogaeth fyw ac i bwrpas.

Doeddwn i ddim yn gyfforddus efo popeth a ddigwyddai yn y cyfarfodydd; do'n i ddim yn deall y siarad mewn tafodau, na'r dawnsio direol yn y llwybrau ac o amgylch y seddi, ond doeddwn i ddim am daflu'r babi allan gyda dŵr y sebon chwaith. Roedd gormod o ddaioni yn y lle yma i gerdded i ffwrdd. Ac yn y lle yma y deuthum o hyd i'r llawenydd a fu ar goll yn fy mywyd cyhyd. Roedd yn ymddangos bod fy ngweddi wedi'i hateb. Salm 51, adnod 12: 'Dyro drachefn i mi orfoledd dy Iachawdwriaeth, ac â'th hael ysbryd cynnal fi.' Nid ffug lawenydd oedd hwn! Ond mae'n rhaid cyfaddef fod y llinell rhwng bod yn ysbrydol a bod yn emosiynol yn denau iawn.

Wedi dod i adnabod Ray yn well, ac yntau i fy adnabod innau, fe ddaethom i rannu profiadau yn aml iawn. Fe welodd ynof fi fy mod yn eiddgar iawn i wneud yr hyn oedd yn iawn, ac fe welais innau ynddo ef ŵr gonest, diymhongar. Pregethais ar sawl achlysur yn yr eglwys – i dros fil o gynulleidfa bob tro, a phedwar camera'n ffilmio'r gwasanaethau. Profiad ofnus oedd sefyll o flaen neuadd yn llawn o bobol a'r rheiny'n ysu am gael gwybod mwy a mwy am y newyddion da.

Nid pobol capel traddodiadol 'mo'r bobol hyn, ond pobol a gawsai wahoddiad yn ystod pum mlynedd o weinidogaeth Ray yn King's i ddod i'r gwasanaethau, ac oedd wedi aros – rhai ohonynt o ardaloedd tlotaf Casnewydd wedi clywed am y tro cyntaf am un oedd yn eu caru. Neges Ray i bobol Casnewydd oedd 'Dewch fel yr ydych'. Gan fod gweinidogaeth Ray mor llewyrchus, roedd galw mawr arno i bregethu ym mhob rhan o'r byd, ac fe allai fod ymhell o King's am 52 wythnos y flwyddyn pe dymunai. Ond gwyddai'n dda mai yng Nghasnewydd roedd ei gyfrifoldeb pennaf. Mewn un ffordd roedd cefndir Ray yn debyg iawn i fy un i. Fe ddaeth i mewn i'r bywyd Cristnogol pan oedd yn ganwr proffesiynol gyda grŵp roc Robbie Ray and the Jaguars yn niwedd y 1960au. Wedi bywyd gwyllt o amgylch Prydain, fe ddaeth wyneb yn wyneb â'r efengyl. Ar ôl y profiad hwnnw bu'n aelod ffyddlon o eglwys Bentecostal yng Nglyn-nedd, ac o'r fan honno aeth i bregethu ar y strydoedd, mewn ysgolion a cholegau, gyda llwyddiant mawr.

Wedi treulio amser gyda Ray a gweld sut roedd o ac aelodau King's yn gweithredu, credwn yn gryf y dylwn adael y byd adloniant, a cheisio bod yn weinidog unwaith eto. Ond y broblem erbyn hyn oedd darganfod eglwys neu gapel oedd am fy nghael yn weinidog arnynt. Mi fyddai'n anodd i mi symud yn weinidog ar eglwys sefydledig heb arni awydd newid, falle na fyddai angen newid arni beth bynnag. Mi fyddai'n anos byth dod o hyd i eglwys Gymraeg oedd am dderbyn fy ffordd i o weinidogaethu. Gan fy mod yn dal i fyw yn yr Wyddgrug fe geisiais siarad yn onest â rhai o weinidogion y dref, i weld a faswn i'n gallu helpu neu ychwanegu rhywbeth newydd at y gwasanaethau. Y pwyslais mawr gin i oedd bod yn rhaid mynd allan i'r priffyrdd, ac annog pobol newydd i ddod i mewn i wrando a derbyn yr efengyl. Roeddwn yn teimlo'n gryf bod yn rhaid, ac yn wir bod dyletswydd arnom i gynnig neges Iesu Grist i bawb, boed y bobol hynny'n gyfoethog neu yn dlawd, yn iach neu yn sâl, yn hen neu yn ifanc, yn glyfar neu... Ond disgyn ar dir caled wnaeth yr hadau; doedd dim arwydd o dyfiant, er i bawb gytuno mewn egwyddor.

Roedd y teimlad o wasanaethu yn enw'r Iesu yn llawer rhy gryf i mi feddwl am ddim arall, a chan fod fy nghytundeb yn dod i ben yn HTV fe wnes benderfyniad nad oeddwn yn mynd i dderbyn un newydd petai un yn cael ei gynnig i mi. Wedi trafod y sefyllfa'n fanwl iawn efo Ceri, fe ddaethom i'r casgliad, os oedd Duw o'n plaid, y byddai popeth yn iawn. Ond a oedd Duw yn rhan o hyn? Amser a ddengys. Os oeddwn i'n gadael HTV, yna fyddwn i ddim yn derbyn unrhyw gyflog, a phetawn yn mynd ar y dôl mi fyddai'n rhaid i mi dderbyn gwaith petai'n cael ei gynnig i mi. Sefyllfa anodd felly, ond sefyllfa gododd fi i dir uchel iawn. Ond oddi ar dir uchel, ma'r cwymp yn brifo llawer mwy.

Mis Ionawr 1991. Wythnos gynta'r flwyddyn, a dim syniad o ble y deuai'r geiniog nesaf, heb sôn am y bunt nesaf. Dwi erioed wedi bod yn dda efo arian, ond dwi erioed wedi cael y profiad o fyw heb arian. Y cam cyntaf oedd penderfynu a oedden ni fel teulu'n mynd i ymuno ag eglwys arall yn y dref, a cheisio gwneud ein dyletswyddau o fewn yr eglwys honno, neu ddechrau rhywbeth hollol newydd. Fe ddaethom i'r casgliad mai'r peth gorau, rhag tramgwyddo neb, oedd dechrau rhywbeth newydd. Nid efengyl newydd, nid sect newydd, ond pwyslais newydd oedd yn hen bwyslais yn yr Eglwys Fore yn Llyfr yr Actau.

I ddechrau, byddem yn rhoi llawer mwy o bwyslais ar rym yr Ysbryd Glân. 'Arhoswch yn Jerwsalem,' meddai'r Iesu wrth ei ddisgyblion, 'hyd nes y'ch llenwir chi â'r Ysbryd Glân.' Os na allai'r disgyblion, oedd wedi gweld a phrofi'r cyfan, bregethu heb nerth yr Ysbryd Glân, pa obaith oedd i mi? Y pwyslais arall oedd fod yn rhaid i ni fod yn berthnasol i'r oes. Does dim rhaid newid llawer ar ffurf y gwasanaethau i bobol sydd wedi'u codi yn y drefn ac iaith y Beibl wedi bod yn rhan o'u magwraeth, gan nad oes ganddyn nhw unrhyw broblem. Ond nid pregethu i bobol yr ysgol Sul a'r cwrdd gweddi oedd ein nod ni, yn hytrach mynd â'r efengyl at y bobol hynny nad oedd erioed wedi clywed Gair Duw, nac erioed wedi darllen Salm 23, 'Yr Arglwydd yw fy Mugail, ni bydd eisiau arnaf...' – y bobol hynny a gredai mai mewn arian mae gwir lawenydd, neu bod ateb i holl broblemau bywyd i'w gael mewn cyffuriau. Ein nod hefyd oedd ymweld yn gyson â'r unig, yr henoed, y carchardai a'r ysbytai – tipyn o gyfrifoldeb.

Felly, doedd dim amdani ond mentro. Os oeddwn i'n

mynd i suddo, mi fyddwn i'n suddo wrth geisio achub bywyd y rhai, yn fy nhyb i, oedd yn boddi o'm cwmpas. Yn rhyfedd iawn fe ddaeth pobol i glywed amdanom fel teulu. Roeddwn wedi dechrau gwneud ymholiadau er mwyn dod o hyd i adeilad addas i gynnal cyfarfodydd, a chefais alwadau ffôn gan bobol yn gofyn beth oedd fy nghynlluniau. Fe gafwyd y cyfarfod cyntaf swyddogol yn neuadd Toc H ar draws y ffordd i Ysgol Bryn Coch yn yr Wyddgrug – neuadd fechan gysurus yn dal rhyw ddeugain o bobol. Yma hefyd byddai'r Crynwyr yn addoli ar fore Sul unwaith y mis. Roedd oddeutu pump ar hugain yn y cyfarfod cyntaf, y rhan fwyaf ohonyn nhw wedi dod o eglwysi eraill y dref – pobol â'r un weledigaeth â fi, yn rhwystredig yn eu heglwysi traddodiadol. Nid beirniadaeth ydy hynna, ond arwydd fod yna deimlad ymysg aelodau ein heglwysi am yr angen i weld ac i sylweddoli bod lle i Gristnogaeth fod ar waith y tu allan i furiau'r eglwys.

Gwnes yn glir i'r gynulleidfa y noson gyntaf honno nad dwyn aelodau o gapeli nac eglwysi eraill oedd fy mwriad. Fyddai hynny'n profi dim, ond os oedden nhw am fod yn rhan o dîm oedd ar dân dros yr efengyl ac yn bwriadu annog pobol ddigrefydd i ymuno â ni, yna byddai croeso iddynt. Doedd dim bwriad o gwbwl cael aelodau, na chael pobol i ymaelodi yn ein capel ni.

Beth fyddai'r ymateb, tybed? Y Sul canlynol roedd yr ystafell fach yn llawn i'r ymylon. Yr un rhai wedi dychwelyd, ac wedi gwahodd ffrindiau a theulu; eraill wedi dod am y tro cyntaf ar ôl i Ceri a finnau fynd o dŷ i dŷ i siarad efo pobol. Doedd hyn ddim yn hawdd gan mai dim ond Tystion Jehofa fyddai fel arfer yn curo ar ddrysau. Fe aeth pethau o nerth i nerth, a phobol yr Wyddgrug yn sylweddoli fod y dyn yma a arferai fod yn ddigrifwr bellach yn pregethu. O fewn chwe mis roedd Toc H yn rhy fychan, yn rhy beryglus o ran diogelwch, ac roedd angen ystafelloedd i wneud gwaith gyda'r plant.

Felly, bu'n rhaid symud i ganol y dref a llogi canolfan

Daniel Owen. Neilltuwyd y brif ystafell ar gyfer cyfarfodydd gan ei bod yn dal rhyw 150 o bobl, a'r tair ystafell yn y llofft ar gyfer gwaith y plant. Fe aeth y newyddion fel tân drwy'r dref, rhai yn ein canmol, tra bod eraill yn ein gwawdio ac yn galw enwau arnon ni. Ond roedd y papurau lleol megis yr *Evening Leader* a'r *Mold Chronicle* yn gefnogol iawn, efallai am eu bod yn cael digon o ddeunydd i lenwi colofnau'r papurau gynnon ni. Fe ddaeth papur y *Times* i glywed am ddigwyddiadau King's yr Wyddgrug, ac fe anfonwyd gohebydd yr holl ffordd o Lundain i weld ac i brofi'r hyn oedd ar droed yn y dre. Achosai'r ffaith fod 80% o'r gynulleidfa heb unrhyw gefndir capel nac eglwys broblemau weithiau, yn arbennig pan oeddan nhw'n dod i wasanaeth am y tro cyntaf. Doedd dim disgyblaeth ganddynt, a dim syniad am barch at ddyn nac adeilad, ond wedi iddyn nhw ddod i brofi gras Duw byddai pethau'n newid yn raddol, a hwythau hyd yn oed yn fodlon rhoi arweiniad i bobol eraill a ddeuai o'r newydd i wasanaeth.

Oes, mae llawer o enghreifftiau o bobol yn cyffesu eu pechodau, ac yna'n mynd yn ôl i'r hen ffordd o fyw heb Dduw na Christ yn eu bywydau. Ond yn yr un modd mae llu o enghreifftiau hefyd o bobol a wnaeth newid. Cofio mynd ar ymweliad unwaith i dŷ yn y dref ar gais gwraig ifanc, ei gŵr yn dablo efo cyffuriau, a hithau efo pedwar o blant i'w magu. Fe es draw a'i gael wedi llwytho'i hun gyda rhyw fath o gyffur. Fe ddwedais wrtho nad oeddwn yn mynd i siarad ag o y noson honno, ond am iddo addo cadw ei hun yn lân am dair noson, ac y byddwn yn dod i'w weld. Fe gododd ei law yn araf, ac fe gymerais ei fod o'n cytuno. Fe es i'w weld fel yr addewais, ac roedd yntau hefyd wedi cadw at ei air. Bu'n frwydr hir am rai wythnosau cyn iddo sylweddoli fod ateb i'w broblemau. Be allwn i ei wneud? Dim byd ond bod yn ffyddlon i'r hyn roeddwn yn ei wybod fyddai'n ei ryddhau o'i gadwynau. Mewn llai na blwyddyn roedd y gŵr ifanc hwnnw'n chwarae gitâr yng ngrŵp addoli'r eglwys bob dydd Sul.

Tyfu a thyfu wnaeth y gynulleidfa, ac o fewn chwe mis roedd yn rhaid chwilio am adeilad mwy. Fe benderfynwyd llogi Ysgol Bryn Coch, yr Wyddgrug, ar draws y ffordd i neuadd Toc H ble ddechreuodd y cyfan. Fe wyddwn yn dda o'm profiad yn y cyfryngau fod rhaid i bopeth a wnaem gael ei wneud yn iawn. Pan fydden ni'n cynnal achlysur arbennig, megis pan ddeuai rhai o sêr y teledu i rannu eu profiadau, yna byddai'n rhaid i'r posteri hysbysebu fod cystal, os nad gwell, na phosteri hysbysebu digwyddiadau Theatr Clwyd yn y dre.

Roedd gynnon ni sawl adran yn yr eglwys i ofalu am ei holl weithgarwch, a phennaeth i bob adran, yn cynnwys drama, band ieuenctid, plant, yr henoed, gweddi, y genhadaeth, y farchnad, ymweliadau, cylchgrawn misol, a grŵp prysur o'r enw Luke 4. Pam yr enw hwn? Yn Luc, Pennod 4, mae'r Iesu yn dechrau ar ei weinidogaeth, ac mae'r bennod yn llawn o'r hyn roeddan ni'n ceisio ei wneud. Luke 4 neu o'i gyfieithu: 'Edrychwch am...' beth bynnag, a phwy bynnag oedd am weld a phrofi gras yr Iesu.

Deuai pobol o bob man, o bell ac agos, o bob enwad a heb fod yn perthyn i enwad atom i addoli. Ond fyddai pawb, wrth reswm, ddim yn dychwelyd gan nad oedd pawb yn gyfforddus gyda'n haddoliad. Byddai'r gwasanaethau'n dilyn patrwm tra gwahanol i'r un traddodiadol o weddi, emyn, darllen, emyn, gweddi, emyn, pregeth – nid fod dim o'i le ar hynny, er bod yna beryg weithia i'r patrwm fod yn ddim mwy na phatrwm yn hytrach na bod yn wir addoliad.

Er mor ardderchog oedd y cyfleusterau yn Ysgol Bryn Coch, ac er mor garedig oedd y staff a Mr Cledwyn Ashford, y prifathro, ro'n i'n dal i deimlo ein bod yng nghartref rhywun arall, yn hytrach nag yn ein cartref ni ein hunain. Felly, doedd dim amdani ond chwilio am adeilad pwrpasol y gallem ei alw yn gartref i ni, i'w logi neu ei brynu. Er nad oedd aelodaeth yn yr Eglwys, roedd gynnon ni swyddogion yn flaenoriaid a henaduriaid, ac yn athrawon ysgol Sul, a phenaethiaid ar bob un o'r gwahanol adrannau, felly pan fyddai rhaid gwneud penderfyniad mi fyddwn yn trafod gyda'r bobol hynny.

Fuon ni ddim yn hir cyn dod o hyd i adeilad gwirioneddol wych – capel! Ia, capel! Roeddwn yn gwybod yn dda am Gapel Pendref, capel Cymraeg y Methodistiaid yn nhop y dref ac yn adnabod y Parch. Bryn Jones, y gweinidog, a'i wraig Vera yn dda iawn – dau o gymwynaswyr mawr yr iaith Gymraeg. Mi wyddwn hefyd fod aelodaeth Capel Pendref yn lleihau, a bod llawer o'r aelodau'n methu mynychu'r oedfaon oherwydd oedran. Felly, ar ôl trafod gydag aelodau a swyddogion Pendref, dyma ddod i gytundeb ein bod ni'n defnyddio'r adeilad yn llawn fel oeddan ni'n dymuno, ar wahân i fore Sul rhwng deg ac un ar ddeg – pan fydden nhw yn cynnal eu haddoliad.

Doedd pawb o'n heglwys ni ddim yn cytuno â'r symudiad, a rhai'n meddwl ei fod yn gam yn ôl yn hytrach na cham ymlaen. Ond o fewn llai na mis o fod yn y capel hardd, roedd pawb yn hapus, a'r addoli'n wefreiddiol ar adegau. Talu rhent fydden ni ar y dechrau, nes i aelodau Pendref ymuno â chapel yr Annibynwyr yn y dref. Ninnau wedyn yn prynu'r adeilad, a'i wneud yn gartref i ni. Falla fy mod yn henffasiwn o hyd efo ambell i beth, ond roedd cael bod mewn capel yn addoli yn rhyfeddol o fendithiol. Wn i ddim beth fyddai'r saint adeiladodd y capel yn ei feddwl fod y sedd fawr, a fu unwaith yn llawn o flaenoriaid parchus, rŵan yn llawn o *amplifiers* a *speakers* swnllyd. Wn i ddim chwaith be fydden nhw'n feddwl o'r ffaith fod seddi unigol cyfforddus wedi'u rhoi yn lle yr hen seddi pren. Ond rwy'n siŵr y bydden nhw'n hapus a bodlon o weld llond y lle o bobol, a llawer iawn ohonyn nhw yn bobol ifanc.

Fe aeth ein gweledigaeth o nerth i nerth, y gynulleidfa'n tyfu a'r casgliad oddeutu £4,000 y mis – digon i dalu gweinidog llawn amser, i dalu am yr adeilad, ac yn fwy pwysig i helpu'r rhai oedd mewn gwir angen o ran bwyd a dillad ar stepen ein drws ac mewn rhannau eraill o'r byd. Gallem anfon gweithwyr fel Terry i gynorthwyo tlodion yn Romania a gwledydd eraill. Roedd gynnon ni weithwyr cymdeithasol cydwybodol a fyddai'n ymweld â phobol ifanc a oedd wedi disgyn i gyflwr o anobaith, ac yn gydwybodol sicr mai bywyd newydd yn Iesu Grist oedd yr ateb i'r cyfryw rai. Mae amryw un a dystiodd i'r profiad newydd yn parhau i fyw bywyd normal hyd heddiw, a chadwyni cyffuriau wedi'u torri am byth. Mae eraill, gwaetha'r modd, yn dal i chwilio am ateb yn y gwter.

Fel eglwys, credem yn gryf nad oedd ffydd heb weithredoedd yn cyfri dim, ac nad oedd gweithredoedd heb ffydd chwaith yn helpu neb. Hawdd iawn fyddai i ni gael ein pennau yn y nefoedd a bloeddio 'Haleliwia' ar y Sul, a methu yn ein dyletswyddau Cristnogol ar y ddaear yn ystod yr wythnos. Mi fyddai llawer yn gofyn i mi pam fod yr eglwys wedi tyfu mor gyflym, mewn cyfnod lle nad oedd yn ffasiynol i fynd i gapel neu eglwys. Byddai rhai'n dadlau mai sioe oedd y cyfan, ac mai digrifwr oedd y gweinidog. Ond rydw i'n gwybod fod pobol yn mynychu oherwydd iddyn nhw weld ein gweithredoedd da. 'Dos a gwna dithau yr un modd' oedd geiriau'r Iesu. Wrth gwrs, doeddan ni ddim yn llwyddo bob tro a byddem yn syrthio'n fyr o'r nod; wrth gwrs, roedd 'na siomedigaethau, ond ar y cyfan roedd y gwaith a'r alwedigaeth yn un hynod o lwyddiannus a phleserus.

Rhaid sicrhau yma nad oes awgrym 'mod i'n hawlio'r clod i gyd am lwyddiant Eglwys yr Wyddgrug gan nad oes dim yn bellach o'r gwir. Er mai ni fel teulu gafodd y weledigaeth, ac mai fy nghyfrifoldeb i oedd arwain y tîm, fyddai 'na ddim ond brics a mortar ym Mhendref a phob adeilad arall y buom yn addoli ynddo heb y bobol weithgar eraill. Pobol sy'n gwneud eglwys. Adeilad ydy capel, a dydy'r adeilad ei hun byth yn dod yn eglwys. Mae mynd i'r capel yn bwysig ryfeddol, ond bod yn aelod o'r eglwys sy'n bwysig, mewn gwirionedd, a'r eglwys sy'n gwneud y gwaith – corff o bobol sydd yn gweithio fel un, ac yn addoli fel un. Falla i ni, bobol draddodiadol grefyddol, feddwl am eglwys fel yr adeilad crefyddol yn y pentra nad yw'n gapel. Ym Modffordd, er enghraifft, mae dau gapel ac un eglwys. Ond yn yr ystyr ysgrythurol, un eglwys yn addoli mewn tri adeilad gwahanol sydd yno.

Pennod 20

'Câr dy gymydog...'

Fe gefais wahoddiad i fynd gyda Ray Bevan i gynhadledd yn Ne Affrica un flwyddyn ac fe gefais brofiadau arbennig iawn yno. Oddeutu pymtheg mil o bobol yn addoli dan yr un to. Roedd yn union fel diwrnod y cadeirio yn y Steddfod Genedlaethol, gyda stondinau o bob math yn gwerthu nwyddau amrywiol o Feiblau i lyfrau diwinyddol a llyfrau hyfforddi plant yn yr ysgol Sul. Roedd yno hefyd fideos o bregethau, CDs o ganeuon, a bathodynnau gyda neges efengylaidd arnynt.

Wedi'r profiad hwnnw, dois i'r casgliad mai fel hyn y dylai gwasanaethau crefyddol fod – yn llawn llawenydd, pregethu clir a digyfaddawd, a phob un Cristion gwerth ei halen yn cyfrannu o'i dalent i greu un teulu Duw. Yma hefyd y dois i sylweddoli fod cyfrifoldeb ar y Cristion i fod yn fwy tebyg i'w Arglwydd yn y byd hunanol hwn.

Cryfhaodd y profiad o ymweld â'r gynhadledd yn Johannesburg, De Affrica, fy ffydd ar y naill law a'i hysgwyd ar y llaw arall. Wedi darllen sawl gwaith am y diwygiad yng Nghymru, ac am brofiadau hynod Evan Roberts, roedd y cyfarfodydd yma'n ymdebygu'n fawr i'r darlun oedd gin i yn fy mhen am gyfnod 1904–05. Mynd i addoli wedyn ar y Sul yn Rhema Church – eglwys ac iddi aelodaeth o 24,000, adeilad yn dal 6,000, a chwe gwasanaeth bob Sul. Lle delfrydol i hogi ffydd!

Ond yr hyn oedd yn fy nharo, ac yn gwneud i mi deimlo'n anghyfforddus, oedd y ffaith ein bod yn teithio i'r gynhadledd ac i'r gwasanaethau ar y Sul drwy ardaloedd tlotaf y wlad

– plant bach yn sefyll mewn dillad carpiog, tun bychan yn eu llaw, yn cardota am friwsion. Welais i neb yn stopio i gynnig cymorth iddynt! Er i mi fwynhau'n fawr yr addysg a'r canllawiau a dderbyniais ynghylch sut i redeg eglwys yn llwyddiannus, anodd i mi oedd peidio â meddwl am y trueiniaid oedd o fewn cyrraedd i'r gynhadledd Gristnogol. Fe holais a holais, ond heb gael ateb, beth fyddai'r gynhadledd yn ei wneud gyda'r blinderog a'r llwythog oedd yn wylo ddydd a nos am esmwythâd.

Dydy o'n rhyfedd, dudwch, ein bod yn cofio rhannau o ddysgeidiaeth mab Duw, ac yn dewis anwybyddu'r rhannau eraill? Nid bod yn hunangyfiawn ydw i ond, bois bach, faint o Gristnogion oedd y cynadleddwyr yn y gynhadledd fawr hon, yn dyfynnu'n helaeth o'r Beibl am Iachawdwriaeth, am ailenedigaeth, am ein llenwi â'r Ysbryd Glân, am siarad mewn tafodau, ond ar yr un pryd yn anwybyddu'n llwyr, am a welwn i, y tlodion, yr anghenus, yr amddifad, y digartref, a'r rhai oedd yn sychedu, nid am gyfiawnder yn unig ond am ddiod o ddŵr glân – pobol nad oedd yn meddwl am Fara'r Bywyd o'r pulpud yn unig, ond am frechdan a thipyn o fenyn a jam oddi ar fwrdd bwyd y pregethwyr. Roedd fy ffydd yn y ddynol-ryw, ac yn fy nghyd-Gristnogion yn gwegian. Rhyfedd o fyd! Duw sy'n cael y bai pan fo tlodi! Lle ma'n cyfrifoldeb ni, 'ta?

Os oedd y daith i Dde Affrica yn brofiad rhyfedd a chymysglyd, roedd y profiad o fynd i'r Philippines yn dra gwahanol. Fe ges i wahoddiad i fynd yno gan y Parch. Peter Jenkins, Cymro di-Gymraeg a gweinidog ar eglwys fawr yn Birmingham. Mi fu Peter yn ffrind da ac annwyl iawn i mi ers i mi ei gyfarfod mewn cynhadledd yng Nghasnewydd. Rhybuddiodd Peter fi y byddwn yn ddyn gwahanol ar ôl bod yno – ac roedd o'n iawn. Hwn oedd y pumed tro i Peter ymweld â bwrdeistref Sison, ar un o ynysoedd tlotaf y wlad. Roedd ei eglwys yn Birmingham wedi mabwysiadu cartref i blant amddifad ar yr ynys ers rhai blynyddoedd. Yn ôl yr ystadegau mae 90% o'r wlad yn Gristnogol, er nad ydw i'n siŵr beth yn union mae hynny'n ei olygu.

Fe fu'r wlad ar un adeg gyda'r cyfoethocaf yn y byd, ond erbyn heddiw mae hi ymysg y tlotaf, a Sison ymysg y tlotaf o'r tlawd. Bu'r eglwys yn yr Wyddgrug yn hynod o garedig, nid yn unig yn talu fy nghostau a'm cyflog tra bûm yno, ond roedd gin i lond sawl waled a phoced o arian i'w rannu fel y mynnwn ymhlith y plant yn y Cartref yn Sison. Gadael Heathrow ar 27 Mawrth 1997 yn ddigon nerfus gan mai dim ond *lluniau* o blant mewn angen ro'n i wedi'u gweld. Mor wahanol fyddai bod yn llygad-dyst. Rhaid oedd newid awyren yn Singapore, maes awyr oedd wedi'i leoli yn Changi. Sôn am gyfoeth! Os oeddwn i'n mynd i wynebu tlodi ar ei waethaf yn Sison, nid dyma'r man i baratoi fy hun ar gyfer hynny. Welais i erioed gymaint o gyfoeth, welais i erioed gymaint o fwydydd amrywiol o wahanol liw a llun, a blas – am wn i. Yn y maes awyr, lle treulion ni dair awr yn disgwyl am yr awyren i'n cludo i Manila, roedd y siopau godidocaf yn gwerthu nwyddau nad oedd i'w gweld yn unman arall, ac arian yn cael ei wario gan bobol gyfoethog na wyddent beth oedd maint eu cyfoeth yn ddigon i fy syfrdanu. Dwi'n cofio eistedd ar un o'r meinciau am rai munudau yn edrych yn gegagored ar y bobol hyn.

Wrth fynd ar yr awyren i Manila, a gadael yr holl gyfoeth, roeddwn yn troi fy ngolygon at y tlodi mwyaf a welswn yn fy mywyd. Cyn i'r awyren lanio, fe gefais ragflas o'r hyn oedd yn fy wynebu, wrth i mi edrych drwy ffenest yr awyren a gweld cannoedd, os nad miloedd, o bobol yn sefyll o amgylch y ffens o gwmpas y maes glanio.

Glanio yn Manila, a phawb ar frys, pawb yn rhedeg, pawb fel petaen nhw ar goll, ac eto pawb yn mynd i'w corlan, fatha gwartheg Cerrig Duon flynyddoedd yn ôl. Aros dwy noson yn Manila oedd y cynllun, dyna drefn Peter bob blwyddyn, oherwydd roedd Bill, gŵr ifanc a'i wraig o ganolbarth Lloegr yn byw yn y ddinas honno ac yn gweithio gyda phlant oedd yn byw ar y strydoedd. Plant oedd wedi colli eu rhieni oherwydd gwahanol amgylchiadau oedd y rhain, ac yn ceisio byw un dydd ar y tro drwy fegera ar y stryd, a oedd hefyd yn gartref iddynt.

Aros yng nghartref Bill, a hwnnw bellach yn gartref i bump ar hugain o blant fu unwaith yn blant y stryd. Dyma'r man y teimlais wir gariad y Crist Byw! Dyma blant a brofodd rym yr Atgyfodiad, oherwydd iddyn nhw unwaith fod yn agos at farw, cyn i law dyner Gristnogol Bill eu codi, ac anadlu bywyd newydd i'w bywydau. Bill oedd yn gyfrifol am eu bwydo a'u gwisgo, a sicrhau bod ganddyn nhw wely clyd bob nos. Bill oedd yn gyfrifol am sicrhau fod y plant yn cael yr addysg orau, a dim ond y gorau fyddai'r plant hyn yn ei gael.

Yn y Cartref fe gwrddais â thri o bobol ifanc oedd wedi dod 'nôl ar ymweliad tra oedden ni yno. Y tri, rai blynyddoedd ynghynt, yn begera ar y stryd ac yn cysgu ar feinciau, wedi'u hachub gan Bill, ond nawr wedi dychwelyd 'rôl graddio, ac ar fin dechrau ar yrfa fel athrawon cydnabyddedig yn y wlad. Holodd Peter ble roedd gwraig Bill, ac fe ddaeth yr ateb o'i enau mor naturiol â phetai hi wedi picio i'r siop i nôl torth.

'Ma hi wedi mynd i'r dymp,' medda fo. 'Dyna ma hi'n teimlo yw ei galwad hi bellach.'

Y dymp? meddyliais, be ma hi'n neud yn y dymp? Fe ddois i wybod fod llawer o blant, ac yn wir oedolion, yn siopa yn y dymp. Yma roedden nhw'n cael eu dillad, eu teganau, a hyd yn oed eu bwyd. Anodd iawn i mi oedd dygymod â'r fath beth, a meddwl fod pethau mor ofnadwy â hynna'n digwydd. Crafu a chwilio am oriau bob dydd i geisio'r hyn roedd pobol eraill wedi'u taflu. Doedd cysgu y noson honno ddim yn hawdd, er bod gwên siriol y plant o'm cwmpas yn arwydd o obaith. A thra bydd pobol fel Bill a'i wraig yn cerdded y strydoedd a'r dymp, mi ddaw bywyd newydd i rai.

Y diwrnod wedyn, cerdded y strydoedd efo Bill, ac yntau efo llond basged o fwyd a dillad i'w rhoi i'r plant, a'r rheiny'n eu derbyn yn nerfus, cyn rhedeg i guddio, a chadw eu trysor. Doedd hi ddim yn bosib deffro rhai o'r plant, a gysgai heb nemor ddim amdanynt. Fe gefais wybod mai arogli glud a sylweddau tebyg oedd ffordd o fyw'r plant, a bod rhai'n gaeth, yn methu deffro, a ddim isio deffro – doedd neb i'w helpu! Be ar y ddaear fawr ro'n i'n ei wneud yn y ffasiwn le? Ystyriais hedfan adra i dawelwch yr Wyddgrug. Roedd Peter yn iawn pan ddwedodd y byddwn i'n ddyn gwahanol 'rôl bod. Ffarwelio â Bill, ac addo y byddwn yn cofio amdano, ac y byddai'r eglwys yn yr Wyddgrug yn anfon cymorth ariannol iddo brynu peiriant golchi unwaith y byddwn wedi cyrraedd yn ôl. Pawb yn dod i godi llaw arnom, a phob un wyneb tlawd yn y Cartref yn gwenu'n siriol, fel plant ysgol Sul Gad, Bodffordd, wrth weld Siôn Corn.

Hedfan wedyn o Manila i Sison. Wrth i'r awyren fechan hedfan uwchben yr ynys lle bydden ni'n treulio'r tair wythnos nesa, fe gefais y fath sioc. Gofynnais i deithiwr a eisteddai gyferbyn â mi beth oedd y cytiau sinc a lenwai'r lle ym mhobman. Doeddwn i ddim yn barod am yr ateb un gair, 'Homes.'

Gweld cannoedd, os nad miloedd, o gartrefi wedi'u gwasgu'n dynn at ei gilydd. Lle, felly, roedd y plant yn chwarae? Lle roedd y siopau a'r lonydd? Wedi glanio, cael croeso gan oddeutu hanner cant o bobol, ac yn eu plith ddyn yr hoffwn ei alw'n sant. Gŵr y tu hwnt i amgyffred dyn cyffredin fel fi ydy Herman Diaz, tad maeth dau ddwsin o blant amddifad. Fo oedd trefnydd y daith, fo hefyd oedd trefnydd y gynhadledd roeddwn i bregethu ynddi bob dydd am bum niwrnod.

Rhyw dair wythnos fyddai hyd yr ymweliad, ac roedd Herman wedi sicrhau fy mod yn pregethu nos a dydd bob dydd tra byddwn yno, mewn gwahanol eglwysi, bach a mawr. Cyrraedd y Cartref 'rôl teithio am awr go dda yn un o'r Jeepneys. Y rhain, wedi deall, ydy prif gerbydau teithio cyhoeddus y wlad, ond un ail-law, neu falle bumed neu chweched llaw, ydoedd, ac un arbennig o hen.

Cyrraedd a churo ar ddrws y Cartref. Neb yn ateb. Cerdded i mewn, a'r tŷ'n ddistaw fel y bedd. Yna Herman yn gweiddi ein bod wedi cyrraedd. Daeth y plant a'r bobl ifanc i'n cyfarch o bob cyfeiriad gyda breichiau agored a chusanau i'n croesawu. Oedd, roedd y Cartref yn ddychrynllyd o dlawd ar un llaw, ond yn lân ryfeddol ar y llaw arall. Nid yn unig roedd yn gartref i'r plant amddifad, ond roedd hefyd yn goleg hyfforddi i bobol ifanc â'u bryd ar y weinidogaeth. Ia, coleg diwinyddol! Câi'r pymtheg o fyfyrwyr fyw yn y Cartref, a chael eu haddysg a'u cadw gan ffrindiau Herman o bob cwr o'r byd.

Fe gefais reswm i godi 'nghalon yn fawr yno. Er bod y Cartref wedi'i leoli yng nghanol y tai sinc tlawd, roedd y tŷ yn lloches amhrisiadwy i'r amddifad. Yr hyn a'm rhyfeddodd – os mai rhyfeddu ydy'r gair – oedd gweld plant bach y Cartref yn derbyn anrhegion o bob math gynnon ni, yn deganau, yn watsys, yn fisgedi ac yn siocledi, a'r wên yn dweud 'Diolch' yn well nag unrhyw air. Yna, y gorchwyl pwysicaf un, sef gwneud yn siŵr fod y rhannu'n deg. Y plant wedyn yn mynd allan at eu ffrindiau yn y tai sinc i rannu efo'r rheiny. 'Câr dy gymydog ...'

Amser gwely y noson gyntaf. Gwely pren, dim matres, ac un gorchudd tenau. Wel, roedd hi *yn* boeth! Wrth gwrs, doedd cysgu ddim yn hawdd, ond dim ond pedwar gwely oedd yno, beth bynnag, ac roedd y plant yn hapus i gysgu ar y llawr. Cael fy neffro am bump y bore wrth glywed y plant a'r bobol ifanc yn canu a gweddïo'n uchel. Am hanner awr wedi pump, a hynny bob bore tra oeddwn yno, cael fy nghodi i fynd i bregethu yn y cwrdd chwech – y bore! Y capel yn llawn o wynebau serchus yn disgwyl amdanaf, a phob un yn disgwyl yn eiddgar am neges gan Dduw i roi nerth iddynt i'w cynnal drwy'r dydd.

Rhyfedd o ryfeddod oedd clywed y plant mewn cymaint o dlodi'n diolch i Dduw am ei holl ddaioni tuag atynt. Doeddwn i ddim yn teimlo'n gyfforddus o gwbwl, a dyma pryd y dechreuais amau fy ngwir ymrwymiad i'r ffydd Gristnogol. Mae'n hawdd bod yn Gristion pan fo popeth o amgylch yn gyfforddus, ond mae bod mewn lle fel hyn yn gwneud i ddyn ofyn cwestiynau mawr a phwysig. Fi oedd wedi dod atyn nhw i ddysgu'r efengyl ac i bregethu Gair Duw, ond nhw oedd yn fy nysgu i werthfawrogi haelioni Duw. Nhw a'm dysgodd i sut i wir agosáu at Dduw mewn gweddi. Dyma pryd y sylweddolais fod mwy i'r bywyd Cristnogol yma nag enwadau, labeli, capeli a thraddodiad. Fe sylweddolais hefyd fod mwy i fod yn weinidog na phregethu a gwybod adnodau'r Beibl. Fedra i ddim meddwl am sefyllfa arall pan dreuliais amser gyda phobl mor ysbrydol a hapus. Dwi wedi gwrando a dysgu am y Beibl gan athrawon a thiwtoriaid diwinyddol, heb sôn am bregethwyr a gweinidogion parchus, ond fu neb erioed yn debyg i'r rhain.

Roedd Herman Diaz wedi trefnu taith bregethu i Peter a minnau mewn eglwysi oedd yn gysylltiedig â'r coleg. Wna i byth, tra bydda i byw, anghofio dwy daith arbennig iawn. Y gyntaf o'r rhain oedd mynd i bregethu mewn pentref diarffordd yn y jyngl, ddwy filltir o'r ffordd fawr. Wrth gwrs byddai gynnon ni fwyd i'r trigolion hefyd – sacheidiau o reis yr oedd cymdeithas Gristnogol roedd Peter yn perthyn iddi wedi talu amdano. Pan aem i bregethu, byddai bron pawb o'r coleg yn mynd gyda ni, a'r myfyrwyr fyddai'n arwain yr addoliad fel arfer.

Felly, rhaid llwytho'r Jeepney i'r ymylon – nid yn unig roedd y tu mewn yn llawn, ond y tu allan hefyd. Wn i ddim hyd heddiw sut y llwyddodd yr hogia a'r merched ifanc i beidio â syrthio oddi ar y to! Ar do'r cerbyd hefyd y câi'r offerynnau a'r meicroffonau, y gitarau a'r drymiau eu gosod. Doedd dim sôn am iechyd a diogelwch! Parcio'r cerbyd mawr trwm ar ochor y ffordd, yna cerdded drwy'r coed i'r pentra.

Roedd yr awyrgylch yn y pentra'n afreal – dim trydan, dim dŵr tap, na dim o'r cyfleusterau hynny a gymeren ni'n ganiataol adra. Daeth ychydig o bobol i'n croesawu, ac yna cawsom ein harwain gan arweinydd neu faer y pentra i'r capel bach crwn oedd yn orlawn, gyda llu o bobol y tu allan yn gwrando ac yn addoli. Cerdded i mewn, a gweld golygfa mor annisgwyl a'm syfrdanodd i. Merch un ar ddeg oed, eiddil a gwan ond hynod o dlos, yn canu am Oen Calfaria, a dagrau'n rhedeg i lawr ei gruddiau. Roedd ei gwisg yn lân a phrydferth, ei hwyneb fel y dychmygaf y dylai wyneb angel fod, a'i llais mor swynol wrth iddi ganu'r nodau hyfryd. Dwi'n sicr bod ei geiriau'n atseinio yn y nef. Os ydy Duw yn medru gwenu, roedd yn gwenu ar yr awr arbennig hon. Hi oedd yn arwain yr addoliad, hi oedd yn arwain y weddi, hi oedd yn arwain y gân, ac ie, hi oedd yn darllen y Beibl. Ati hi roedd pob llygad wedi troi, a gwrando arni hi roedd pob clust.

Doedd ymwelwyr fel ninnau ddim yn bwysig, doedd y pregethwr gwadd ddim yn mynd i amharu ar y gwir addoliad hwn. Dwi'n cofio disgyn ar fy ngliniau o'i blaen, nid i'w haddoli, ond i geisio meddiannu ychydig bach o'i phrofiad, gan obeithio y byddai'r nef oedd o'i chwmpas yn fy amgylchynu innau hefyd. Wn i ddim am faint o amser y bûm i yno, ond mi wn iddo fod yn brofiad nad oes geiriau i'w egluro. Pregethu oedd fy nhasg nesaf, a hynny trwy gyfieithydd. Tasg anodd, ond yr hyn oedd yn anoddach oedd ceisio rheoli fy emosiynau. Fedrwn i ddim dweud enw Iesu heb gryndod yn fy llais, a'm corff i gyd fel petai'n perthyn i rywun arall. Yn ôl y trafodaethau wedyn, roedd y cyfieithydd yn amlwg wedi methu cyfleu ambell i frawddeg a hynny, yn eu tyb nhw, am fy mod i'n siarad mewn tafodau, nes i mi egluro mai dyfynnu emynau Cymraeg Ann Griffiths a William Williams oeddwn. Alla i ddim dweud yn union pa emynau, na chwaith pa adnodau.

Roedd yr ail brofiad yn un nad anghofiaf byth. Roedd

y daith mewn llong i ynys Siargao yn daith teirawr. Ar yr ynys roedd chwech neu saith o eglwysi o dan ofalaeth gweinidogion ifanc a gawsai eu hyfforddi yn y coleg gan Herman Diaz a'i staff. Dyw'r capeli yn ddim byd tebyg i'n capeli ni, yn wir maen nhw'n debycach i gwt 'mochel i anifeiliaid gan ffarmwr yn ei gae. Meinciau pren anwastad a phulpud, dyna'r cyfan. Dim ffenestri a dim drws. Fe aeth popeth yn dda iawn o ran y cyfarfodydd, yn arbennig y cyfarfod awyr agored a gafwyd yn y pentra. Deuai pawb yno i weld beth oedd yn digwydd, doedd dim rhaid hysbysebu. Roedd yr ynys yn dioddef o dlodi a newyn ond, yn rhyfedd iawn, ynghanol y tlodi, roedd problem alcohol ddifrifol ymysg y dynion ac roedd hyn yn rheoli bywydau rhai oedd yn ddigon abl i fedru pysgota a hela am fwyd.

Bu'r daith yn ôl o Siarago yn hunllef; yn wir, wn i ddim sut y dois i drwy'r cyfan yn fyw ac yn iach. Taith deirawr yn troi'n daith un awr ar ddeg, a hynny o dan amgylchiadau anodd. Yn sydyn ar y fordaith, fe stopiodd peiriant y llong yn hollol ddirybudd. Dim ond y capten a'i griw bach a wyddai beth oedd yn digwydd, ond wedi deall wedyn roedd Herman hefyd yn gwybod. Arhosodd y llong yn llonydd am oriau yng nghanol y môr – doedd mo'r ffasiwn beth â chychod achub ar ochor y llong, nac unrhyw gylch achub ar y llong chwaith. Dwi ddim yn gallu nofio, ac mae arna i ofn dŵr! O'n i i fod i gerdded ar y môr? Wedi oedi am gyfnod hir, daeth llynges o *outriggers*, sef cychod hir fel canŵ, i'n cyfarfod.

Roedd oddeutu cant o bobol ar ein llong ac fe gafwyd tipyn o ddrama wrth i fi, yn bymtheg stôn a hanner, geisio camu o'r llong uchel i ganŵ isel yng nghanol y môr! Methu ddwywaith, a phawb ar y canŵ yn disgwyl yn eiddgar i'r pregethwr gymryd ei le er mwyn iddyn nhw gael dianc. Dyma sy'n od – er i mi fod ar y cwch hir, cul yn taro'n galed yn erbyn y tonnau, a finnau'n eistedd reit yn y tu blaen, doedd dim ofn arna i o gwbwl. Mae arna i ofn rŵan wrth feddwl am y peth, fodd bynnag. Wedi glanio'n ddiogel, a phob *outrigger* wedi'i barcio'n ddel ac yn ddiogel yn y bae, fe welsom yn y pellter ein llong yn dod i mewn. A phwy oedd arni? Neb llai na Herman Diaz. Roedd o wedi aros ar ôl i wneud yn siŵr nad oedd dim niwed yn dod i ni. Yn ôl Herman, fe fu bron iawn i ni golli ein holl eiddo, ac efallai ein bywydau.

Yr hyn oedd wedi digwydd oedd fod lladron wedi clywed fod pobol gyfoethog o'r Gorllewin ar fwrdd y llong, ac i'r lladron wneud trefniadau efo'r capten i stopio yng nghanol y môr fel y gallen nhw fyrddio'r llong a dwyn y cyfoeth. Fe ofynnais gwestiwn gwirion amser swper. 'Pwy,' medda fi yn ddigon diniwed, 'oedd y bobol gyfoethog o'r Gorllewin?' – heb sylweddoli mai Peter a fi oeddan nhw. Dyna'r tro cyntaf a'r tro olaf i mi gael fy ngalw yn gyfoethog.

Wedi cyrraedd 'nôl adra yn yr Wyddgrug, mi wyddwn na fyddai bywyd byth yr un fath wedyn. Mi fyddwn yn fwy neu yn llai ysbrydol, mi fyddwn yn gryfach neu yn wannach Gristion. Mi fyddwn yn fwy penderfynol yn fy ngweledigaeth, neu yn gwanhau, ac yn fwy positif neu yn fwy negyddol. Allai pethau byth fod yr un fath. Y broblem fwyaf ar y dechrau oedd ceisio dygymod â mynd i Tesco unwaith eto. Gweld bwydydd wedi'u pentyrru ar bennau ei gilydd, silff ar ôl silff yn llawn, a gwybod yn dda y byddai cynnwys llond troli bach o Tesco yr Wyddgrug yn gweddnewid bywydau pobol a phlant Sison. 'Every little helps?' Wel, mi fasa!

Wedi dychwelyd, doedd bod yn bregethwr neu yn weinidog cyffredin ddim yn bosib bellach. Mi geisiais fy ngorau – mae fy ngwraig a'm plant yn dyst i mi geisio cyflawni fy ngwaith yn unol â gofynion sanctaidd Duw. Mi ymlafnais drwy gymryd mwy o amser i baratoi pregethau, mwy o amser i weddïo, mwy o amser i ymweld, ond gan fethu cyrraedd y nod a osodais i mi fy hun. Hynny, efallai, am 'mod i'n ormod o berffeithydd. Wedi ymdrechu hyd fy eithaf, os na fyddaf yn hollol hapus â'm hymdrech, yna gallaf golli diddordeb. Hefyd, mae galwad i gynrychioli Crist ymysg pobol ddigred ac i fod yn arweinydd ysbrydol yn rhywbeth na ellir ei ddysgu mewn llyfr na choleg. Nid bòs ydy Duw, ond fo ydy creawdwr y bydysawd; fo ydy cynllunydd a chynhaliwr y byd; fo sydd wedi ein gwneud ar ei lun a'i ddelw ei hun, ac yn ei ras mae o wedi rhoi achubiaeth i'r colledig yn ei fab, Iesu Grist.

Wedi sylweddoli hyn, ac wedi gweld â'm llygad fy hun Gristnogion yn gwir addoli Duw yn onest, yn ddi-ffws, ac o'r galon, mi wyddwn, nid yn unig fy mod yn disgyn yn fyr o'r nod, ond doeddwn i ddim hyd yn oed yn agos at gyrraedd y nod. Falle wrth edrych yn ôl fy mod yn orfeirniadol ohonof fy hun, ac efallai fy mod yn disgwyl gormod gan y bobol oedd o'm hamgylch. Pam nad oeddan nhw'n fodlon mabwysiadu teulu yn Sison? Pam nad oeddan nhw'n fodlon rhoi o'u hamser i gysylltu â nhw? Doedd bywyd ddim yn hawdd i mi, fe gollais yr awydd i bregethu am nad oeddwn yn gweld newid ynof fy hun na'r bobol o'm cwmpas ar ôl y bregeth. Fe gollais ddiddordeb mewn gweddi am nad oeddwn yn gweld atebion i'm gweddïau.

Wrth weddïo ar y sgwâr yn Siargao gwelais ddynes ganol-oed a gollasai ei golwg yn dod i weld yn eglur. Doedd dim doctoriaid na meddyginiaeth i'r bobol hynny, ond roedd ffydd yn ddigon i'w hiacháu. Methais yn lân â chael yr un profiadau ar dir Cymru. Wrth edrych yn ôl, sylweddolaf mai arnaf fi roedd y bai.

Os oedd yr eglwys hon yn yr Wyddgrug y gwnaethom ni, Ceri, Iwan, Owain a finna, ei sefydlu, yn mynd i lwyddo, teimlwn fod rhaid chwilio am arweinydd arall. A dyna ddigwyddodd, ac fe es i 'nôl i'r byd adloniant. Cymryd y ffordd hawsaf? Dewis call? Dwi ddim yn siŵr. Mae'r eglwys o dan weinidogaeth Mike Cornes a'i wraig yn dal i lwyddo, er iddi newid cyfeiriad ryw ychydig.

PENNOD 21

'Nôl i'r cyfryngau

PAN GYHOEDDAIS WRTH YR eglwys fy mod yn dod â fy ngweinidogaeth i ben, roedd yn dipyn o siom i lawer o'r gynulleidfa, yn arbennig y rhai a welsai'r twf aruthrol yn y gynulleidfa yn ystod y pedair blynedd a hanner.

Beth, felly, fyddai'r cam nesaf i mi? Byddai mynd yn ôl i weithio fel hyfforddwr gyrru yn llawer rhy gostus, ac yn sicr doeddwn i ddim yn teimlo fel gwerthu hufen iâ eto, na chwaith mynd i garthu baw ieir efo tractor a trelar ar fferm Ephraim yn Rhostrehwfa. Felly, doedd dim amdani ond mynd yn ôl i'r diwydiant adloniant. Holi hwn a'r llall am waith; doedd hi ddim yn hawdd i foi efengylaidd, cul gael swydd yn y cyfryngau, ac wrth gwrs roedd amser wedi mynd ymlaen a phobl newydd wedi dod i'r byd teledu.

Doedd dim amdani ond meddwl am syniad fyddai'n gwneud cyfres deledu, a cheisio perswadio cwmni i werthu'r syniad i S4C. Fe feddyliais am syniad o roi cyfle i ddigrifwyr Cymraeg gael rhaglen ar y sianel. Mi wyddwn yn dda fod llawer o'r digrifwyr yn gwneud gwaith rhagorol yn eu hardaloedd, ac ambell un wedi cael cyfle i ymddangos ar *Noson Lawen* ar S4C. Ond teimlwn fod mwy i dalentau'r digrifwyr hyn na dim ond dweud ambell i jôc neu arwain cyngerdd. Felly, dyma fynd ati i gynllunio rhywbeth tebyg i sioe *The Comedians* a gâi ei chynhyrchu gan Granada yn y 1960au a'r 1970au. Wedi cael y syniad, mynd draw i weld Elwyn Williams, cyfarwyddwr Cwmni'r Castell ym Mae Colwyn. Roedd Elwyn, wrth reswm, yn enwog am ganu yn y ddeuawd Emyr ac Elwyn, ac am fod yn frawd i Emyr, sef yr anfarwol Gari Williams. Fe fu farw Gari'n sobr o ifanc, ac fe gollodd Cymru ddigrifwr, actor, diddanwr, a chanwr gyda'r gorau posib. Collais innau ffrind da. Yn wir, roedd pawb yn ei nabod, a chredwch chi fi roedd yntau'n nabod pawb hefyd – yn cofio pawb y gwnaeth dynnu eu coes mewn noson lawen hyd yn oed! Roedd Elwyn yr un mor annwyl a charedig, ac mae yntau hefyd bellach wedi'n gadael.

Pan es i weld Elwyn yn ei swyddfa ym Mae Colwyn, a rhannu fy syniad efo fo am gyfres efo digrifwyr, roedd yntau hefyd wedi cael yr un syniad ac ar fin ei gyflwyno i S4C. Felly, dyma fynd ati i weld beth oedd cryfderau a gwendidau'r ddau syniad, a'u rhoi at ei gilydd. Galw'r syniad yn *Jocars*, a ffwrdd â ni. Fe gawsom gomisiwn, ac fe gafwyd tair cyfres, a'r rheiny'n rhai pleserus iawn i mi. Byddwn i'n gyfrifol am sgwennu neu addasu'r jôcs i'r *Jocars* – ac roedd hyn yn cymryd llawer iawn o amser. Roedd Elwyn a finnau'n benderfynol bod angen rhoi'r canllawiau gorau posib iddyn nhw, er mwyn i'r digrifwyr hyn gael cyfle i ddatblygu eu sgiliau perfformio. Mi wn i sicrwydd fod rhai o'r digrifwyr wedi gwerthfawrogi'r help, ac yn tystio fod yr hyn a gafwyd yn ystod y gyfres wedi bod o les mawr iddynt.

Ar un adeg, roeddwn i'n sgwennu i bymtheg o wahanol ddigrifwyr, ac nid jyst chwilio am jôcs yw gwaith golygydd sgriptiau o'r math yma. Rhaid rhoi jôc addas i'r gwahanol arddulliau, am fod gan bob digrifwr ei arddull ei hun wrth ddweud jôc, yn ogystal ag wrth siarad ac ynganu geiriau. Roedd yn rhaid i mi glywed y boi yn fy mhen yn dweud y jôc. Fe ddysgais hyn gyda Charlie Adams pan oedd yn darlithio ar gomedi. Dydy wyneb ambell i ddigrifwr ddim yn siwtio rhai jôcs, meddai hefyd. Felly rhaid oedd cymryd yr holl elfennau hyn i ystyriaeth wrth afael yn y beiro ac edrych ar bapur gwag bob bore.

Wrth reswm roeddwn i, fel pawb arall, yn cael syniadau wrth gofio hen jôcs, ac roedd darllen y papurau newydd a gwrando ar y newyddion yn ffordd arall o gynhyrchu jôcs newydd. Erbyn heddiw dwi'n gallu teipio efo un bys yn weddol gyflym, ond fyddai dim un o'r sgriptiau wedi cyrraedd y digrifwyr mewn pryd oni bai am waith Edwina, gwraig Elwyn. Bob hyn a hyn byddwn yn clywed chwerthiniad o swyddfa Edwina. A wel, nid yn unig yr oedd wedi deall fy sgrifen, roedd wedi deall y jôc hefyd!

Roedd Elwyn a finnau'n deall ein gilydd i'r dim, ac yn gwybod cryfderau a gwendidau'n gilydd. Ond yr hyn oedd yn gwneud ein partneriaeth yn effeithiol oedd ein bod yn sbarduno'n gilydd i wneud ein gorau ac yn disgwyl hynny gan bawb arall. Cofio Elwyn un diwrnod yn gofyn i mi a oedd 'na rywbeth arall y gallem ei wneud i helpu'r digrifwyr hyn – rhai ohonynt â dawn fawr ond heb gyrraedd eu llawn botensial. Gan fod Elwyn a finna yn ymwybodol o bwysicrwydd proffesiynoldeb perfformwyr, châi'r un o'r digrifwyr gerdded ar lwyfan gan obeithio'r gorau, neu efo darn o bapur yn ei law am nad oedd wedi dysgu'r act. Awgrymodd Elwyn y dylsen ni gael rhywun â phrofiad dweud jôcs, neu sgwennu jôcs, i ddod i mewn i'n cynorthwyo, ac i roi blas i'r digrifwyr o fyd y digrifwr proffesiynol. Ar gyfer y gyfres gyntaf, roedd Ken Dodd yn fodlon i ni fynd i'w gartref i'w ffilmio yn rhoi cynghorion, a dyna wnaethpwyd. Doedd neb gwell. Ken Dodd ei hun yn rhoi o'i amser i siarad â digrifwyr nad oedd o erioed wedi clywed amdanynt.

Ar gyfer y tair cyfres arall fe gawson ni Tom O'Connor, un o ddigrifwyr mwyaf poblogaidd Prydain, ac yna Jim 'Bullseye' Bowen. Allwch chi ddychmygu sut fyddai'r hogia'n teimlo wrth weld y mawrion hyn yn cerdded i mewn i siarad efo nhw? Fel cael John Toshack i roi cynghorion i dîm pêl-droed lleol, a'r tîm hwnnw wedyn yn mynd ymlaen i ennill popeth. Er mor ardderchog oedd clywed y tri hyn, ac roedd yn brofiad cofiadwy iawn, yr un roddodd fwyaf o gymorth i'r digrifwyr, yn fy nhyb i, oedd gŵr o'r enw Mike Craig. Er nad yw Mike mor enwog â'r lleill, mae ganddo fwy o brofiad o sgwennu comedi na neb arall y gwn amdano (ac eithrio Bob Monkhouse falle). Fo oedd yn gyfrifol am gyfresi cynnar Harry Worth, Roy Castle, Ken Dodd, Mike Yarwood, Jimmy Tarbuck, Des O'Connor, a Morecambe and Wise. Fo hefyd oedd yn gyfrifol am raglenni comedi radio y Grumbleweeds ac Al Reed. Hogi tipyn ar y ddawn amlwg oedd yn bodoli'n barod oedd y nod.

Roedd rhai'n naturiol ddoniol beth bynnag, ac roedd yn wirioneddol bleserus sgwennu jôcs iddynt, a hwythau wedyn yn perfformio'r jôcs, ia, perfformio'r jôcs o flaen y camerâu yn hollol broffesiynol. Roedd gan Dilwyn Pierce ddawn fawr o gofio jôc, ac o'r herwydd medrai gofio pob awgrym a gâi o ran pwyslais ac ati. Mae Dil yn wych o flaen cynulleidfa fyw; wel, mae o'n cael digon o ymarfer! O holl ddefaid y ddaear, dim ond defaid Dilwyn sy'n medru chwerthin!

Glyn Owens wedyn yn ddigrifwr fyddai'n gwrando â'i geg yn agored, yn awyddus i wella'i dechneg, a chyrraedd y safon briodol. Roedd Glyn yn sugno cymorth oddi wrthyf. Barn bersonol – mi fyddai adloniant Cymraeg wedi elwa llawer petaem wedi gweld Glyn ar S4C. Mae gan Glyn y ffraethineb cyflym yna, a gall ymateb yn gyflym, sef un o hanfodion pennaf digrifwr.

John Sellers – dyn naturiol ddoniol. Does 'na ddim ffordd arall i ddisgrifio John. Mae comedi'n rhan annatod o'i bersonoliaeth, ei amseru'n berffaith, ia, perffaith. Pam na welsom fwy o John Sellers ar ein sianel? Wn i ddim, efallai nad oedd Cymraeg John yn dderbyniol, na'i arddull Freddie Starraidd. Tybed nad oedd S4C ar y pryd yn fodlon mentro? Ond o fynd i unrhyw fan lle ma John yn perfformio, boed hynny mewn neuadd goffa ddi-nod neu mewn clwb yng nghanol Lloegr, bydd y gynulleidfa'n chwerthin yn ddireol. Dyna brawf go iawn o ddigrifwr. Fe wnaeth Cwmni'r Castell beilot o raglen efo John. Oedd, roedd yn wahanol – yn wahanol iawn; ond welodd y syniad mo'r sgrin deledu.

Fe alla i enwi llu o rai eraill roddodd lond bol o chwerthin i mi: mae Dilwyn Morgan, y Bala, yn un o'r dynion doniolaf gerddodd ar lwyfan erioed. Un llinell gan Dilwyn, ac mi fyddai'r gynulleidfa yn ei ddwylo. John Jones o Sir Fôn, ffarmwr â'r ddawn anghyffredin o ddweud jôcs fatha tasan nhw'n wir, ac i John roeddan nhw *yn* wir! Roedd y gallu ganddo i greu cymeriadau yn well na neb.

Wrth ddweud fod gin i ffefryn dydy hynny ddim yn tynnu dim oddi wrth y pleser ges i gyda phob un o'r lleill, ond i fy synnwyr digrifwch i, roedd Gareth Owen yn berffaith. Er hynny, fo oedd yn rhoi'r broblem fwyaf i mi. Mae arddull Gareth mor wahanol. Wyneb direidus, wastad yn sôn am ei *hotel* yn Llandudno. Y broblem oedd fod Gareth mor gredadwy yn dweud y straeon hyn fel y byddai pobol yn fy ffonio isio gwybod ble oedd ei *hotel*. Pan oeddwn i'n deud nad oedd ganddo *hotel* ac na fu erioed yn berchen un, byddai pobol yn meddwl 'mod i'n hen ddyn ystyfnig yn gwrthod rhoi'r wybodaeth iddynt.

Dros y blynyddoedd dwi wedi dod yn ffrindiau da efo Gareth, sydd bellach yn rheolwr Theatr Pafiliwn y Rhyl. Dwi'n cofio pan ddaeth Gareth am glyweliad ar gyfer y *Jocars*. Fe ddechreuodd braidd yn nerfus, ond fe wellodd pethau wrth glywed fy ymateb i ac Elwyn; doedd neb arall yno. Ar ôl y clyweliad hwnnw, fe ddwedais wrtho fod ganddo rywbeth yn llechu yn ei bersonoliaeth nad oedd o na neb arall wedi'i weld cyn hynny, ac nad oedd o, chwaith, yn ymwybodol ei fod yno. Fe deimlwn hynny wrth iddo ddweud ambell i linell neu jôc yn y deg munud roedd wedi'i baratoi ar ein cyfer. Awgrymais y dylai anghofio'r sgript yn llawn jôcs amdano'n mynd ar ei wyliau, a chreu cymeriad hollol newydd, a hwnnw'n berchen ar westy. Fe fyddai o wedyn yn dod â chymeriadau eraill i mewn i'r sefyllfa. Erbyn heddiw ma Taid a Mary yr un mor adnabyddus â Gareth ei hun. Mae Gareth yn un arall ddylsai fod wedi cael cyfres neu ddwy neu dair ar S4C.

Un ddylsai fod wedi gwneud yn well, tasa fo wedi gwrando,

oedd John Lloyd o ardal Wrecsam. Roedd John yn ddigrifwr prysur mewn clybiau ledled Lloegr, ac wedi rhannu llwyfan gyda mawrion y byd adloniant, ond ar gyfer teledu Cymraeg am saith o'r gloch, roedd yn rhaid iddo addasu ei arddull, ac yn sicr ei iaith flodeuog! Roedd John yn ffeindio hynny'n anodd; mae o'n dal i wneud bywoliaeth dda ond nid ar ein sianel fach Gymraeg ni, felly dwi ddim yn meddwl fod John yn poeni llawer, os o gwbwl!

Un arall y cefais fwynhad yn ei gwmni oedd y dyfarnwr rygbi byd-enwog, Nigel Owens. Ma Nige yn hen foi iawn, a 'di o ddim yn *bad* o ddigrifwr chwaith! Un a gafodd gyfres gan S4C oedd Don Davies, ac fe gefais y fraint o gynhyrchu a sgriptio'r gyfres fer honno i Don. Roeddwn wedi dod ar ei draws flynyddoedd ynghynt – Tony ac Aloma oedd wedi deud wrtha i amdano fo.

'Rhaid i ti fynd i'w weld o, Wilias,' medda Tony. 'Mae o'n ddoniol cyn iddo fo agor ei geg,' medda fo wedyn.

Dwi'n leicio digrifwyr fel 'na! Fe ddaeth cyfle i mi weld Don yn perfformio. Oedd, roedd o'n ddoniol, ond os oedd y dyn hwn yn mynd i fod yn llwyddiannus, rhaid oedd iddo gael gwared â chastiau drwg fel mynd o flaen cynulleidfa efo darn o bapur yn ei law, ac edrych ar y papur ar ôl pob jôc. Roedd yn rhaid hefyd ei berswadio i beidio â dweud jôcs. Dydy dweud jôcs am bobol eraill ddim yn siwtio Don o gwbwl, ond unwaith ma'r jôcs yn troi o'i amgylch o ei hun, ei wraig a'i deulu, mi fyddai'n rhaid mynd yn bell i ffeindio digrifwr doniolach.

Yr hyn wnes i gyda Don oedd sgwennu deunydd hollol newydd oedd yn addas i'w arddull a'i amgylchiadau fo. Dwi'n dal i glywed y deunydd gwreiddiol hwnnw sgwennais iddo pan fydd ar *Noson Lawen* o dro i dro. Piti na fasa 'na hawlfraint ar jôcs 'te! Dwi bob amser yn falch o weld Don, ond mae angen cynhyrchydd ar ambell i jôc mae o'n ei dweud hefyd, fel sy arnon ni i gyd.

Roedd 'na rai eraill profiadol hefyd oedd yn hapus

i gymryd gair o gyngor pan gâi ei roi – Glan Davies yn gwerthfawrogi pob dim, er mor brofiadol ydoedd. Roedd Glan yn un o arwyr mawr Ryan a Ronnie. Glan fyddai bob amser yn cyflwyno eu sioeau teithiol. Châi neb wneud hynny os nad oedd ganddo ddawn arbennig. Er mai Glan oedd un o'r rhai mwyaf profiadol yn y criw, roedd yn hapus i chwarae ei ran yn hollol ddiymhongar. Roedd Glan hefyd yn dda am roi cynghorion i eraill, chwarae teg iddo.

Ddo i ddim i ben ag enwi'r cyfan, ond diolch am gyfraniad a chwmni hapus Iwan Williams o Gaerfyrddin, oedd bob amser yn fodlon ceisio torri tir newydd. Yna'r actor adnabyddus Griff Williams, sydd â'r ddawn o ddynwared Anthony Hopkins... yn well nag Anthony Hopkins ei hun! A'r cyn-athro Lyn Jones, roddodd gymaint o foddhad i mi efo'i ffraethineb. Mae Griff a Lyn yn dal i berfformio mewn dramâu yn eu hardal, er i'r ddau fod yn brysur gyda gwaith teledu fel actorion.

Mae enw Ifan JCB yn dod â gwên i fy wyneb i. Dyna oedd yn braf efo Ifan – roedd ei enw a'i fri wedi cyrraedd o'i flaen, doedd dim ond rhaid iddo gamu ar y llwyfan ac fe fyddai'r gynulleidfa'n bwyta o'i ddwylo. Un arall dawnus wedyn yw Breian Teifi. Roedd Breian wedi cael llwyddiant ysgubol ar y gyfres *Opportunity Knocks*, a gâi ei chyflwyno ar y pryd gan Bob Monkhouse, cyn dod ar y *Jocars*. 'Sdim lot o Gymry Cymraeg all ddweud eu bod wedi perfformio yn y London Palladium gyda Bob Monkhouse. Yn ôl Mr Monkhouse ar y pryd, roedd Breian yn athrylith o ddigrifwr, ac mae cael y fath ganmoliaeth gan y mwyaf o'r digrifwyr yn dweud y cyfan am Breian. Beth ddigwyddodd iddo, 'dwch? Oes rhywun yn gwybod?

Mae dau o gewri'r byd comedi Cymraeg wedi'n gadael, dau oedd yn nabod comedi fel nabod cledr eu llaw a'r ddau o Sir Benfro – Alun James, yr un fyddai'n gwneud *stand up, sitting down* – corrach o ran maint ond cawr o ddigrifwr; hefyd, Dilwyn Edwards, un o ddynion cleniaf y ddaear, dyn ei filltir sgwâr oedd yn nabod ei bobol, ac yn feistr ar ddehongli jôc. Sawl gwaith y clywais artistiaid yn dweud eu bod wrth eu bodd pan fyddai Dilwyn yn arwain.

Fe ddaeth cyfresi'r *Jocars* i ben, ond fe gafwyd pedair cyfres atebodd ofynion S4C ar y pryd. Yr hyn y gofynnwyd amdano oedd comedi Gymraeg draddodiadol ar gyfer Cymry traddodiadol. Ond pan ddaeth comisiynydd newydd, fe gafwyd gwared o'r gyfres am nad oedd yn ateb gofynion y Gymru fodern, meddan nhw. Ond y gwirionedd oedd fod ailgylchu digrifwyr y gyfres *Noson Lawen* yn haws ac yn rhatach. A phwy sy'n eu beio pan fo cyllid rhaglenni mor brin?

Fe gawsom sawl cyfres arall, gan gynnwys cwis *Bob yn Ddau* gydag Alwyn Siôn (seren *Bacha Hi O'Ma*) yn cyflwyno. Dwi wrth fy modd yn gweithio efo pobol dwi'n leicio – pobol sydd yn dod i'w gwaith wedi paratoi ac yn barod. Mae Al yn un o'r bobol hynny – yn ffraeth a chwim ei feddwl, ac wedi'i fagu a'i feithrin yn y petha tua ardal y Bala 'na – Llanuwchllyn, ia?

Wna i byth anghofio'r comisiwn gawson ni gan S4C i gynhyrchu rhaglen awr gyda Tony ac Aloma. Erbyn hyn doedd Tony ac Aloma ddim yn gwneud perfformiadau byw, heb sôn am wneud rhaglen deledu fyddai'n para awr. Ond roedd y ddau wedi cytuno, ac aethpwyd ati i baratoi'r lleoliad, yr artistiaid, y band, y set, a cheisio penderfynu ar y ffordd orau o ddefnyddio'r gyllideb roddwyd i ni.

Wedi gwneud yr holl drefniadau, yn anffodus, fe aeth un o'r ddau'n sâl, felly doedd hi ddim yn bosib cynhyrchu'r rhaglen o fewn amserlen S4C. Bu'n rhaid hysbysu Comisiynydd Adloniant S4C am ein problem ond yr ymateb a gafwyd oedd mai ni gafodd y comisiwn, ac mai ein cyfrifoldeb ni oedd cyflawni'r hyn a addawyd.

Yn rhyfedd o sydyn fe gefais syniad, ac fe drodd hwnnw yn un o'r syniadau hynny y dylai rhywun fod wedi meddwl amdano yn gynt, sef cael artistiaid gorau Cymru i ganu caneuon Tony ac Aloma, a galw'r rhaglen yn *Diolch i Chi* – yr artistiaid yn canu clodydd Tony ac Aloma wrth ganu eu caneuon. Fu erioed gwell syniad, meddyliais, ac fe gytunodd Elwyn, â gwên fawr ar ei wyneb.

Fe gytunodd S4C fod y syniad yn un diddorol, ond gan awgrymu'n gynnil na fyddai'n hawdd darganfod artistiaid i ganu caneuon mor bersonol â chaneuon Tony. Pan hysbysebwyd y noson, oedd i'w chynnal yn Theatr Gogledd Cymru, Llandudno, bu galw mawr am y tocynnau yn ein swyddfa ym Mae Colwyn – pawb am fod yno, a phawb isio trefnu bws i ddod. Doedden ni ddim wedi disgwyl y fath ymateb, ond o gofio poblogrwydd Tony ac Aloma yn y 1960au a'r 1970au, o ia, a'r 1980au a'r 1990au, pa syndod fod 'na gymaint o alw am docynnau i'r noson. Edwina druan oedd yn gorfod ymateb i'r galwadau, a threfnu'n ofalus ble roedd pawb i eistedd. Roedd y theatr yn orlawn – 1,200 o bobol wedi dod i fwynhau, ac fe fydden ni wedi medru llenwi'r theatr ddwywaith drosodd.

Aled Jones, un o ffans mwyaf Tony ac Aloma gyflwynodd y noson. Annette Bryn Parri a Roy Jones oedd y ddau drefnydd cerdd, felly roeddan ni mewn dwylo saff. Roedd Roy, gŵr Aloma, wedi'i drwytho yn y caneuon ers blynyddoedd, ac Annette, yn ôl ei harfer, yn gwneud yn siŵr fod y gerddoriaeth yn addas i bob cân, a bod neges y gân yn cael y sylw priodol, yn ôl dymuniad Tony.

Os oedd S4C yn bryderus am yr artistiaid, doedd dim rhaid iddyn nhw boeni, gan fod yr holl berfformwyr wedi paratoi'n drylwyr cyn dod i'r ymarfer cyntaf: Caryl Parry Jones ac Eden wedi paratoi fersiwn gwirioneddol deimladwy o 'Wedi Colli Rhywun Sy'n Annwyl', a Caryl ei hun yn ei theimlo'n fraint cael canu un o'r clasuron; John ac Alun a'u fersiwn rhagorol o 'Aros y Nos', sydd, gyda llaw, ar un o'u cryno ddisgiau; Ysgol Glanaethwy hwythau'n syml effeithiol gyda chadwyn o ganeuon, a gorffen gyda 'Diolch i Ti'.

Geraint Griffiths, yr hen rocar ei hun (pwy arall?), yn

canu 'Dwi Isio Canu Roc a Rôl'; a Hogia'r Wyddfa yn swynol nefolaidd â fersiwn hollol anhygoel o 'Cloch Fach yr Eglwys.' Fe ddewisais yr hogiau i ganu'r gân arbennig hon oherwydd eu fersiwn sensitif o'r gân 'Jimmy Brown'. Dwy gân ar ôl... tawelwch llethol... y gerddoriaeth yn dechrau'n dawel, ac yna'n cryfhau... y tensiwn yn anghredadwy... y dorf fel un yn sylweddoli beth oedd y gerddoriaeth... ac yna Tony o'r dde ac Aloma o'r chwith yn dod i'r llwyfan dan ganu 'Ma Gin i Gariad'. Cyrraedd y canol, edrych ar ei gilydd. Ni welwyd golygfa fwy gwefreiddiol a theimladwy ers i Tony ymuno ag Aloma ar lwyfan y Majestic dri deg o flynyddoedd yn gynharach. Sôn am gymeradwyaeth! Y dorf fawr mor falch o weld y ddau! Yna'r diweddglo mwyaf bendigedig welwyd ar lwyfan erioed yn fy mhrofiad i – Tony ac Aloma'n canu 'Ddoi Di'm yn Ôl i Gymru?' gyda Chôr Bro Gwerfyl. Anfarwol.

Yn y noson hon y cwrddais gynta â Peggy Howatson – un a ddaeth wedyn yn un o'm ffrindiau gorau. I Peggy, mewn gwirionedd, mae'r diolch fy mod wedi mynd ati i ailddechrau perfformio, er fy mod yn dewis a dethol yn ofalus ble fyddaf yn mynd. I roi'r stori yn llawn, gin i roedd y cyfrifoldeb o gynhyrchu'r rhaglen ar y llawr, ac Elwyn wedyn yn cyfarwyddo. Fel gyda phob rhaglen deledu, mae rhywbeth yn siŵr o fynd o'i le. Y noson arbennig hon sylweddolais nad da o beth fyddai gadael y llwyfan yn wag tra bod Elwyn a'r criw yn trio datrys y problemau. Felly dyma fi'n camu ar y llwyfan i egluro orau gallwn fod problemau technegol wedi rhoi stop ar bethau. Ond pan aeth un broblem yn ddwy, a'r ddwy yn ddeg, a'r deg yn... wel, wn i ddim, doedd gin i ddim lot o ddewis ond diddanu'r gynulleidfa fawr fel yr arferwn ei wneud flynyddoedd cynt. Mae un peth yn sicr, mi lwyddais bob tro i gael y gynulleidfa'n hapus, yn chwerthin, ac fe leihaodd hyn rywfaint o'r diflastod o ganlyniad i'r holl ddisgwyl am yr eitemau. Rhaid cofio nad oeddwn wedi perfformio'n gyhoeddus ers llawer blwyddyn – o'n i wedi cael llond bol ar bobol yn dweud na fyddwn byth yn llenwi sgidia Nhad, ac yn ansicr a allwn gyfuno fy mywyd Cristnogol â bywyd dweud jôcs.

Wrth fynd i'r car ar ôl y noson dyma'r llais 'ma'n fy nghyfarch, 'Ew, Idris Charles, 'sa hi 'di bod yn ddiflas iawn hebddat ti heno.'

'Diolch yn fawr,' medda finna'n gwrtais a blinedig.

'Peggy Howatson ydw i, ti'n fy nabod i?'

'Dwi 'di clywed amdanoch chi,' medda fi wedyn, ac mi oeddwn. Hi oedd ar Radio Cymru yn aml yn sôn am y cyngherddau elusennol y byddai'n eu trefnu.

'Sa ti'n leicio gwneud consart i mi?' holodd wedyn.

'Ew, na,' medda fi, a thrio agor drws y car mor gyflym ag y gallwn. 'Dwi ddim yn perfformio'r dyddiau yma, 'chi... ddim yn ddigon hyderus i sefyll o flaen cynulleidfa.'

'Ond mi wnest ti heno, a hynny'n dda iawn hefyd. Sgin ti rif ffôn ga i?'

Fe ffoniodd Peggy, yn ôl ei haddewid, mewn rhyw wythnos, ac fe gawsom sgwrs hir. Yn y diwedd, fe berswadiodd fi i arwain noson o adloniant yn neuadd Ysbyty Gobowen. Yn dilyn hynny dwi wedi gwneud sawl cyngerdd at achosion da i Peggy, ac fe roddodd y profiadau hynny hyder i mi ailafael yn y byd dweud jôcs ac arwain am gyfnod, ond dim ond yn achlysurol. Dwi ddim wedi perfformio ers sawl blwyddyn bellach; falla bod angen i Peggy ddod ar y ffôn eto!

Dydw i ddim fel arfer yn cael fy siomi pan na fydd pethau'n digwydd yn ôl y disgwyl, ond, a bod yn hollol onest, fe gefais siom fawr pan wrthododd S4C wneud cyfres o sioe gomedi Idris Charles. Wedi gwneud y peilot, a hwnnw yn fy nhyb i'n ddoniol iawn – pan fo cynulleidfa yn methu rheoli eu hunain wrth chwerthin, mae hynna'n arwydd eithaf da, fel rheol, fod y comedi'n llwyddiannus. Dwi'n cydnabod fod yr arddull yn un draddodiadol Gymreig, ond cynulleidfa draddodiadol Gymreig oedd yn y gynulleidfa, a chynulleidfa draddodiadol Gymreig ydy mwyafrif gwylwyr ein sianel, beth bynnag. Os na wnân nhw fodloni'r gynulleidfa honno… wel ia, be nesa?

Cafodd y peilot ei gynhyrchu'n broffesiynol ar gyllideb fechan iawn, gydag artistiaid o'r safon uchaf megis Dafydd Dafis ac Angharad Brinn yn actio ac yn canu. Llond stiwdio o gynulleidfa'n morio chwerthin, ac yn cymeradwyo'n frwd wrth ymateb i ganu swynol Dafydd ac Angharad. Beth bynnag am y penderfyniad, fe gawson ni lot fawr o hwyl. Cofio mynd am bryd o fwyd efo Angharad i fwyty crand Tsieineaidd ym Mhorthaethwy. Wedi cael llond bol o fwyd neis iawn, fe sylweddolodd y ddau ohonom nad oedd gynnon ni'r un geiniog goch i dalu, na chwaith gerdyn banc, na chredyd. Pwy oedd yn mynd i egluro i'r dyn wrth y til? Be ar wyneb y ddaear oeddan ni'n mynd i' wneud? Doedd dim amdani ond i mi ddeud yn araf yn fy Tsieineeg gora, 'Soli no mo-ney… me send yu by post tw-molo. Isat OK wee yu?' Mi ges ateb yn Gymraeg. 'Fi nabod ti! Iawn ti talu drwy post fory. Nos da!'

Wrth edrych 'nôl ar y noson fawr yna yn Theatr Llandudno a nosweithiau tebyg, anodd peidio teimlo'n rhwystredig iawn a chydymdeimlo i raddau gydag artistiaid a thalentau drwy Gymru heddiw sydd heb blatfform i arddangos eu dawn. Diolch am y gyfres *Noson Lawen* sydd gyda ni o hyd – diolch am gyfresi eraill, ond prin yw'r ddarpariaeth ar gyfer ein hartistiaid. Dwi wedi cael fy meirniadu lawer tro am roi syniadau henffasiwn i S4C, a bod byd yr hen adloniant ysgafn gyda llond llwyfan o artistiaid amrywiol megis *Sêr Cymru* o'r Majestic wedi hen farw.

Ond dwi'n credu'n gryf fod llawer o dalent yng Nghymru o hyd. Un o'r rhaglenni mwyaf poblogaidd yn Saesneg ar hyn o bryd yw *Britain's Got Talent*. Fe welodd Simon Cowell fod 'na fwlch mawr yn y byd adloniant, am adloniant! Drychwch mewn difri ar Eisteddfod yr Urdd, yna edrychwch ar yr Eisteddfod Genedlaethol – oes 'na dalent? Nos Sadwrn Eisteddfod yr Urdd – dyna i chi noson arbennig, dyna i chi aur talent Cymru. Ewch i nosweithiau cystadleuol y Ffermwyr Ifainc a meiddiwch chi ddeud nad oes talent ymysg y cystadleuwyr. Ond, medda rhai, dydyn nhw ddim digon da ar gyfer y teledu – dydy cyfranwyr *Britain's Got Talent* ddim yn ddigon da i deledu chwaith. Yn y gwrandawiadau sy'n cael eu darlledu, ma Simon a'r cynhyrchwyr yn gweld potensial ac yn datblygu'r potensial yna ar gyfer y rowndiau cynderfynol, a'r rownd derfynol ei hun.

Mi ddwedwn i ei bod hi'n gywilydd arnon ni fel Cymry nad ydym yn manteisio ar y talentau sydd gynnon ni. Mi glywais rai yn dweud, 'Ia, ond pobol Steddfod ydyn nhw, yn perfformio'r hyn ma pwyllgor y Steddfod wedi gofyn iddyn nhw berfformio.' Meddyliwch o ddifri am gael cynhyrchydd adloniant yn rhoi tasg i'r perfformwyr gyflwyno deunydd mwy adloniadol, cyfoes. Ond 'sneb fel Simon Cowell yn gallu gweld y tu draw i berfformiad llwyfan yr Eisteddfod. Ma 'na holi pam fod rhifau gwylwyr S4C wedi gostwng dros y blynyddoedd dwetha. Yr esgus yw fod cymaint mwy o gystadleuaeth heddiw. 'Lle ma'r gystadleuaeth?' Er bod cannoedd o sianeli eraill, 'sdim un yn Gymraeg! Dyna sy'n gwneud S4C yn unigryw, 'dan ni'n genedl wahanol, ein sianel ni yn y Gymraeg yw S4C – felly does dim cystadleuaeth.

Yr unig amser mae'n dod yn gystadleuaeth yw pan ydan ni yn trio bod fel y Saeson a'r Americanwyr. Pam na fedrwn fod yn Gymreig, a Chymraeg ein hagwedd? Petai gynnon ni lwyfan ar ein sianel i dalentau Cymry Cymraeg ar wahân i'r Eisteddfod, byddai llai o gwyno. Reit, dyna ddigon!!

Pennod 22

Radio Cymru ac Earnshaw bach

Wrth weithio i Gwmni'r Castell, daeth cyfle i wneud dipyn o waith radio unwaith eto. Radio ydy fy nghariad cyntaf, oherwydd mae'n gyfrwng mor eithriadol o hyblyg. Ma sgwennu comedi ar gyfer y radio hefyd yn llawer iawn haws os oes gan y gwrandawyr ddychymyg. Y person y tu ôl i'r meic sy'n creu'r darlun, ond caiff y gwrandawyr ei beintio yn ôl eu dymuniad. Dwi'n hoff iawn o gomedi radio. Sawl tro yn ystod cyfres arbrofol *C'mon Midffîld* ar y radio bu'n rhaid i mi stopio'r car gan gymaint y chwerthin, ac mae'n rhaid canmol Gethin Thomas, a Matthew a Daniel Glyn am greu lluniau hollol gredadwy ac i bwrpas yn eu comedi hwythau ar y radio. Rhaid llongyfarch y tri hyn yn ogystal am fod mor ddewr â mentro i'r byd comedi ac am greu deunydd newydd a ffres yn y Gymraeg.

I mi, cyflwyno ar y radio oedd y peth agosaf i fod yn ddelfrydol. *Cadair Idris* oedd enw un o'r cyfresi, yna *Cabaret Idris*, *Idris ar y Sul*, *Idris ar y Sadwrn*, *Idris a Donna* (Donna Edwards), *Idris Nos Sadwrn*, a chael y cyfle i gyflwyno nosweithiau *Plant Mewn Angen*, *Cabaret Steddfod*, *Cabaret Santes Dwynwen*, a llu o raglenni pan fyddai cyflwynwyr ar eu gwyliau neu yn sâl.

Flynyddoedd ynghynt, roeddwn i wedi cyflwyno rhaglenni i Radio Cymru, cyn i'r drefn newydd o chwarae recordiau ddod yn ffasiynol. Fe gefais alwad ffôn gan Bethan Wyn

Jones, cynhyrchydd ym Mangor ar y pryd, yn gofyn tybed oedd gin i ddiddordeb mewn cyflwyno rhaglen geisiadau o'r enw *Brysiwch Wella* i bobol oedd yn sâl, adra neu yn yr ysbyty. Yr adeg honno, roeddwn i'n digwydd gwneud ychydig o waith cyflwyno rhaglenni Cymraeg i orsaf newydd Sain y Gororau yn ardal Wrecsam, ond roedd cael camu i stiwdios y BBC yn gyfle gwych i mi ailsefydlu fy hun fel cyflwynydd radio. Unwaith yr wythnos am ddeuddeg wythnos oedd y cytundeb. Mwynheais y profiad am ddau reswm, yn bennaf am fod Bethan mor drylwyr a threfnus yn ei pharatoi, ac mor annwyl ei hagwedd, ac yn ail, oherwydd yr ymateb a gaem, y galwadau a'r llythyrau a ddeuai yn eu dwsinau a phobol yn diolch ar y stryd. Mi wn yn dda fod Dai Jones, Llanilar, yn cael ymateb anhygoel i'w raglenni yntau ar nos Sul, ac i raddau roedden ni'n anelu at yr un math o gynulleidfa.

Ond y cam nesaf yn y byd radio roddodd yr her fwyaf i mi. Fe gefais gyfle, a dwi'n dal i gael cyfle, i sylwebu ar ein gêm genedlaethol ni – ia, y gêm bêl-droed. Dwi wedi bod â diddordeb mawr yn y gêm erioed, ac wedi cael cyfle nid yn unig i chwarae'r gêm, ar safon isel, ond hefyd wedi cael trwydded i fod yn ddyfarnwr cymwysedig. Ond mater arall ydy sylwebu, crefft yng ngwir ystyr y gair. Clywed ar y radio un diwrnod wnes i fod Radio Cymru yn chwilio am ohebwyr ar gyfer gêmau yn Uwch Gynghrair Cymru. Dyma ffonio'r swyddfa, a siarad efo Dafydd Owen, hogyn o Ruthun, a mab i'r Parch. John Owen. Roeddwn i wedi cwrdd â Dafydd rai blynyddoedd yn gynt yn Sain y Gororau pan oedd Dafydd yno ar brofiad gwaith, a chan fod ganddo ddawn darlledu amlwg, fe roddais fy slot i iddo fo ei chyflwyno.

'Wn i ddim sut fydd gwrandawyr chwaraeon yn ymateb i ddigrifwr yn gohebu ar bêl-droed,' oedd ymateb cynta Dafydd. 'Fedri di fynd i gêm dydd Sadwrn nesa, recordio adroddiad o'r gêm, gan gynnwys rhagarweiniad, adroddiad hanner amser ac adroddiad ar ddiwedd y gêm, ac wedyn anfon y tâp i ni gael gwrando arno?'

Fe es draw i'r Fflint i weld tîm y dref yn chwarae yn erbyn y Drenewydd. Fe recordiais y cyfan yn ôl eu dymuniad, ac anfon y tâp atynt. Ganol wythnos, dyma Gwyn Derfel, un o gynhyrchwyr y rhaglen chwaraeon, yn fy ffonio a gofyn oeddwn i ar gael i fynd fel gohebydd i'r Drenewydd ddydd Sadwrn, gyda Caernarfon yn chwarae'r tîm cartref. Dyna beth oedd profiad gwahanol. Mi fyddwn yn gwrando ar y rhaglen chwaraeon bob dydd Sadwrn ac yn gwybod pa mor dda oedd y gohebwyr a'r sylwebyddion. Roeddwn yn weddol hapus y dydd Sadwrn cyntaf hwnnw.

Dwi wedi bod yn sylwebu ers sawl tymor bellach, ac yn mwynhau'r profiad yn fawr, gan ei fod yn sialens ac yn her newydd. Y sylwebaeth lawn gyntaf i mi ei gwneud oedd ar y gêm rhwng Caernarfon a Chwmbrân. Mi gysylltodd Ian Gill, cynhyrchydd Bangor, a gofyn i mi fynd i'r BBC ym Mangor i godi'r ISDN. Tan hynny, doeddwn i erioed wedi clywed am y teclyn gwyrthiol hwnnw. Peiriant mewn bocs ydi o, a hwnnw wedyn yn troi'n ddesg stiwdio fechan. Wedi gosod y cebl a'r meicroffon a throi rhai switshys, gall pawb sy'n gwrando ar Radio Cymru glywed pob dim fel cloch – da 'te. Efo'r cyrn am fy mhen a meic yn sownd wrth fy nheg, ro'n i'n meddwl ma fi oedd John Motson ei hun… wedi cyrraedd! Wembley fydda'r stop nesa.

'Mi fydd gohebu yn llawer haws efo meicroffon, yn hytrach na siarad i lawr y ffôn,' oedd geiriau Gill wrth i mi adael stiwdio Bangor ar fy ffordd i Gaernarfon. Yn ôl fy arfar, roeddwn wedi paratoi yn ofalus, wedi cyrraedd mewn pryd, ac wedi holi'r ddau reolwr am eu timau cyn mynd i fy sedd bwrpasol ar gyfer gohebu, a gosod yr ISDN yn ei le am y tro cyntaf. Diolch byth, fe ddaeth y golau coch a'r golau gwyrdd ymlaen ar y teclyn i ddynodi fy mod i wedi gwneud cysylltiad efo'r stiwdio ym Mangor – eu problem nhw wedyn fyddai sicrhau fod pawb yn fy nghlywad ar y radio.

'Ti'n fy nghlywad i?' holodd Gill.

'Yndw,' medda finna. 'Fatha 'sa chdi'n ista wrth fy ochor i.'

'Iawn,' medda'r cynhyrchydd hapus. 'Mi ddo i 'nôl atat ti am adroddiad cyn y gêm mewn rhyw hanner awr.' Chwarter awr cyn diwedd yr hanner cyntaf, Gill yn dŵad trwodd ata i a deud, 'Idris, ma gynnon ni ddeng munud i'w lenwi cyn y byddwn ni'n mynd i Everton am sylwebaeth lawn o gêm y dydd, felly dwi isio i ti roi sylwebaeth ar y gêm yna yn Gaernarfon tan hanner amser, iawn?'

'Ond Gill,' medda fi, 'dwi erioed wedi sylwebu. Dwi ddim yn meddwl y medra i.'

'Medri, neno'r tad,' medda hwnnw yn ei stiwdio glyd. 'Y cwbwl sydd isio i ti neud ydy deud be ti'n weld.'

Y rheina oedd y deng munud mwyaf anodd i mi eu hwynebu'n gyhoeddus erioed, ac fe sylweddolais y prynhawn hwnnw fod 'na dipyn mwy i'r busnes sylwebu na be ma pobol yn ei feddwl. Ers y prynhawn gwallgof hwnnw, ma sylwebu wedi dod yn rhan bwysig o'm bywyd; yn wir roedd yn bwysig iawn pan oeddwn yn sâl gydag iselder, gan mai'r unig beth y medrwn ei wneud oedd sylwebu.

Dwi bellach wedi sylwebu ar rai o gêmau mawr Cymru a Lloegr. Fy hoff faes ydy Parc Ninian, gan mai cefnogwr Caerdydd ydw i a hynny ers diwedd y 1960au pan oeddwn yn gweithio yn y ddinas i Deledu Harlech. Dwi wedi sylwebu sawl gwaith ar y Cae Ras yn Wrecsam, ar y Vetch yn Abertawe ac, wrth gwrs, stadiwm newydd ysblennydd y Liberty. Dwi wedi cael modd i fyw mewn llefydd fel Old Trafford, Anfield, Goodison Park, Villa Park, a stadiwm newydd Madjeski yn Reading a'r JJB yn Wigan. Ma'n rhaid cyfadde fod y clybiau hyn yn edrych ar ôl swyddogion y wasg a sylwebyddion yn dda iawn ar y cyfan, er cyn lleiad o le sydd gynnon ni i ista, o gofio fod rhaid i mi gael nodiadau o'm blaen a lle i'r peiriant ISDN. Gwasgu'n dynn rhwng y bwrdd a'r ddesg ydy hi fel arfer, a'r bol mawr 'ma'n cael ei hambygio'n arw, yna brwydro drwy'r gêm am le i'r breichiau, ac osgoi penelin y cymydog. Gwae fi os daw galwad natur a minna'n eistedd yng nghanol y rhes.

Mynd i St James' Park, Newcastle, fu un o'r profiadau gorau i mi – y bwyd yn flasus a'r profiad o gerdded i mewn i loc y wasg efo Malcolm Allen, hwnnw'n nabod pawb, a phawb yn ei nabod o. Roedd Mal yn arwr mawr ymysg y cefnogwyr ar un amser; yn wir, Mal oedd y chwaraewr cyntaf i Kevin Keegan ei arwyddo pan ddaeth i'r clwb fel rheolwr y tro cyntaf. Ma cael cwmni Mal bob amser yn hwyl, a'i wybodaeth o'r gêm yn rhyfeddol – gall ddarllen y symudiadau ymhell cyn y sylwebydd, ac mae ganddo'r ddawn naturiol i allu gweld rhediadau'r chwaraewyr sydd heb y bêl, sy'n grefft mor bwysig. Mae cael ail lais i sylwebydd bob amser yn gymorth, ac yn gwneud y gwaith yn llawer haws, wrth reswm.

Rydan ni fel Cymry Cymraeg yn ffodus fod gynnon ni bobol dda iawn yn y maes arbenigol hwn. Ces y fraint o weithio sawl gwaith efo Mal wrth gwrs, hefyd gyda Meilir Owen, Iwan Roberts, Dai Davies, Rhodri Jones, Glyn Griffiths, a Kevin Evans, ond dwi'n dal i ddisgwyl cael gweithio efo Marc Lloyd Williams. Mi fydd honno'n fraint fawr i mi, yn ôl yr hyn ma Marc yn ei ddweud bob tro dwi'n ei weld. Fel pob gwaith arall, mae 'na uchafbwyntiau cofiadwy. Braf yw meddwl mai fi oedd y sylwebydd ar Barc Ninian pan wnaeth Aaron Ramsey ei ymddangosiad cyntaf i dîm y ddinas, yr ieuengaf erioed i wisgo crys glas y tîm cyntaf. Braf oedd sylwebu ar gic rydd fendigedig Ryan Giggs y Sadwrn cyntaf ar ôl i David Beckham adael y clwb. 'Pwy sydd angen Beckham pan fo Giggs yn eich tîm' oedd y geiriau ddefnyddiais ar y pnawn cyffrous hwnnw. Mawr oedd fy mraint yn sylwebu ar giciau o'r smotyn yng Nghwpan Cymru ar Ffordd Farrar rhwng Glan-traeth a Bangor. Glan-traeth yn ennill, a finna wedi ffwndro'n lân beth oedd y sgôr, ac yn gofyn i Iolo Owen, cadeirydd Glan-traeth am gymorth, a doedd hwnnw ddim yn gwbod chwaith. Cywilydd wedyn wrth sylwebu ar gêm fawr Manchester City yn erbyn Coventry, wedi i mi gael fy anfon yno i wylio ymddangosiad cyntaf Craig Bellamy i Coventry. Craig yn sgorio yr unig gôl yn y gêm, a finna wedi colli'r gôl am fy mod yn sgwennu am ddigwyddiad arall yn gynharach yn y gêm. Dwi'n dal i gael hunllefau yn dilyn y digwyddiad anffodus yna.

Y digwyddiad mwyaf cofiadwy oedd hwnnw pan oeddwn i'n sylwebu ar gêm ar Barc Ninian un pnawn Sadwrn – Caerdydd yn erbyn Ipswich. Gyda chwarter awr i fynd, roedd Caerdydd ar y blaen o ddwy i un, cic gornel i Ipswich, a chyfle gwych iddynt ddod yn ôl i'r gêm. Cafodd fy sylwebaeth ei chwarae'n aml ar Radio Cymru, ac am a wn i dyna'r unig sylwebaeth i gyrraedd rhaglen *Wythnos i'w Chofio*:

'Chwarter awr i fynd, cic gornel i Ipswich ar yr asgell dde, y dynion mawr i gyd wedi mynd i fyny, cic dda i mewn i'r canol, ond gwaith amddiffynnol gwych gan Kavanagh, rheoli perffaith. Kavanagh yn bwydo pêl dda i Robinson, Robinson rŵan yn cario'r bêl i ganol y cae, heibio un dyn, bwydo'r bêl i Earnshaw, Earnshaw efo'r bêl'. Yna, codi ar fy nhraed, i sŵn cwynion y tu ôl i mi, 'Earnshaw… Earnshaw… Earnshaw. Oooo! Ma hi i fewn. Dyna gôl fendigedig gan Earnshaw bach.'

Gareth Blainey oedd yn sylwebu ar y brif gêm yn Abertawe, felly roedd fy sylwebaeth i wedi'i recordio. Cafodd Gareth wybod gan y cynhyrchydd fod 'na gôl wedi bod ar Barc Ninian, a chael cyfarwyddiadau i wrando ar y sylwebaeth.

'Dwi'n dallt,' medda cŵl Gareth, 'fod 'na gôl wedi bod ar Barc Ninian. Sylwebaeth gan Idris Charles.'

'…Earnshaw… Earnshaw… Earnshaw. Oooo! Ma hi i fewn. Dyna gôl fendigedig gan Earnshaw bach.'

Ac yna, ymateb Gareth, 'Pwy sgoriodd, Idris?'

'Dwi ddim yn siŵr,' medda fi.

Dwi hefyd yn cofio sylwebu ar gêm ar y Vetch yn Abertawe. Rhaid cofio fod sedd sylwebwyr yn Abertawe ar y pryd hwnnw mewn bocs uchel uwchben y cae, ac roedd rhaid dringo ysgol haearn fudur, rydlyd i'w chyrraedd. Ar y diwrnod arbennig hwnnw roedd hi'n tywallt y glaw, a gwynt o'r môr yn anelu yn syth amdana i. Doedd hi ddim yn hawdd sylwebu, coeliwch chi fi. Wrth i mi wneud fy adroddiad terfynol yn fyw ar y rhaglen, a'r cynhyrchydd wedi dweud yn union faint o amser roedd o isio – hanner ffordd drwodd, a'r nodiadau gwlyb yn fy llaw, daeth gwynt cryf o rywle a rhwygo'r papur yn ddau. Â hanner yr adroddiad yn mynd am heic efo'r gwynt, tra bod yr hanner arall yn sownd yn fy llaw, be o'n i'n mynd i'w wneud? Doedd dim dewis, ond fe alla i ddweud â'm llaw ar fy nghalon nad hwnnw oedd yr adroddiad gorau gafwyd o'r Vetch.

Dwi'n hoff iawn o ddefnyddio hiwmor yn fy sylwebaeth. Gan mai'r ail neu'r drydedd gêm dwi'n sylwebu arni o ran pwysigrwydd, y brif gêm sydd i'w chlywed yn fyw, ond rhaid i'r sylwebyddion eraill roi sylwebaeth lawn hefyd, rhag ofn y caiff gôl ei sgorio, a bydd y darn hwnnw'n cael ei gynnwys ar y rhaglen. Dw i'n hoff o greu ambell ddywediad pert fel:

'Mi fasa'r tîm yma allan o'i ddyfnder mewn pwll dŵr o flaen siop Tesco.'

'Ydy'r tîm yma'n ymarfer neu jyst yn troi i fyny i'r gêmau?'

'Ydyn nhw'n gwbod bod y gêm 'di dechra?'

'Lle ma'r eliffantod? Ma'r clowns 'di cyrraedd.'

'Pwy ydy'r dyfarnwr 'ma? O'n i'n meddwl mai 'mond ceffyl oedd yn cysgu ar ei sefyll.'

'Mr Dyfarnwr! Os mai dim ond gwylio rwyt ti am neud, pryna docyn.'

Ma 'na hwyl i' gael wrth deithio i'r gêmau – pedwar ohonon ni'n teithio yn yr un car fel arfer. 'Peidiwch byth â dibynnu ar Sat Nav Idris Charles' yw rhybudd pawb yn yr adran bellach. Cofio mynd ar goll mewn maes parcio un tro – yr hen Sat wedi drysu'n lân ac yn mynd â ni rownd a rownd mewn cylchoedd. John Hardy 'mhen amsar yn sibrwd yn ddoeth, 'Sa well i ti ddysgu darllan, Idris. Mi fydd yr arwyddion yn lot mwy o help i ti wedyn.'

'You have reached your destination,' medda'r llais meddal o fol y Sat Nav yn Barnet, a ninnau mewn stad o dai posh bedair milltir o'r cae. 'At the end of the road turn right, and you will arrive at your destination,' meddai'r un llais eto, y tro hwn yn Milton Keynes. Ninnau'n cyrraedd drws ffrynt dyn oedd yn torri'r lawnt. Medda Ian Walsh, oedd yn sylwebu i Radio Wales, 'Great work, Idris, you got us here just in time to see the grass being cut; can't see the goalpost, though.'

Ma ambell i glwb yn fwy ffysi nag eraill. Un o'r rhain yw Notts County. Pan fyddwn ni'r sylwebwyr yn cyrraedd fan'no, ma swyddogion y clwb yn edrych ar wisg pawb cyn rhoi caniatâd iddyn nhw fynd i'r blwch sylwebu – hen arferiad, am a wn i. Cyrraedd Meadow Lane yn ôl fy arfer, ddwyawr cyn y gic gyntaf, a dyma un o'r swyddogion yn edrych arna i. 'You can't go into the Press Box wearing jeans,' medda fo'n awdurdodol, fel petai o'n berchen y lle. 'Don't worry, sir,' medda fi, efo acen Gymraeg Bodffordd. 'They're not Jean's, they're mine.'

Bydd llawer o bobol yn gofyn sut yn y byd ydw i'n cofio enwau'r holl chwaraewyr, ac yn medru rhoi gwybodaeth amdanyn nhw yn ystod y gêm. Yr ateb yn syml ydy paratoi. Pan fydd cynhyrchydd *Camp Lawn* yn fy ffonio neu'n e-bostio ar ddydd Mercher i ddweud pa gêm fydda i'n sylwebu arni ar y dydd Sadwrn, mi ga i olwg sydyn ar wybodaeth Google ar y ddau dîm. Yna, nos Wener mi fydda i'n astudio'n fanwl hanes y ddau dîm, sawl gwaith ma nhw wedi chwarae yn erbyn ei gilydd, oes 'na ddigwyddiadau anghyffredin wedi bod rhwng y ddau dîm, ac yn y blaen. Yna mynd ati efo crib fân i chwilio am wybodaeth ar bob un chwaraewr sy'n debygol o fod yn y garfan – edrych pwy oedd yn y tîm yn eu gêm ddiwetha, pwy sydd wedi'i anafu, oes chwaraewyr newydd, ifanc neu hen, pwy ydy'r rheolwr ac ers faint.

Wrth astudio'r gêmau cynt bydda i'n ceisio penderfynu

pa system ma'r ddau dîm yn debygol o'i defnyddio ac yn gwneud nodiadau manwl. Wrth edrych ar luniau'r chwaraewyr, mi fydd yn haws eu nabod ar y diwrnod pan na fydd yn bosibl gweld y rhifau. Bydd gin i gôd – rhywun â gwallt coch, yna defnyddio beiro coch i neud nodiadau; chwaraewyr croenddu, nodiadau efo beiro ddu. Y broblem sy'n codi'n aml yw fod rhai o'r chwaraewyr yn edrych yn debyg i'w gilydd, er enghraifft, dau yng nghanol y cae. Bryd hynny rhaid chwilio am wahaniaethau bach, fel lliw esgidiau'r ddau, neu bod un yn droed chwith, a'r llall yn droed dde.

Os oes rhywun â'i fryd ar fynd yn sylwebydd, fy nghyngor i yw y dylai wneud sylwebaeth o gêm a'i recordio ar beiriant bychan. Bydd angen paratoi cyn mynd, a gwrando ar y sylwebaeth yn ofalus wedyn. Mae'n hanfodol bwysig hefyd gwrando ar sylwebwyr eraill, eu recordio a gwrando'n ofalus ar sylwebaeth rhywun fel Nic Parry. Rhaid bod yn sylwebydd i sylweddoli pa mor dda yw Nic. Ma popeth ma'r gwrandäwr isio'i wybod yn ei sylwebaeth, nid yn unig pwy sydd efo'r bêl, ond i ble ma hi'n debygol o fynd, pwy sy'n disgwyl amdani ac yn lle, pa mor bell o'r gôl mae'r chwarae, pa ochor o'r cae, beth yw safleoedd yr ymosodwyr a'r amddiffynwyr – popeth, cyffro pan fo angen, a dim ond pan fo angen. Erbyn meddwl, rhaid i mi ddechrau gwrando arno eto, a cheisio efelychu mwy ar Nic.

PENNOD 23

Cyfresi eraill

Y RHAGLEN A RODDODD fwyaf o fraw i mi ac a agorodd fy llygaid i ddrygioni erchyll y byd oedd cyfres o'r enw *Gwaed ar eu Dwylo*. Cyfres oedd hon a gafodd ei chynhyrchu a'i chyfarwyddo gan Michael Bayley Hughes, a'i chyflwyno gan Gwyn Llewelyn. Cyfres yn canolbwyntio ar rai o lofruddiaethau mwyaf ofnadwy ein gwlad oedd hon. Cynorthwyydd i Meic oeddwn i, a chefais y cyfrifoldeb o sicrhau bod yr wybodaeth yn gywir ar gyfer pob achos, ac nid oedd yn hawdd bob tro. Mae Meic hefyd yn berffeithydd, a rhaid oedd sicrhau bod yr holl fanylion yn hollol gywir wrth ail-greu'r llofruddiaeth. Byddai'n rhaid i'r lleoliad fod yn union fel ag yr oedd, yr actorion i fod yr un *spit* â'r cymeriadau, a phopeth ar y set yn naturiol yn perthyn i'r cyfnod hwnnw. Fe'i cawn hi'n anodd siarad gyda rhieni oedd wedi colli plentyn, neu aelodau arall agos o'r teulu, drwy lofruddiaeth. Ym mhob achos, fe fyddai'r heddlu lleol yn agor ffeiliau'r digwyddiadau i ni, gan gynnwys lluniau ac adroddiadau manwl, yn ogystal â'r cwestiynu a fu cyn ac yn ystod yr achos llys. Lluniodd y cyn-dditectif Roy Davies gyfrolau cryno a diddorol iawn am lawer o lofruddiaethau, ac roedd ei gael yn rhan o'r tîm cynhyrchu yn gymorth mawr, yn ogystal â'r cyn-dditectif Gareth Jones o heddlu Bae Colwyn. Croniclwyd hanesion deuddeg llofruddiaeth i gyd, a phob un ohonynt mor erchyll â'i gilydd.

Un o'r digwyddiadau erchyll hynny oedd llofruddiaeth merch ifanc bedair ar ddeg oed o Lanelli. Cafodd ei llofruddio gan drwsiwr ceir lleol a'i hadwaenai'n dda, ac yntau wedi taflu ei chorff egwan, 'rôl ei threisio a'i lladd, i ffos ar ochor y ffordd. Roedd ceisio ail-greu'r digwyddiad a gwneud cyfweliad â rhieni'r ferch yn anarferol o anghyffyrddus. Fel y gellir dychmygu, roedd y ddau dan deimlad mawr, ac ar adegau hir yn ystod y cyfweliad yn methu dweud yr un gair. Cydiai tad y ferch yn dynn yn ei llun drwy gydol yr amser y bûm yno, a'r fam hithau yn gofyn cwestiynau nad oedd modd eu hateb.

Roedd achos arall yn ymwneud â dyn dros ei hanner can mlwydd oed oedd wedi mynd drosodd i Ynysoedd y Philippines i chwilio am wraig ifanc, wedi dod â hi adref, ei lladd, ei thorri'n ddarnau, ac yna ei berwi yn y gegin. Dwi'n cyfeirio'n benodol at y llofruddiaeth hon oherwydd i mi gael yr her anferthol gan Meic o geisio dod o hyd i fam y ferch a hithau'n byw ar un o Ynysoedd y Philippines. Do, mi lwyddais 'rôl cryn grafu pen. Anfon y stori at un o bapurau trwm Manila wnes i, a chael galwad ffôn o'r ddinas honno gan gyfreithwraig oedd yn adnabod y teulu, ac fe wnaeth hi'r trefniadau i ni gael cyfarfod â'r teulu. Meic wedyn yn hedfan i Manila a chael cyfweliad hollol unigryw gyda mam a dwy chwaer y ferch a lofruddiwyd yng Nghymru. Cyfweliad fel yna a wnâi'r gwahaniaeth rhwng creu rhaglen dda a rhaglen dda iawn.

Cofio hefyd yn y gyfres adrodd hanes merch ifanc o Landudno a gafodd ei llofruddio yn Happy Valley ar y Gogarth o bob man. Dim ond ychydig ddyddiau ynghynt roedd y llofrudd wedi cael ei ryddhau am lofruddiaeth arall ym Mangor. Fe ddois i wybod bod y teulu yn Gymry Cymraeg ac yn byw rywle yn Hen Golwyn. Ffonio gweinidogion Cymraeg yr ardal wedyn a chael gwybod gan y Parch. J Haines Davies fod teulu o Gymry Cymraeg gyda'r cyfenw arbennig hwnnw yn byw ar stad o dai heb fod ymhell iawn oddi wrtho, ond wyddai o ddim mwy na hynny. Fe fûm wrthi drwy'r prynhawn yn curo ar ddrysau tai'r stad yn chwilio a holi. Yna, a finnau wedi blino'n llwyr ac ar fin ildio, dyma ddyn yn dweud wrtha i fod yna gennin Pedr yn ffenest tŷ rownd y gornel.

'With daffodils in the window, there's a good chance they're Welsh,' medda fo.

Doeddwn i ddim yn teimlo fel dadlau, felly es i ar fy union i'r tŷ lle roedd y cennin Pedr yn y ffenest. Fel roedd yn digwydd, *tulips*, nid *daffodils*, oedd yno, ond, yn wyrthiol, yno roedd y teulu'n byw. Dyma un o'r achlysuron i mi fod yn falch iawn fy mod i'n fab i Charles Williams. Unwaith y daeth y teulu i wybod hynny, fe fyddwn wedi cael unrhyw wybodaeth a ddymunwn ganddynt, ac fe gefais – cyfweliad efo'r fam, y ddwy chwaer a'r brawd. Does neb yn deall poen mam o golli merch drwy lofruddiaeth, yn wir, mae'n ddigon anodd deall marwolaeth rhywun ifanc fel hyn – y boen o wybod fod y ferch yn ddiogel hapus un funud ac o dan gyllell bwystfil y funud wedyn.

Doedd 'run o'r hanesion hyn yn hawdd i'w gymhwyso yn y rhaglen. Am resymau hollol ddilys, doedd pobol ddim am siarad â ni, er bod tad merch bymtheg oed o ardal Croesoswallt am fanteisio ar y cyfle. Teimlai'n gryf iawn ei fod am gyflwyno safbwynt y teulu'n hollol glir i'r cyhoedd. Lladdwyd ei ferch gan was ffarm lleol, a ffodd i Ffrainc. Dymuniad Meic oedd dilyn ôl troed y llofrudd, ac fe aethom bob cam i Lyon yn Ffrainc, y man lle cafodd ei arestio. Wnes i fawr ddim ar y stori yma, ond fe wnaeth Meic ei hun waith rhagorol yn perswadio heddlu Ffrainc i ryddhau gwybodaeth i ni. Bu bron i'r profiadau o weithio ar y gyfres yma ddinistrio fy ffydd mewn dynoliaeth.

Yn rhyfedd iawn, a finna bellach yn hŷn, eto i gyd cawn gynnig gwaith ym myd y cyfryngau. Dwi'n falch o ddweud na wnaeth Paul Jones anghofio amdanaf, er 'di o byth yn cofio fy enw. Roedd Ann Fôn, sydd bellach yn gynhyrchydd gyda Radio Cymru, wedi cael dau neu dri o syniadau, ac wedi'u cyflwyno i S4C drwy gwmni Apollo, sef cwmni Paul Jones. Fe ofynnodd Ann i mi weithio efo hi ar ddwy o'r cyfresi hyn, sef *Pobol y Pyjamas* a *Dilyn y Sêr*, y naill am ffatri cynhyrchu dillad nos Aykroyd's, y Bala, a'r llall am gefnogwyr gwallgof yn dilyn eu harwyr i bob man.

Mi wyddwn o brofiad y byddai gweithio efo Ann yn golygu ymroddiad llwyr, ac fe wyddai Ann y byddai'n cael hynny gin i. Roedd dod i nabod pobol y Bala a'r cylch a weithiai yn y ffatri yn brofiad na fyddwn am ei golli am bris yn y byd – pobol go iawn yn byw a gweithio mewn byd go iawn. Syniad 'pry ar y wal' oedd gan Ann dan sylw, a dyna geision ni ei wneud. Ar ôl bod yn y ffatri am rai dyddiau roedd y gweithwyr mor gartrefol efo'r camerâu ag oeddan nhw efo'u peiriannau gwnïo. Diddorol oedd gweld sut roedd cwmni yng nghefn gwlad Cymru yn cynhyrchu deunydd ar gyfer siopau mawrion y stryd fawr – cwmnïau fel Marks and Spencer a Woolworths. Bob dydd a nos byddai pyjamas o bob lliw, llun a maint yn gadael y ffatri mewn lorïau mawrion, rhai mor fawr â stryd y Bala ei hun.

Roedd y teulu Aykroyd yn boblogaidd iawn yn y Bala; nhw oedd prif gyflogwyr y dref. Drwy allu a dawn rhedeg busnes, yn ogystal â gweledigaeth, roedd y cwmni'n llwyddo i gael cytundebau ecscliwsif i brintio lluniau a delweddau cymeriadau poblogaidd y dydd ar eu pyjamas, gan gynnwys Mickey Mouse, Bob the Builder, Barbie, Thomas the Tank Engine, Dr Who, Star Wars a llawer, llawer mwy. Yma, yn y ffatri hon, roedd y dechnoleg fwyaf modern. Doedd neb ym Mhrydain ar y pryd yn gallu cystadlu â'r ffatri weithgar hon, ac roedd y staff i'w canmol am sicrhau bod cynnyrch y cwmni o safon uchel. David a Nigel Aykroyd, efeilliaid, oedd y perchnogion – wyrion i John Henry Aykroyd, a sefydlodd y cwmni 'nôl yn 1912 yn ardal Manceinion.

Golygfa ryfedd yn wir oedd gweld lorïau mawr trwm yn troi oddi ar yr A5 a theithio ar hyd lonydd bach culion i gyfeiriad tre Thomas Charles. Dwi ddim yn siŵr faint oedd yn gweithio yno ar y pryd, ond mae'n siŵr gin i fod ymhell dros gant. Mi dreuliais lawer i awr ginio yn y cantîn yn siarad efo'r staff, pob un â'i stori i'w dweud, a phob un yn dweud ei stori yn ei ffordd unigryw ei hun. Doedd neb yn trio bod yn rhywun arall, neb yn actio bod yn glên, neb yn gwisgo mwgwd, neb yn ceisio gwneud eu hunain yn fwy nag oeddan nhw. Doedd wiw i ni, bobol y cyfryngau, drio bod yn rhy bwysig chwaith; yn wir, chwa o awel iach oedd cael bod yno. Deuai pobol i fy nabod i a Dwynwen yr ymchwilydd yn llawer gwell wrth drin a thrafod pethau bob dydd efo nhw dros banad a brechdan. Wedyn, erbyn dechrau ffilmio ar lawr y ffatri a gwneud cyfweliadau, roeddan ni'n ffrindiau da. Trist iawn yw meddwl fod pyjamas y Bala bellach yn cael eu cynhyrchu yn Shanghai, a'r ffatri yno wedi cau.

Dilyn y Sêr oedd y gyfres arall, a hon eto wedi'i chynhyrchu a'i chynllunio gan Ann Fôn. Ma gan Ann y ddawn gynhenid yma i ddod o hyd i stori, neu bobol, ddiddorol. Mi fu ar un adeg yn gweithio ar y gyfres *Hel Straeon*, un o gyfresi mwyaf poblogaidd S4C. Dwi ddim yn gwybod am neb, ar wahân falla i Gwyn Llewelyn, sy'n nabod cymaint o bobol ag Ann, felly gwaith hawdd fu gweithio efo hi ar gyfres yn ymwneud â phobol.

Un o'r rhaglenni cofiadwy hynny oedd un am ffans John ac Alun, y ddeuawd, yn ôl Jonsi, o ben draw'r byd. Mi dreuliais amser ar dir a môr yn dilyn y bobol wallgof hyn. Dynion a merchaid yn eu hoed a'u hamser wedi gwirioni ar ddau ddyn oedd yn canu gwlad, ond, chwarae teg, roedd gan y ddau bopeth a wnâi i Gymry Cymraeg wirioni arnynt – sŵn da, caneuon o'r galon, tonau syml, cofiadwy a chanadwy, a dau oedd yn mwynhau canu. Yr adeg honno byddai'r cefnogwyr yn mynd ar fordaith fer o Plymouth i Amsterdam yn flynyddol, ac fe ddigwyddodd un o'r teithiau hynny yn ystod cyfnod ffilmio'r gyfres.

Felly, ffwrdd â fi a Dewi Hughes, y dyn camera, i Amsterdam. Wn i ddim oedd y penderfyniad yn un doeth. Ann yn pwysleisio nad jyst gweld y criw yn mwynhau John ac Alun ar y llong roedd hi am ei weld, ond cael dipyn o flas hefyd o beth fyddai'r ffans yn ei wneud 'rôl cyrraedd Amsterdam, lle â hanes digon amheus. Wel, yn sicr, dydy rhyw ddim yn rhywbeth sanctaidd yno! Mae agwedd ryddfrydol y ddinas at bopeth yn wahanol iawn i'n traddodiad ni. Mae'r *coffee shops* yn llefydd gwahanol iawn, lle ma defnyddio cyffuriau'n dderbyniol. Yr hyn sy'n rhyfedd yw fod gwerthu canabis yn anghyfreithlon, ond does dim cosb am droseddu.

Wrth gwrs, ma'r ddinas yn adnabyddus am ardal y golau coch. Dwi'n cofio mynd draw i'r ardal i ffilmio, yn ôl dymuniad Ann, gan obeithio y byddai chwilfrydedd wedi denu rhai o gefnogwyr John ac Alun i'r ardal hon. Wn i ddim hyd heddiw pwy oedd y criw cyntaf i ni ddod ar eu traws, y cyfan fedren ni ei ffilmio oedd grŵp o bobol, Cymraeg eu hiaith, yn cuddio o dan ambarél. Yn ffodus i'r criw, roedd hi'n bwrw, neu fydda na unman i guddio!

A ninnau yng nghanol yr ardal, a merched yn y ffenestri yn ceisio temtio'r gwan ei ewyllys, dyma griw o chwech yn edrych arnon ni a gweiddi,

'Ha ha, Idris Charles, ti wedi cael dy ddal rŵan, i lawr yn ardal y gola coch.'

'Arhoswch funud bach,' medda fi'n awdurdodol a phwysig. 'Gyno fi mae'r camera, chi geith eich gweld ar S4C, nid fi.'

Herian oeddwn i, wrth gwrs, tynnu coes a chael dipyn o sbort, ond doeddan nhw ddim yn gwybod ar y pryd nad oedd camera Dewi'n troi ac yn recordio'u campau. Mi fuon nhw'n anarferol o neis efo fi tan i ni ddod oddi ar y bws yng Nghaernarfon!

PENNOD 24

Penffordd a bron i ddiwedd y ffordd

DWI WASTAD WEDI DIOLCH am y gwaith ardderchog mae meddygon a nyrsys yn ei wneud. Gan fod Ceri fy ngwraig yn nyrs, mae gen i syniad go dda o'r pwysau a'r cyfrifoldeb sydd arnynt. Ond dydy petha ddim fel yr oeddan nhw. Dwi'n ddigon hen i gofio pan nad oedd rhaid gwneud apwyntiad i weld y meddyg, jyst mynd i'r feddygfa a disgwyl eich tro. Heddiw, fodd bynnag, mae'n rhaid ffonio mewn da bryd os dach chi am weld y meddyg.

Mae pawb 'di cael y profiad, dwi'n siŵr, o ffonio'r feddygfa i wneud apwyntiad, a chael y sgwrs ganlynol:

'Ga i wneud apwyntiad i weld Dr Jones, plîs?'

'Pryd dach chi isio ei weld o?'

'Heddiw, os gwelwch yn dda.'

'Pam na fasa chi 'di ffonio wsnos dwytha 'ta?'

'Toeddwn i ddim yn sâl wsnos dwytha.'

'Wel, mi fydd rhaid i chi aros tan wsnos nesa rŵan, yn bydd.'

'Be taswn i'n marw yn y cyfamser?'

'Gwnewch yn siŵr fod aelod o'r teulu'n canslo'r apwyntiad.'

Ac wedyn, pan dach chi'n mynd i'r feddygfa, ma 'na bobol yno dach chi'n eu nabod, ac wrth gwrs ma'r sgwrs yn dechra efo'r geiriau:

'Dew, helô, sut wyt ti?'

'Da iawn, diolch... a thithau?'

'O ardderchog, diolch.'

Dyma ni yn feddygfa, y lle ma pawb i fod yn sâl, a ma pawb yn deud eu bod nhw'n 'iawn, diolch'... achos, wel wsnos dwytha oeddan nhw yn sâl 'te!

Ar y cyfan dwi wedi bod yn ffodus iawn efo fy iechyd, ar wahân i drwbl cerrig yn yr arennau, a hynny ar ddau achlysur, a'r ddau achlysur yn eithriadol o boenus. Dwi bob amsar yn cael trafferth ceisio disgrifio wrth y meddyg sut boen sydd gen i, neu beth ydy'r boen, a hefyd ddweud yn union lle ma'r boen – mae fatha tasa'r boen yn cael sbort am fy mhen i. Bob tro dwi'n mynd at y meddyg, ac yntau'n gofyn lle ma'r boen, dwi'n ateb:

'Ym... yn fama... naci, yn fama... o daria, yn fama, na fama.' Dyna, ma'n siŵr, y rheswm pam na lwyddodd y meddygon i ddarganfod beth oedd yn bod arna i, pan ges i'r poenau annioddefol 'ma. Cael fy anfon adra yn ddieithriad o'r feddygfa efo llond trol o dabledi lladd poen oeddwn i bob tro. Wrth gwrs, roedd y rheiny'n gweithio am gyfnod, ond cuddio'r broblem mae tabledi poen yn ei wneud.

A dyna ddigwyddodd yn fy achos i. Y canlyniad fu i mi gael fy rhuthro i Ysbyty Maelor, Wrecsam, ac i'r arbenigwyr yno ddarganfod fod carreg yn yr aren. Do, mi fûm i'n sâl iawn, oherwydd i'r broblem droi'n *septicaemia*. Y peth a achosai'r mwyaf o embaras tra oeddwn yn yr ysbyty fyddai ffrindia a'r teulu'n dod i'm gweld i, a finna'n gorfod egluro 'mod i yn methu pasio dŵr ac yn y blaen.

Fe ddaeth yr embaras mwyaf pan ddaeth rhai o aelodau capel fy mrawd i'm gweld. Yr amser honno roedd Wili, fy mrawd, yn weinidog parchus yn Manceinion. Gorwedd yn fy ngwely oeddwn i pan ddaeth y cyfryw rai i'm gweld, a pheipia dŵr a gwaed ac *antibiotics* yn sticio i mewn i bob twll a chornel o'm corff. Pobol glên tu hwnt, ond doedd holi am fy mrawd, uwchben un oedd efo problem pasio dŵr ddim yn beth doeth.

'How is your Wili?'

'You look like your Wili.'

'We will see your Wili tonight.'

'We all love your Wili!'

Be tybad oedd yn mynd drwy feddwl y cleifion eraill ar y ward? Ac roedd ambell i nyrs yn edrych yn go od hefyd.

Wedyn, dair blynedd yn ddiweddarach, fe ges i yr un broblem eto. Y tro hwn roeddwn wedi symud i fyw i Gasnewydd – meddygon newydd, ond yr un hen stori. Eu dadansoddiad nhw oedd poenau yn y cyhyrau, a bod poenau o'r math yma'n gyffredin mewn pobol wrth iddyn nhw heneiddio. Fy anfon adra efo tabledi poen. Mynd 'nôl atyn nhw efo mwy o boen mewn dau neu dri diwrnod. '*Constipation*,' medda'r meddyg yn awdurdodol, ond y tro yma ro'n i'n gwbod yn wahanol. Felly, mynd 'nôl i'r gwaith efo tabledi lladd poen a'u cymryd bob pedair awr.

Cofio'r diwrnod es i mewn i'r ysbyty yn dda, oherwydd ychydig ddyddiau cynt ro'n i wedi bod yn ffilmio fideo pop efo Daniel Lloyd a Mr Pinc yn Rhosllannerchrugog. Roedd dod 'nôl yn y car efo Joe, y dyn camera, yn boenus tu hwnt – ac nid ar ddreifio Joe roedd y bai. Wedi cyrraedd Llanelli a dadlwytho'r car, wyddwn i ddim ar y pryd sut y gallwn ddreifio adra i Gasnewydd, ond yn wyrthiol fe lwyddais, 'rôl gorfod stopio dair gwaith. Y bore wedyn, dreifio i weld y meddyg, ond am fy mod yn hwyr yn cyrraedd a heb wneud apwyntiad, doedd fy meddyg arferol ddim yn gallu fy ngweld. Roedd rhaid i mi, felly, weld *locum*, meddyg oedd yno dros dro, a diolch amdano. Fe welodd hwnnw fod rhywbeth mwy na methu mynd i'r tŷ bach arnaf, ac fe drefnais dacsi i fy rhuthro i Ysbyty Gwent yng Nghasnewydd.

Amser cinio oedd hi pan gerddais i mewn i'r ward, ac

o fewn llai na dwy awr roeddwn yn hollol anymwybodol. Diwrnod anodd i Ceri oedd hwn, gan fod Iwan ac Owain yn symud i mewn i fflat newydd yn Brentford, y ddau erbyn hynny'n gweithio yn Llundain. Roedd angen swm da o flaendal, a doedd yr arian ddim gan yr hogia, felly bu'n rhaid i Ceri druan redeg i'r banc, a sicrhau fod yr arian yn cael ei drosglwyddo ar frys, a bod perchennog y fflat yn derbyn yr arian. Y pryd hwnnw doedd gan Ceri ddim ffôn symudol, felly wyddai hi ddim beth oedd wedi digwydd i mi nes iddi gyrraedd yr ysbyty a'm gweld yn hwyrach y prynhawn. Dipyn o sioc iddi oedd clywed fy mod mewn cyflwr difrifol wael.

Dwi ddim am fynd i fanylion, ond digon yw dweud mai'r term meddygol a roddwyd ar y broblem oedd *left ureteric calculus* – dwi'n cael pendro wrth ei ddeud. Fe drodd hwnnw'n *septicaemia.* Ma fy niolch i'n fawr iawn i Mr Rahman am achub fy mywyd. Fe weithiodd yn ddiwyd i wthio peipen i mewn i gyrraedd y garreg oedd yn sownd. Roedd y llawfeddyg doeth wedi rhybuddio Ceri i fod yn barod am y gwaethaf. Ond mi gefais fy hel....sori, fy anfon adra mewn wyth niwrnod a hynny ar 27 Awst, ia, wyth niwrnod, a finna wedi bod rhwng byw a marw. Doedd dim posib fy mod wedi gwella yn iawn. Roeddwn yn ôl yno ar 11 Medi, ac yno bûm i'n gorwedd heb fedru symud am bron i dair wythnos. Nid yn unig roedd problemau gyda'r salwch gwreiddiol ond fe ddarganfuwyd carreg arall yn yr aren, ac fe benderfynwyd cael gwared ohoni drwy ddull *lithotripsy*.

Fe'm rhybuddiwyd y byddai'n rhaid i mi orwedd ar fy nghefn mewn dŵr cynnes am awr, tra byddai'r peiriant gwyrthiol hwn yn curo ar y garreg. Yn ôl yr arbenigwyr, yr hyn sy'n digwydd yw fod y lithotritor yn anfon tonnau o bŵer at y garreg er mwyn ceisio'i thorri'n ddarnau mân heb wneud niwed i'r organau. Y nod yw torri'r garreg yn ddarnau digon mân fel y gall y claf ei phasio'n naturiol yn y dŵr.

Fe ddywedwyd y câi cerddoriaeth ei chwarae yn y cefndir tra byddwn yn cael y driniaeth, er mwyn tynnu fy sylw oddi ar y boen am wn i. Mi ddes i â fy ngherddoriaeth fy hun, ac mi fuodd Meinir Gwilym yn well meddyg na neb am yr awr honno. Roedd ei llais swynol yn mynd â fi ymhell, bell o sŵn y peiriant, a'i llais hudolus yn cludo fy nghorff i wlad ddi-boen. Y CD ddewisais i oedd *Dim Ond Celwydd.* Ro'n i'n meddwl bod Meinir yn siarad efo fi pan o'n i'n gwrando ar 'Wyt ti'n Cofio?' Dwi wedi bod yn ffan mawr o Meinir erioed, ond dyma'r tro cyntaf i'w llais roi i mi fuddugoliaeth dros fy salwch. Pwy fasa'n meddwl, yntê, y byddai'r ferch o Fôn, y cefais y pleser o fwynhau cwmni ei thaid a'i nain sawl gwaith ar eu haelwyd yn Llangristiolus, yn fy helpu fel hyn. Fe dreuliodd Tecwyn – sef taid Meinir, a oedd yn sgwennwr geiriau caneuon penigamp – a finnau oriau hapus iawn mewn cyngherddau bach a mawr gyda'n gilydd, ac roedd Nhad yn ffrind agos iawn i'w hen daid, y diweddar Ifan Gruffydd, 'Y Gŵr o Baradwys' – mae'n anodd iawn gwahanu pobol Môn, 'chi! Diolch yn fawr i ti, Meinir – mi ddo i i ganu i ti pan fyddi di'n sâl!

Wrth weithio i gwmni teledu Apollo fe awgrymodd Paul Jones ein bod yn cynhyrchu rhyw fath o raglen radio er coffadwriaeth i Nhad, oedd wedi marw ers deng mlynedd. Doedd cynhyrchu'r gyfres ddim yn anodd o gwbwl gan fod cymaint o ddeunydd archif ar gael. Ond yn hytrach na chanolbwyntio ar yr elfen ddarlledu o'i fywyd, mi benderfynais addasu ei hunangofiant, *Wel Dyma Fo*, yn ddrama radio. Mae'r hunangofiant yn canolbwyntio mwy ar y cymeriadau roedd Nhad yn eu nabod yn hytrach na'r byd darlledu.

John Ogwen luniodd y sgript gan ddefnyddio'r hunangofiant fel canllaw; finnau wedyn oedd â'r cyfrifoldeb o gynhyrchu. Y dasg gyntaf oedd dewis actorion; roedd angen actorion a chanddynt barch at waith a bywyd fy nhad, yn gwybod rhywfaint am y cefndir, ac felly'n gallu gwneud cyfiawnder â'r hanes.

Doedd y castio ddim yn anodd o gwbwl; Maldwyn John, fy nghefnder, ac actor penigamp, oedd y person delfrydol i chwarae rhan fy nhad, a darllen y stori. Dwi ddim yn meddwl fod Maldwyn wedi mynd ati'n fwriadol i ddynwared fy nhad, ond roedd yr oslef a'r pwyslais yn berffaith – bron na ellid clywed Charles ei hun yn adrodd y stori. Roedd Maldwyn nid yn unig yn parchu yr hyn yr oedd wedi'i gyflawni fel actor, ond roedd hefyd yn nabod Nhad fel Yncl Charles, brawd ei dad, fy Yncl Jac innau.

Yn ei hunangofiant ma Nhad yn sôn am lu o gymeriadau, felly rhaid oedd cael actorion fyddai'n gallu gwisgo sawl siwt i ddod â'r cymeriadau'n fyw, yn arbennig gan fod eu teuluoedd yn dal i fyw ym Modffordd a'r cyffiniau. Y person cyntaf, a'r mwyaf delfrydol, i allu cyflawni'r dasg yn hawdd oedd J O Roberts. Nid yn unig ma J O yn un o actorion gorau Cymru, ond roedd hefyd yn ffrind agos i Nhad ac yn nabod y cymeriadau cystal â Nhad ei hun. Roedd yn werth clywed J O yn dynwared John Jones Cariwr a chryndod yn ei lais: 'O'r nefoedd, bodda fo ffordd gynta, Arthur'; Ifan Jones, Tŷ Canol, a fyddai'n cwyno'n ddi-baid, 'Y-y-y, nag oes, nyrs, 'sgin i ddim bocs ond mi fydd gin i un yn fuan iawn os na ddaw rhywun i 'ngweld i'; John Williams, Penrallt, a'i straeon celwydd golau, 'Dwi'n cofio cierad un noson o Lannerch-y-medd ar hyd y lein drên 'na a phan o'n i o fewn rhyw filltir i Langwyllog, ychan, dyma rywbeth â phwn i mi yn fy nhu ôl, fel 'na. 'Ma fi'n digwydd sbio fel 'na dros fy ysgwydd ac mi sylwis ar fy union mai'r trên oedd yno. Ac wrth 'mod inna mor sionc bryd hynny mi gefais Langwyllog o'i blaen.' Yna Ŵan Hughes, a Thomas Evans, Gwalchmai. Mi wyddwn fod y dynwarediadau'n hollol gywir – yr oslef, y llais, a'r direidi – gan mai dyma'r cymeriadau fydda Nhad yn sôn wrtha i amdanyn nhw ar ffrâm y beic ar y ffordd i Gerrig Duon, ddeugain mlynedd ynghynt.

Dau actor arall yn y gyfres oedd Gareth Owen, a chanddo

ddawn actio a chymeriadu, ac Anwen Jones, hogan o Landdona, Ynys Môn, yn wreiddiol ond sydd bellach yn byw yn Llandyrnog. Roedd dewis Anwen yn bwysig am sawl rheswm. Ma acen Sir Fôn yn naturiol yn llifo o'i genau, ac roedd yn nabod 'yn teulu ni'n dda iawn. Yn actores ddidwyll iawn, roedd ganddi barch mawr at fy nhad, a Nhad ati hithau.

Recordiwyd y gyfres o flaen cynulleidfa yn festri Gad, Bodffordd, ac Ellis Wyn Roberts wedi gwneud yr holl drefniadau. Pedair noson gwirioneddol gofiadwy, y gynulleidfa'n chwerthin ac yn wylo am yn ail, a'r actorion yn dod â'r atgofion yn fyw i deulu a ffrindiau. Fe ofynnais ar y pryd tybed fyddai hi'n bosib i'r gyfres gael ei rhoi ar gryno ddisg a'i gwerthu, ond doedd neb am gymryd y cyfrifoldeb. Ma'r recordiad gwreiddiol yn fy meddiant i, a dwi'n siŵr y basai cryno ddisg yn gwerthu'n dda heddiw. 'Felly, y rhai sydd ganddynt glustiau...'

Yna, yn dilyn llwyddiant y gyfres bu'n rhaid wynebu methiant cwmni Penffordd a ddisgrifiais ar ddechrau'r gyfrol hon. Ymddeol a chuddio oedd yr unig opsiwn. Ond y gwirionedd yw, methu cymdeithasu ydy fy mhroblem fwyaf; er nad ydy hi'n broblem i mi, mae'n broblem i'm teulu a'm cyfeillion. Prin ydw i'n mynd allan o gwbwl y dyddiau hyn. Gwaith a gwely bellach bron yn un ydy'r ffordd orau o ddisgrifio 'mywyd. Mae'n gallu bod yn embaras i'm gwraig, yn arbennig pan fydd wedi addo mynd i ymweld â ffrindiau neu i gael pryd o fwyd efo rhywun, ac yna awr neu ddwy cyn mynd a minnau'n methu wynebu'r sefyllfa, hithau'n gorfod gwneud yr alwad ffôn. Yn achlysurol fe ddaw rhywun ar y ffôn isio i fi arwain cyngerdd neu noson o adloniant lleol. Ond dwi byth yn derbyn erbyn hyn, os na fydda i'n hollol sicr y bydda i'n gallu mynd, neu bod y person sy'n gofyn yn rhywun y galla i ymddiried ynddo.

Y tro dwetha i mi berfformio'n fyw oedd yn theatr Galeri Caernarfon. Efo dau o ffrindia da bob ochor i mi, fedrwn i ddim methu. Yr achlysur oedd noson yng nghwmni Mr Picton a Wali Thomas, a finnau'n cael y profiad o holi'r ddau gymeriad. Er fy mod yn nabod Mei Jones yn dda ers cyfnod Aberystwyth a'r tîm pêl-droed, ac yn ffrindia da efo John Pierce Jones ers blynyddoedd, doeddwn erioed wedi cyfarfod â Wali a Mr Picton. Er bod hynny'n swnio'n rhyfedd, dydy o ddim. Yn yr ymarferion, efo Mei a John oeddwn i, ond yna pan wisgwyd y dillad a'r colur roeddwn wyneb yn wyneb â dau gymeriad hollol newydd, a hollol gredadwy. Bois bach, roedd yn brofiad od, a thra bu'r ddau yn y wisg a'r colur tu ôl i'r llenni, Wali a Mr Picton oeddan nhw. Dwy noson yn llawn i'r ymylon. Deud rhwbath, yn tydi?

Yn dilyn methiant ein cwmni fe geisiodd Iwan am swydd yn y cyfryngau yng Nghymru fel dyn camera neu ddyn sain, gan ei fod wedi gwneud ychydig o waith gyda chwmnïau Cymreig, ond cael ei wrthod wnaeth o. Felly aeth i weithio fel *usher* mewn sinema yng Nghaer, ond o fewn tair blynedd a hanner o fod gyda'r cwmni, fe ddaeth yn rheolwr cyffredinol mewn sinema fawr yn Milton Keynes. Bellach mae o'n rheolwr cyffredinol gyda Cinema de Lux, y sinemâu mwyaf modern a moethus ym Mhrydain.

Fe aeth Owain am gyfweliad i gael swydd fel dyn sain gyda'r BBC yn Llundain, a llwyddo i'w chael, er bod dros dair mil yn trio am y swydd honno. Bellach mae'n gweithio'n rheolaidd gyda rhai o enwau mawr y byd darlledu yn y Gorfforaeth.

Ond dwi'n dal i ddioddef. Yn wir, fyddwn i ddim yn fyw i ddweud cymaint â hyn o'r stori oni bai fod Angharad Mair wedi gweld rhywfaint o werth ynof i. Diolch iddi hi a thîm *Wedi 7* ac *Wedi 3*, maen nhw wedi bod yn gefn mawr i un oedd yn teimlo iddo fod yn fethiant.

Pennod 25

Tinopolis a bywyd newydd

Bu'r gwaith o sgrifennu'r gyfrol yn bleserus iawn ar adegau. Yn sicr roedd cwmwl methiant Penffordd yn hongian uwch fy mhen wrth i mi sgrifennu a byddai fy nheimladau ar y pryd yn dylanwadu ar y cynnwys a'r arddull. Bu un cyfnod o bedwar mis heb i mi fedru sgwennu'r un gair. Ar y cyfan, serch hynny, mi eisteddwn o flaen y cyfrifiadur yn fy stafell yn y tŷ, yr ymennydd a'r cof yn gweithio ffwl pelt, tra bod yr un bys teipio yn ceisio'i orau i ddal i fyny gyda'r atgofion. Eto i gyd roedd yn brofiad gwerth chweil. Ma taith bywyd wedi bod yn un hir o ran blynyddoedd – cefais fy ngeni yn 1947, ac mae wedi bod yn braf cael fy atgoffa ble'r aeth y blynyddoedd.

Ma 'na bedair blynedd bellach ers i mi gael galwad ffôn gan gwmni teledu Tinopolis. Geraint Davies, ymchwilydd ar y pryd i'r rhaglen *Pnawn Da* ar S4C digidol, oedd y pen arall i'r ffôn. Ar y pryd wynebwn un o'm cyfnodau mwyaf anodd oherwydd fy iselder: methu gweld goleuni yn unman, doedd dim math o ddiddordeb gin i mewn bywyd, heb sôn am ddim byd arall. Fyddwn i ddim yn ateb y ffôn fel arfer, a wn i ddim hyd heddiw pam yr atebais y prynhawn hwnnw pan ffoniodd Geraint.

'Sgin ti ddiddordeb mewn dŵad i mewn i stiwdio *Pnawn Da* yn Llanelli i siarad am bwysigrwydd chwerthin?' holodd.

Ro'n i'n meddwl fod hynny ynddo'i hun yn jôc. Doedd Geraint, mwy na llawer o bobol eraill, ddim yn gwybod am fy nghyflwr, na chwaith yn gwybod am y frwydr fawr oedd gin i o geisio byw o ddydd i ddydd. Ond ar foment wan, neu gryf, er mwyn sbario mynd drwy'r broses o egluro am fy salwch, fe gytunais. Wyddwn i ddim beth roeddwn i'n mynd i'w ddweud na'i drafod. Felly, gan fy mod yn styc am wybodaeth mi wnes i droi at Google, a dod ar draws tudalennau a thudalennau am bwysigrwydd chwerthin. Fe ddarganfyddais fod yna gwrs i ddysgu chwerthin. Doedd dim amdani ond gwneud nodiadau, a mentro i ffau'r llewod yn Llanelli. Ond dau lew caredig iawn oedd yn holi – Lyn Ebenezer ac Elinor Jones. Roedd bod yn ôl a gweld Elinor yn codi 'nghalon cyn dechrau. Mae'n rhaid 'mod i wedi'u plesio, oherwydd gofynnwyd i mi fynd yn ôl i wneud cyfres o eitemau.

Un diwrnod tra oeddwn yn disgwyl i fynd i mewn i'r stiwdio, pwy ddaeth heibio ond Angharad Mair. Wedi cael sgwrs efo Angharad, fe deimlais am y tro cyntaf ers o leiaf ddwy flynedd fod gobaith o hyd i mi yn y byd darlledu. O fewn ychydig wythnosau i'r cyfarfod roeddwn i'n gweithio'r tu ôl i ddesg brysur *Wedi 7*. Cuddio fy iselder oedd y dasg anoddaf, neu fe fyddwn wedi gwneud bywyd yn anodd i mi a'm cyd-weithwyr, felly unwaith eto rhaid oedd gwisgo mwgwd i guddio teimladau oedd yn andros o boenus. Y broblem a gaf yn fwy na dim yw bod yn fi fy hun. Pam bod rhaid i mi wneud jôc am bopeth? Pam ma pobol yn disgwyl i mi fod yn ddoniol drwy'r amser? Dwi'n leicio jôc, wrth gwrs, a dwi wrth fy modd pan fydd pobol yn chwerthin wedi i mi ddweud rhywbeth doniol, ond dwi ddim yn ddoniol drwy'r amser! A dwi ddim isio bod.

Erbyn hyn ma criw *Wedi 7* ac *Wedi 3* yn fy nabod i'n dda – dwi ddim yn berson sbesial, dim ond un o'r tîm fel pawb arall, a dyna pam mae'r lle mor bwysig i mi heddiw. Dwi ddim yn siŵr be ydy fy swydd o ran teitl, ond mae'r gwaith yn amrywio o ddydd i ddydd ac o wythnos i wythnos, o ymchwilio eitemau i chwilio am eitemau, o gyfarwyddo ar leoliad i gynhyrchu rhaglen lawn yn y stiwdio.

Mae'r eitemau amrywiol rydan ni'n eu cynhyrchu yn nosweithiol wedi rhoi bywyd newydd i mi. Mae cael gweithio efo cymaint o bobol frwdfrydig wedi codi fy ysbryd. Ma 'mhen i'n gweithio mor gyflym ag erioed, ond ma'r corff yn gweiddi 'arafach plîs' bob hyn a hyn. Mae 'na eitemau fydd yn aros efo fi yn hir iawn, fel yr un gyda chyn-gantorion y diweddar Ivor Emmanuel. Roedd *Wedi 7* wedi gwneud rhaglen arbennig ar fywyd Ivor pan oedd yr Eisteddfod Genedlaethol yn Abertawe, ac Alun Gibbard wedi llwyddo i gael cyfweliad gyda'r dyn ei hun yn ei gartref yn Sbaen. O fewn dwy flynedd bu farw Ivor, ac fe benderfynodd S4C ailddarlledu'r rhaglen.

Yn dilyn yr ailddarllediad fe dderbyniodd *Wedi 7* lun o saith o ferched glandeg hardd gan Magdalen Jones, Benllech, Sir Fôn, a llythyr ganddi yn dweud ei bod hi a'r chwe merch arall wedi bod yn canu ar holl raglenni *Land of Song* gydag Ivor Emmanuel. Ychwanegodd hefyd nad oedd archif o'r merched wedi'i gadw o'r dyddiau hynny hanner can mlynedd yn ôl. Gwahoddwyd Magdalen i ddod i westy'r Angel, Caerdydd, i ddweud ei stori wrth Heledd Cynwal. Fe gytunodd, ond yr hyn nad oedd hi'n gwybod oedd 'mod i wedi dod o hyd i'r chwe merch arall yn y llun, ac wedi trefnu iddynt hwythau fod yno hefyd. Profiad i'w drysori oedd gweld y merched gyda'i gilydd am y tro cyntaf ers 1959, ac i roi hufen ar y cyfan, gyda chymorth adran archif ITV Cymru, fe ddois o hyd i archif o'r merched yn canu. Roedd pawb wrth eu boddau, a Heledd yn dawnsio o gwmpas fatha Cilla Black.

Byd adloniant sydd wastad yn mynd â'm bryd i, ac yn ein cyfarfodydd cynhyrchu bob dydd Mawrth, os bydd rhywbeth yn codi sy'n ymwneud ag adloniant ysgafn neu gomedi, bydd y llygaid yn troi i'm cyfeiriad i. Dyna ddigwyddodd pan lwyddodd Connie Fisher i gael rhan Maria yn *The Sound of Music* yn y London Palladium. Roeddem wedi cael cyfweliadau gyda Connie yn ystod y gyfres *How Do You Solve a Problem Like Maria?* Ar y noson agoriadol yn y Palladium, y tu allan i'r theatr enwog yn fyw roeddan ni am fod. Cefais i'r cyfrifoldeb o gynhyrchu a chyfarwyddo'r eitem, a Branwen Gwyn yn cyflwyno.

Doedd dim problem i ni fod yn fyw y tu allan i'r theatr ar y noson ac fe drefnwyd lle i ni sefyll i weld pawb yn mynd i mewn ar y carped coch. Ond roedd un broblem, doedd dim gobaith i ni gael cyfweliad â Connie gan ei bod hi'n ffilmio'n ecsclwsif i'r BBC y diwrnod hwnnw. Cynllun y cynhyrchiad oedd dilyn Connie ar ddiwrnod y perfformiad cyntaf, yn cael gwneud ei gwallt, yn prynu dillad ar gyfer y parti gyda'r nos ac yn y blaen, felly doedd dim gobaith i ni. Wedi i ni ffilmio'r tu allan i'r theatr, a chymryd siots o luniau enfawr o Connie, fe benderfynais gymryd siots o ddrws y llwyfan, cyn mynd i mewn i'r theatr i gyfweld Elen Môn Wayne oedd yn chwarae rhan Sister Sophia yn y cynhyrchiad.

Teimlwn fod drws y llwyfan yn bwysig i'n stori, gan mai drwy'r drws hwnnw y byddai Connie yn troedio bob dydd am y flwyddyn nesa. A ninnau wrth y drws, sylwais fod Connie a'r criw teledu yn cerdded i lawr y stryd tuag atom. Fe fachais ar y cyfle i gyflwyno fy hun i'r cynhyrchydd, ac awgrymu'n gynnil y byddai'n syniad da iddynt ffilmio Connie yn cael cyfweliad Cymraeg gan gwmni o Gymru.

'Good idea,' meddai'r cynhyrchydd hapus, a honno'n meddwl ein bod ni'n gwneud ffafr â hi. 'Can you fix it for us?'

'I think I can,' medda fi.

A dyna sut y cawson ni gyfweliad efo Connie Fisher ar noson y perfformiad cyntaf, a hynny ddwy awr yn unig cyn iddi gamu ar y llwyfan. Gyda llaw, fe ddangoswyd clip bach o'r cyfweliad hwnnw ar BBC1 yn y darllediad o'r rhaglen arbennig – a Branwen Gwyn a minnau yn serennu! Fe gawsom wahoddiad i'r parti 'rôl y sioe i gwrdd â'r cast, oedd yn cynnwys Lesley Garrett. Yno hefyd roedd Andrew Lloyd Webber a Graham Norton, a nifer o sêr enwog y West End.

Dwi wedi llwyddo i brofi i mi fy hun y galla i ddatblygu syniadau fel yn yr hen ddyddiau, a dwi wedi cael modd i fyw yn gweithio ar y cyfryngau yn darlledu efo criw o bobol ifanc (ac Adrian) brwdfrydig a dawnus. Y gwir yw, fyddwn i ddim wedi gwella cystal oni bai am fy nghyd-weithwyr. Dowch draw i brofi'r awyrgylch. Angharad ydy capten a rheolwr y tîm, ac ma ganddi ffordd o drin pobol sy'n fy siwtio i i'r dim. Deud be ma hi isio, rhoi canllawia a gadael i chi fynd ati i wneud y gwaith. Ma hi'n nabod gwendidau a chryfderau pob unigolyn, ac ma pawb angen cerydd o dro i dro, ond ma Angharad yn gwybod nad ydy pob cerydd a dull o geryddu'n siwtio pawb – ei chyfrifoldeb hi ydy sicrhau bod pawb yn rhoi o'i orau. Rhaid i mi bwysleisio fod Angharad wedi bod y tu hwnt o amyneddgar efo fi, a phan ma rhywun efo'r salwch yma sydd gin i, un ai rhaid cael gwared ar y person neu ei helpu, a fy helpu i wnaeth Angharad o'r dechrau.

Bydd pob dydd yn gosod sialens a her newydd i ni ar *Wedi 7*, gan fod angen pum eitem bob nos, a gwestai. Ma'n rhaid paratoi'r eitemau, yna mynd allan i'w ffilmio, a dod yn ôl i'w golygu, hynny bedair gwaith yr wythnos – bum noson yr wythnos erbyn y bydd y llyfr hwn yn y siopau. Felly ma cydweithio da yn hanfodol. Angharad yw'r golygydd, wedyn ma tri chynhyrchydd, sef, Catrin Evans, Adrian Howells a Bethan Wyn Evans (Jones cyn iddi briodi ym mis Awst 2008) – hi hefyd yw trefnydd, cyd-sylfaenydd a thrysorydd y clwb coffi o ddau, sef hi a fi. Yn achlysurol caf inna'r cyfle i gynhyrchu. Wedyn mae tri ymchwilydd, sef Patricia Lloyd Evans, Gaenor Jones a Siwan Richards, a bydda inna'n rhoi help llaw yn achlysurol. Y cyfarwyddwyr stiwdio sy'n dod â'r lluniau i ni ydy Richard Collins, Rebecca Miles, a Jonathan Edwards. Yna ma pump o gynorthwywyr cynhyrchu, sef Gwyneth, Cari, Bethan, Sioned a Lowri, a Mike ar lawr y stiwdio. Siân sy'n trefnu'r ciwiau a Jannette sy'n trefnu pob dim arall, gyda Huw Bala yn… ym ym ym, llenwch y bylchau. O ia, bu bron i mi anghofio'r dyn pwysicaf i gyd – Mr Ron Jones, y bòs. Ma ar lot o bobol ofn Mr Jones, ond mi brofais rhywbeth newydd amdano pan es i'w weld yn ei swyddfa cyn Dolig, ac yn y fan honno roedd fel oen bach, pan ofynnais am fwy o gyflog. Medda fo, 'Beeeeeeeeee!' Ddo i ddim i ben ag enwi'r tîm yn llawn, hyd yn oed taswn i'n cofio eu henwau. Ond fyddai dim o'n gwaith ni yn werth ei baratoi oni bai fod gynnon ni ohebwyr a chyflwynwyr, ac o'm profiad i rhaid i'r rhain fod yn dda ac yn ddibynadwy, wedi'r cyfan nhw sy'n dweud y stori.

Mae'n bleser bob dydd gweithio gyda Heledd Cynwal, sy'n eistedd wrth fy ochor, ac yn fy helpu i falu awyr drwy farddoni a dweud straeon hollol boncyrs wrth ein gilydd; Rhodri Davies, cyn-ohebydd chwaraeon gyda HTV – cyn dod i *Wedi* 7 roedd o'n breuddwydio am gael chwarae rygbi dros Gymru, bocsio efo Joe Calzaghe, cael *hole-in-one* efo Tiger Woods, a chodi cwpan FA Lloegr. Mae o bellach wedi gwneud un o'r tri ers dod i *Wedi 7*; Branwen Gwyn, neu fel bydda i'n ei galw, *brownie points*. Dwi'n anobeithiol am gofio enwau, felly rhaid meddwl am enw sy'n debyg, ac ma hi'n hogan dda sy'n haeddu *brownie points*. Ma gan Branwen a fi ddealltwriaeth dda efo'n gilydd, a 'dan ni'n cael ein galw yn *dream team*; Ellen Llewellyn, mam William a gwraig Jonathan, hogan sydd isio popeth yn ei le, a lle i bopeth, yn hynod o drefnus – ei desg hi yw'r taclusa yn yr holl adeilad, a dwi siŵr ei bod hi'n newid clwt Jonathan, sori William, cyn iddo wneud ei fusnes; Aneirin Karadog, y bardd sy'n siarad pump iaith, a dwi ddim yn ei ddallt o'n siarad yr un ohonynt, ond mae o'n handi ar ddydd Gwener pan fydda i'n mynd drwy restr chwaraewyr fy ngêm sylwebu. Mae ganddo'r ddawn anhygoel i gynganeddu, a dwi'n edrych 'mlaen at ddweud, 'Mawr yn awr yw Martines'; Nia Wyn Jones, y gof annwyl o Gaerdydd, sy'n ista dros y ffordd i mi, ac yn gwenu'n siriol drwy'r amser.

Dyna griw Llanelli, efo nhw dwi'n gweithio wyneb yn wyneb, ac yna'n achlysurol mi ga i gyfle i weithio efo Gerallt Pennant, sydd yn ein swyddfa yng Nghaernarfon, a Gwyn Llewelyn neu Delyth Wyn a fydd yn edrych ar ei ôl. Dwi wedi cael pleser mawr o weithio yn y gorffennol efo Alun Gibbard a Rhodri Llywelyn. A dyna'r tîm yn gyflawn, ar wahân i Mary a'r criw yn y gegin. Diolch i chi i gyd, ac fel y bydda i'n dweud yn ddyddiol, ''Chi werth y byd yn grwn... a hanner Birkinhead.'

Dyna fydda Mam yn arfer ei ddweud wrtha i pan oeddwn yn blentyn, felly dyna fi wedi rhoi'r gair ola iddi hi wrth drafod fy ngyrfa.

Wrth atgoffa fy hun am fy mywyd yn ystod y misoedd diwetha mae wedi bod yn gyfle i mi holi fy hun yn fwy dwys, lle ydw i heddiw? Be ydw i'n neud mewn gwirionedd? Lle ydw i'n mynd? Beth am fy ffydd? Oes 'na le i mi eto yn nhrefn Duw? Neu ai comedian di-dduw ydw i? Dwi wedi cael cynnig mynd i ddiddanu ar fordeithiau – job hawdd, tair sioe'r wythnos, a gweld y byd.

Fedra i ddal i ddefnyddio'r ddawn o greu comedi sydd wedi bod ynghwsg ers rhai blynyddoedd bellach, ac ofn dod allan yn gyhoeddus? Ai doeth oedd rhannu hyn i gyd gyda chi'r darllenwyr? I'r crefyddwyr, dwi wedi colli fy ffordd, ac yn byw bywyd o gyfaddawd, wedi cael fy maglu gan demtasiynau'r byd drygionus. I'r gynulleidfa ehangach, dwi'n rhy grefyddol i fwynhau bywyd yn llawn, ac yn rhy gul i adael i bethau cyffredin bywyd fod yn rhan ohona i. Dwi wedi dweud o'r blaen nad ydw i'r person yr hoffwn i fod, ac yn sicr nid y person y bydda rhai pobol am i mi fod.

Does gen i ddim atebion, neu falle bod gen i, ond fy mod yn gwrthod gwrando. Dwi newydd ddod 'nôl o gael gwyliau, dim ond ychydig o ddyddiau yn Nyfnaint. Dwi ddim yn un sy'n medru ymlacio'n llwyr – rhaid gwneud rhywbeth hyd yn oed pan na fydda i'n gwneud dim byd.

Cyfle i ddarllen ydi gwyliau i mi fel arfer y dyddiau hyn.

Roeddwn wedi meddwl darllen *Y Proffwyd a'i Ddwy Jesebel*, Llyfr y Flwyddyn, gan Gareth Miles, ond methais gael copi – dydy hi ddim yn hawdd prynu llyfrau Cymraeg yng Nghasnewydd. Es i siop Llyfrau'r Ddraig yn Llanelli hyd yn oed i brynu'r nofel y bu cymaint o sôn amdani, ond roedd y siop wedi cau. Felly, doedd dim amdani ond chwilio ar y silffoedd yn y tŷ. Dyma roi dau lyfr Saesneg yn y bag a ffwrdd â fi. Doeddwn i fawr o feddwl y byddai *Second Chance* gan R T Kendall a *Joy Unspeakable* gan Dr Martyn Lloyd-Jones yn cymryd cymaint o fy amser. Nid dyma'r llyfrau ro'n i eu hisio, ond roeddan nhw'n llyfrau ro'n i angen eu darllen.

Nid lle i bregethu yw hunangofiant, na lle i geisio dweud wrth bobol sut i fyw eu bywyd, ond i chi, bobol efengylaidd draddodiadol a'r rhai carismataidd, darllenwch lyfr Dr Martyn Lloyd-Jones, *Joy Unspeakable*, dro ar ôl tro. Mi greda i mai rywle yn y canol rhwng y ddau eithaf ma'r gwirionedd. Ffawd ynteu Rhagluniaeth oedd y rheswm pam y methais gael copi o lyfr Gareth? Wn i ddim, ond ma gen i syniad!

Ydw i'n hapus? Wel, dwi'n rhyfeddol o hapus yn y gwaith, ac yn edrych 'mlaen bob dydd am sialens newydd. Felly mi fydd fy nghyd-weithwyr yn ei ffeindio hi'n anodd deall lot o'r pethau dwi wedi'u datgelu. Ond er mor hapus ydw i yn gweithio i *Wedi 7*, dwi byth yn gallu cymysgu yn y cantîn amser cinio, dwi byth yn mynd i ddathlu nac yn mynd i bartïon gwaith. Be ma hynny'n ei ddweud, dudwch? Dwi'n gwbod un peth – dwi ddim isio gwisgo mwgwd byth eto.

Dwi'n hapus adra, os nad oes rhaid i mi fynd i unman – er bod yna un boen anferth na fedraf hyd yn oed ei datgelu yma. Y cyfan fedra i ei neud yw byw mewn gobaith bob dydd y daw pethau 'nôl i'w lle, a hynny yn fuan!

Diolch am ddarllen y gyfrol.

Mwy o lyfrau... y Lolfa

Hiwmor Idris a Charles

Idris Charles

Detholiad o jôcs a storiau gan y diddanwr a'r cyflwynydd, Idris Charles, sydd hefyd yn cynnwys hiwmor ac atgofion am ei dad, Charles Williams.

£4.95

ISBN: 9781847710024

Un Dydd ar y Tro – Hunangofiant Trebor Edwards

Hunangofiant hirddisgwyliedig y canwr a'r ffermwr adnabyddus o Fetws Gwerful Goch.

£9.95

ISBN: 9781847710819

Am restr gyflawn o lyfrau'r Lolfa, mynnwch
gopi o'n catalog newydd, rhad
neu hwyliwch i mewn i'n gwefan

www.ylolfa.com

lle gallwch archebu llyfrau ar lein.

y Lolfa

TALYBONT CEREDIGION CYMRU SY24 5HE
ebost ylolfa@ylolfa.com
gwefan www.ylolfa.com
ffôn 01970 832 304
ffacs 832 782